La collection
RÉVERBÉRATION
est dirigée par

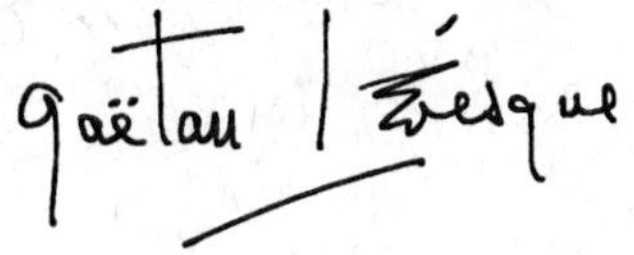

DANS LA MÊME COLLECTION

Renald Bérubé, *Les caprices du sport,* roman fragmenté.
Mario Boivin, *L'interrogatoire Pilate,* fiction historique.
Daniel Castillo Durante, *Le silence obscène des miroirs,* roman.
Hugues Corriveau, *De vieilles dames et autres histoires,* nouvelles.
Esther Croft, *Les rendez-vous manqués,* nouvelles.
Jean-Paul Daoust, *Sand Bar,* récits.
Pierre Karch, *Nuages,* contes et nouvelles.
Sergio Kokis, *Clandestino,* roman.
Sergio Kokis, *Dissimulations,* nouvelles.
Henri Lamoureux, *Orages d'automne,* roman.
Guillaume Lapierre-Desnoyers, *Pour ne pas mourir ce soir,* roman.
Andrée Laurier, *Avant les sables,* novella.
Andrée Laurier, *Le Romanef,* roman.
Maurice Soudeyns, *Qu'est-ce que c'est que ce bordel !,* dialogues.
André Thibault, *Sentiers non balisés,* roman.
Nicolas Tremblay, *L'esprit en boîte,* nouvelles.
Nicolas Tremblay, *Une estafette chez Artaud,* autogenèse littéraire.
Claude-Emmanuelle Yance, *Cages,* nouvelles.

Amerika

Du même auteur

Le pavillon des miroirs, roman, Montréal, XYZ éditeur, 1994; Montréal, Éditions Club Québec-Loisirs, 1995; La Tour d'Aigues (France), Éditions de L'Aube, 1999; *El pabellón de los espejos*, Guadalajara (México), Editorial Conexión Gráfica, 1999; *Fun House*, Toronto, Dundurn Group-Simon & Pierre, 1999; *A casa dos espelhos*, Rio de Janeiro (Brasil), Editora Record, 2000; Montréal, Lévesque éditeur, 2010. (Grand Prix du livre de Montréal, 1994; Prix de l'Académie des lettres du Québec, 1994; Prix Québec-Paris, 1994; Prix Desjardins du Salon du livre de Québec, 1995.)

Negão et Doralice, roman, Montréal, XYZ éditeur, 1995; La Tour d'Aigues (France), Éditions de L'Aube, 1999; Montréal, Lévesque éditeur, 2011.

Errances, roman, Montréal, XYZ éditeur, 1996; Montréal, Lévesque éditeur, 2011.

Les langages de la création, conférence, Québec, Nuit blanche éditeur, 1996.

L'art du maquillage, roman, Montréal, XYZ éditeur, 1997; *The Art of Deception*, Toronto, Dundurn Group-Simon & Pierre, 2002; Paris, Les 400 coups, 2005; Montréal, Lévesque éditeur, 2011. (Grand Prix des lectrices de *Elle Québec*, 1998.)

Un sourire blindé, roman, Montréal, XYZ éditeur, 1998; Montréal, Lévesque éditeur, 2010.

Le maître de jeu, roman, Montréal, XYZ éditeur, 1999; *Mistrz gry*, Warszawa (Polska), Wydawnictwo „Książnica", 2007; Montréal, Lévesque éditeur, 2011.

La danse macabre du Québec, Montréal, XYZ éditeur, 1999 (épuisé).

Saltimbanques, roman, Montréal, XYZ éditeur, 2000; Montréal, Lévesque éditeur, 2011 (avec *Kaléidoscope brisé*).

Kaléidoscope brisé, roman, Montréal, XYZ éditeur, 2001; Montréal, Lévesque éditeur, 2011 (avec *Saltimbanques*).

La gare, roman, Montréal, XYZ éditeur, 2005; *La estación*, Barcelona (España), Montesinos, 2008; México, Educación y cultura, 2008; Montréal, Lévesque éditeur, 2010. (Prix France-Québec, prix des lecteurs, 2006.)

Le retour de Lorenzo Sánchez, roman, Montréal, XYZ éditeur, 2008; Montréal, Lévesque éditeur, 2010.

Dissimulations, nouvelles, Montréal, Lévesque éditeur, 2010.

Clandestino, roman, Montréal, Lévesque éditeur, 2010.

À paraître chez Lévesque éditeur

Les amants de l'Alfama.

L'amour du lointain.

Le fou de Bosch.

Le magicien.
- Prix Québec-Mexique, 2003.

SERGIO KOKIS

AMERIKA

roman

Catalogage avant publication
de Bibliothèque et Archives nationales du Québec et Bibliothèque et Archives Canada

Kokis, Sergio

Amerika : roman

(Réverbération)

ISBN 978-2-923844-82-4

I. Titre. II. Collection : Réverbération.

PS8571.O683A83 2012 C843'.54 C2011-942838-5
PS9571.O683A83 2012

Lévesque éditeur remercie le Conseil des Arts du Canada (CAC)
et la Société de développement des entreprises culturelles du Québec (SODEC)
de leur soutien financier.
Gouvernement du Québec — Programme de crédit d'impôt
pour l'édition de livres — Gestion SODEC.

Lévesque éditeur
11860, rue Guertin
Montréal (Québec) H4J 1V6
Téléphone : 514.523.77.72
Télécopieur : 514.523.77.33
Courriel : info@levesqueediteur.com
Site Internet : www.levesqueediteur.com

Dépôt légal : 1er trimestre 2012
Bibliothèque et Archives Canada
Bibliothèque et Archives nationales du Québec
ISBN 978-2-923844-82-4 (édition papier)
ISBN 978-2-923844-83-1 (édition numérique)

Distribution au Canada
Dimedia inc.
539, boul. Lebeau
Saint-Laurent (Québec) H4N 1S2
Téléphone : 514.336.39.41
Télécopieur : 514.331.39.16
www.dimedia.qc.ca
general@dimedia.qc.ca

Distribution en Europe
Librairie du Québec
30, rue Gay-Lussac
75005 Paris
Téléphone : 01.43.54.49.02
Télécopieur : 01.43.54.39.15
www.librairieduquebec.fr
libraires@librairieduquebec.fr

Production : Jacques Richer
Conception graphique et mise en pages : Édiscript enr.
Illustration de la couverture : Sergio Kokis, *La chute d'Icare,* huile sur toile, 127 cm × 173 cm, 1992
Photographie de l'auteur : Nicolas Kokis

À la Kleine, ma sorcière,
pour les chemins qui ne finissent pas.

L'étranger se définit par le sentiment d'exclusion face au monde qui l'entoure, mais cette impression de détachement dépasse la simple géographie. Même dans son propre pays, parmi ses propres concitoyens, au milieu de sa propre famille, il se sent étranger, le gardien d'un cœur tourné vers l'ailleurs.

JAMES CARLOS BLAKE

L'homme formé par l'angoisse l'est par le possible, et seul celui que forme le possible l'est par son infinité. C'est pourquoi le possible est la plus lourde des catégories.

SØREN KIERKEGAARD

1

Ce jour-là, comme tous les autres jours, Waldemar Salis s'attendait au pire. Même s'il se croyait à la hauteur de la situation, il s'attendait à ce que quelque chose tournât mal. En fait, il craignait le pire depuis toujours, d'aussi loin que sa mémoire fût capable de reculer. Depuis sa plus tendre enfance, son esprit n'avait cessé d'être occupé par des prémonitions terribles, des catastrophes appréhendées. En dépit du fait que ces augures sinistres ne s'étaient pas encore réalisés, ils n'en demeuraient pas pour autant moins probables. Waldemar ne connaissait pas la nature exacte de ces événements tragiques qui guettaient dans l'avenir, mais il s'était persuadé de leur caractère spectaculaire, car ils dépassaient même ses mirobolantes capacités d'imagination. Curieusement, si ces calamités potentielles, gorgées de misère, pouvaient l'inquiéter par leur essence destructrice, par la charge de souffrances physiques et morales qu'elles contenaient pour ses semblables, il ne se sentait pas directement concerné en tant qu'individu concret. Dans son for intérieur, Waldemar Salis était certain qu'il serait épargné quoi qu'il arrivât, pendant que des fléaux terribles s'abattraient tout autour de lui. Cet étrange sentiment d'être l'un des élus, l'un des justes inscrits dans le livre de la vie dont parle le texte de l'Apocalypse, lui semblait être une évidence presque banale, de laquelle il ne tirait ni fierté ni la moindre allégresse. Il gardait d'ailleurs pour lui seul cette révélation, avec modestie, car ce serait faire preuve de sottise que de se vanter — au risque d'humilier ses semblables — à cause d'une qualité qui ne dépendait pas de ses mérites ni de sa volonté. C'était ainsi et pas autrement, comme une sorte de trait spirituel transmis de père en fils, de la même manière que les gens de la noblesse léguaient leur sang bleu à leurs descendants. Waldemar ignorait d'où venait cette certitude et il préférait même ne pas trop s'y attarder pour ne pas tenter la concupiscence du démon, à l'image de l'infortuné Job. Mais il reliait cette confiance dans son salut au souvenir des innombrables histoires terrifiantes que son père, le pasteur Jesaïas, avait l'habitude de lui raconter la nuit pour l'aider à s'endormir. En particulier les nuits d'orage, lorsque le petit Waldemar, orphelin de mère et seul dans son lit, s'inquiétait à cause du tonnerre et des éclairs, ou encore à cause du chuintement des rafales de vent dans le feuillage des chênes. C'étaient des récits peuplés de gnomes malfaisants et de sorcières affreuses, de trolls des forêts et d'âmes en peine rôdant nuitamment dans la désolation brumeuse des marais. Des fables baroques, remplies de passions et de violences, de crimes odieux et de vices abominables, que le pasteur concoctait nuit après nuit pour la délectation et pour l'instruction morale de son fils unique. Dans ces élucubrations morbides, que le révérend Jesaïas puisait librement à la fois dans le folklore paysan et dans le texte des Saintes Écritures, le petit Waldemar était toujours la cible des menaces et des attaques les plus sournoises d'êtres fantastiques, sortis des ténèbres pour violer son corps fragile et pour lui sucer l'âme. Pourtant, nuit après nuit, le petit garçon ressortait victorieux de ces combats horribles, avec la même innocence et le même sourire. Tout cela était de la fiction, certes, mais l'enfant ne le savait pas encore à cette époque, ou peut-être qu'il n'arriva jamais à distinguer clairement les catégories de l'imaginaire de celles de la réalité palpable. Durant son enfance, en tout cas, Waldemar croyait qu'il s'agissait bel et bien d'événements réels et susceptibles de lui arriver, que c'étaient des faits se déroulant hors des murs de la maison, ces mêmes nuits où il en entendait le récit dans le noir, par la voix grave et mélodieuse de son père. C'était très apaisant. Le petit garçon s'endormait souvent avant la fin et ses nuits étaient tranquilles, sans l'ombre d'un cauchemar. Ensuite, quand les autres enfants évoquaient dans la crainte ces mêmes mystères alors qu'ils rôdaient à l'orée des marais, le petit Waldemar se taisait pour ne pas les effrayer davantage, pour ne pas trahir le secret de ses propres visions. Mais il arrivait déjà à imaginer ses camarades de jeu hurlant de douleur sous les crocs acérés des trolls ou des démons reptiliens qui gisaient sous la surface des eaux glauques. Étant un enfant sage et au bon cœur, il déplorait naturellement ces destinées qu'il ne cessait d'imaginer et dont les voisins et leurs familles seraient les victimes. S'il était tenté d'imaginer aussi des façons de les protéger ou de les avertir des dangers, il se devait pourtant de renoncer à ces sursauts de vanité, car s'interposer équivaudrait à contrarier les desseins de Dieu. Jesaïas lui avait bien appris que le premier devoir d'un chrétien était celui de se soumettre dans la joie à la volonté divine, quelle qu'elle fût. S'il y avait d'un côté les élus et de l'autre la grande majorité des damnés, voués aux flammes éternelles — comme l'attestaient les paroles inspirées de Jean de Patmos —, c'est que c'était bien ainsi que cela devait se passer pour la gloire de Dieu dans le ciel et sur la terre. Inutile de tenter d'y voir clair. Le propre des mystères, selon Jesaïas, était de rester obscurs ou paradoxaux pour le cerveau impur et imparfait des créatures. Sans compter que c'était faire preuve d'orgueil — péché plus grave encore que celui de la luxure — que de vouloir comprendre la volonté de Notre Seigneur.

À l'âge de trente-cinq ans, devenu à son tour pasteur d'âmes dans une petite bourgade perdue de Livonie après de longues péripéties et beaucoup d'erreurs de parcours, le révérend Waldemar Salis continuait à s'attendre sereinement au pire. D'autant plus sereinement ce jour-là que ce n'était pas lui qui endurait les douleurs de l'accouchement, mais bien Martha, sa très jeune épouse, suivant ce qui était annoncé dans le livre de la Genèse : « Tu enfanteras dans la douleur. » Assis devant l'isba, affrontant stoïquement le froid humide de la fin de janvier, avec la bouteille de vodka et la fumée de sa pipe pour seuls réconforts, Waldemar se limitait à louer le nom du Seigneur. Le tabac était un péché presque semblable à celui de l'ivrognerie, il le savait pertinemment. Mais il était convaincu que Dieu fermerait les yeux sur ces peccadilles dans un moment aussi grave pour l'avenir de sa paroisse. Après tout, c'était l'enfant du pasteur qui tardait à sortir des entrailles inexpérimentées de son épouse. Qui plus est, il se souvenait des sages paroles de son regretté père, le révérend Jesaïas, selon lesquelles le tabac était comme l'encens des papistes, donc approprié pour les célébrations spirituelles. C'était sans doute un moment de célébration, car d'après Alija, sa belle-mère, à la lumière de ses propres visions mystiques, du timbre des cris de sa fille et des coups de pied du bébé, il s'agissait d'un enfant mâle.

— Aussi têtu que son père, avait-elle ajouté en le chassant de la chambre et de l'isba dès qu'elle sentit que Martha était prête pour les dernières poussées.

•

Waldemar ne tenait pas compte des propos méchants de sa belle-mère à son égard. Il la connaissait bien, il l'aimait beaucoup et il la savait impuissante face au pouvoir de la parole divine. Et il n'était pas de mauvais augure qu'Alija fût une sorcière obnubilée par des visions païennes, par les sortilèges et les arts divinatoires reliés aux divinités nordiques des forêts et des marais. Dans ces provinces baltiques de l'empire de Russie, des croyances primitives de toutes sortes pullulaient d'ailleurs, malgré le travail rigoureux d'évangélisation effectué par les pasteurs des divers cultes réformés. Et, justement, les sorcières comme Alija ou d'autres émules de la mythique Baba Yaga étaient d'excellentes sages-femmes, indispensables lors des accouchements difficiles. Elles possédaient aussi toute la science des herbes et des potions pour alléger les souffrances physiques et pour apaiser les esprits. Comme il s'agissait de la propre fille de la sorcière, Waldemar savait que la jeune Martha était entre de bonnes mains. Après tout, se disait-il, qui sait si un peu de sorcellerie n'est pas de mise au moment d'un phénomène aussi bizarre et impudique que la venue au monde d'une créature, dans le sang et par les chemins de la luxure. Les desseins du Seigneur sont insondables ; peut-être qu'Il laisse cela aux femmes pour qu'elles l'accomplissent entre elles, sans risquer d'offenser leurs époux. Par ailleurs, si Alija s'occupait aussi des remèdes, le pasteur ferait des économies, car ses herbes étaient les mêmes que celles vendues par le docteur Sigailis, le pharmacien.

Waldemar aimait sa belle-mère d'un amour très complexe et difficile à avouer en public. Il savait cependant que son cœur de femme entretenait beaucoup de haine envers lui, et qu'elle s'évertuait à lui jeter des sorts et des malédictions. Comment cela aurait pu être autrement ? Une femme acariâtre est un fardeau et une blessure pour son mari, comme le signale à diverses reprises le livre des Proverbes. Mais la rancune d'une femme frustrée, sans un homme dans son lit, est si profonde que même le très sage Salomon n'osa pas l'évoquer dans ses écrits. Et Alija avait raison d'avoir une dent contre le pasteur Waldemar à ce sujet. Elle était encore belle et bien en chair malgré son apparence négligée de sorcière ; et elle était jeune, environ du même âge que Waldemar. Comme toutes les créatures impies et délaissées par Dieu, elle avait des appétits charnels incompatibles avec sa condition de vieille fille. Bien qu'elle eût mis au monde deux filles, Antonija et Martha, Alija était encore célibataire. Les mauvaises langues prétendaient que le père était un dénommé Vadim, un bûcheron solitaire et peut-être aussi un sorcier comme elle, qui lui rendait parfois visite les nuits d'hiver.

Mais, en fait, on n'en savait rien ; d'autres hommes de la paroisse avaient aussi été accusés par leurs épouses, dans des moments de colère, d'avoir forniqué à l'orée du marais. Or, dès son arrivée, le pasteur ne put s'empêcher de penser à cette Alija à la réputation sulfureuse de sorcière, qui vivait loin de tous en compagnie d'une de ses filles. Alexandr Volkine, l'instituteur, avait épousé Antonija, la fille aînée, et il eut tôt fait de mettre Waldemar en garde contre sa belle-mère, disant qu'elle était une dévoreuse d'hommes comme Lilith, la première compagne d'Adam, ou comme Jézabel la pécheresse. Ces accusations ne firent pourtant qu'aiguiser l'intérêt du pasteur. Avec la meilleure des intentions et en obéissant à son devoir de sauveur d'âmes en péril, il décida de tenter de lui venir en aide par des paroles pleines de sagesse et de dévotion.

Ainsi, Waldemar se rendit un jour à la demeure de la sorcière, située loin du village, en plein cœur des marais. Il ignorait alors qu'il allait par la suite égarer à maintes reprises dans ce chemin forestier les tessons de son innocence autrefois cristalline. L'isba de la sorcière était petite et penchée, avec un toit pentu en paille et un porche très bas. Les fenêtres minuscules protégeaient du froid mais gardaient les pièces toujours dans la pénombre. Le modeste champ de lin aux fleurs bleues ainsi que le potager bien entretenu contrastaient avec ce qu'il vit une fois à l'intérieur. C'était un fouillis de bouquets d'herbes séchées et de chapelets de racines accrochés un peu partout, accompagnés d'une profusion de champignons, de peaux, de plumes d'oiseaux et d'objets hétéroclites qu'il ne put identifier à la lumière dansante du feu de foyer. Un vrai nid de sorcière, tel qu'il l'avait imaginé dans son enfance. Mais dès qu'Alija le vit, au lieu de le chasser ou de le maudire, elle l'invita avec le sourire, le plus naturellement du monde, à rester un peu pour partager la kacha qu'elle finissait de cuire. Elle donna l'ordre à sa fille, Martha, d'apporter le cruchon de vodka et celui de kvas pour recevoir dignement l'illustre visiteur. Waldemar accepta l'hospitalité, se réjouissant des voies insondables du Seigneur, et il mangea de bon appétit. Il trouva que ce qu'on lui avait dit de cette malheureuse femme était le fruit de l'ignorance et des préjugés des paroissiens, simplement parce qu'elle était une herboriste un peu farouche. Bien au contraire, il constata qu'elle possédait une âme avide d'entendre les paroles chrétiennes. Son corps était peut-être un peu trop exubérant, et sa beauté sauvage avait quelque chose de démoniaque, mais elle paraissait timide et se tenait avec la modestie qui convenait à la présence d'un homme de foi. Waldemar loua la saveur de la kacha et admira sa façon exquise de brasser le kvas. Tout cela lui rappelait les repas qu'il avait connus en compagnie de son père, pendant leurs errances apostoliques dans des régions isolées. Et il renouvela ses visites avec un enthousiasme parfois proche de la fébrilité, car son accueil augurait tout de bon pour leur conversion.

Son assiduité dans cette isba isolée fut acceptée avec tolérance par les paroissiens ; le nouveau pasteur était non seulement jeune, grand et bien bâti, il était aussi célibataire. Et ce détail risquait de semer la discorde au sein de plusieurs couples, à cause des pensées inavouables de certaines épouses insatisfaites. S'il s'occupait de la sorcière — dont on disait qu'elle avait le feu au cul —, il rendait service à tout le monde puisque ses prêches seraient doux, pleins de miséricorde pour les écarts de conduite qu'on n'était jamais en mesure d'éviter.

Alija et sa fille Martha se sentaient très seules et désemparées depuis qu'Antonija avait épousé l'instituteur et qu'elle était partie vivre avec lui à l'école du village. Waldemar aussi se sentait solitaire et quelque peu mélancolique du fait d'avoir échoué dans une paroisse lointaine et primitive, sans les richesses culturelles qu'il y avait autrefois chez son père à Dunabourg et au séminaire de Riga. Pour un homme comme lui, ayant étudié aussi à Hambourg et séjourné à Copenhague, l'isba de la sorcière fut le lieu d'une étonnante révélation des choses humaines et de la chaleur familiale qu'il ne connaissait que par ouï-dire. En outre, ses longues études et tous ses voyages l'avaient éloigné des préoccupations charnelles qu'on prête habituellement aux hommes de son apparence. En dépit de son long corps musclé et de sa belle barbe blonde, ses yeux d'un bleu intense paraissaient toujours ceux d'un petit garçon, un peu étonnés, comme s'ils étaient à la fois songeurs et perplexes devant un monde qu'ils ne distinguaient qu'à travers le prisme des paroles extravagantes de son père et celui des Saintes Écritures.

Waldemar était puceau mais il était aussi un homme passionné. L'étrange beauté d'Alija, de pair avec la fascination qu'il éprouvait pour le paysage désolé du marais eurent tôt fait d'ensorceler le rêveur qui dormait en lui. Se sentant comme s'il était plongé dans l'une des visions que racontait Jesaïas, il répondit avec tendresse aux plaintes d'Alija, de sa chair torturée par le démon et désireuse d'un baume chrétien. Les fortes odeurs de bête et de rut qui se dégageaient du corps trop blanc de la femme firent le reste. Waldemar se jeta sans crainte dans son gouffre, émerveillé des rondeurs sous ses mains, de la douceur veloutée de cette peau qui se dévoilait à lui sous la rudesse des vêtements de lin et de laine crue. Après les premiers moments d'une surprise maladroite, il s'abandonna à elle avec enthousiasme. Et comme les desseins du Seigneur sont insondables, il continua à s'abandonner dans l'espoir de sauver une âme, ne fût-ce que par ce procédé si peu orthodoxe.

Alija s'adoucit de façon miraculeuse avec les étreintes naïves mais très vigoureuses que le pasteur accompagnait de citations du Cantique des Cantiques. Les premiers mois de cette relation, elle laissa de côté son apparence sauvage et ses incantations pour mettre en valeur son corps plantureux et ses belles tresses blondes. Quand elle se lavait pour recevoir les visites de Waldemar, c'était toujours en chantant et en souriant, dans le vague espoir de le garder pour elle comme époux légitime. Puisqu'il était pasteur et si naïf, avec un appétit viril vorace, elle comptait pouvoir lui soutirer tôt ou tard la bénédiction nuptiale dans le feu de l'action. Après tout, n'était-elle pas une experte en tisanes revigorantes et capables d'enivrer ?

Le pasteur aussi semblait captivé par cette femme passionnée et très douce à la fois, dont la beauté exotique lui faisait penser à certains personnages fascinants de l'Ancien Testament. Un jour, après avoir fait l'amour, Alija fit mention de la finesse de ses traits et de la douceur de sa barbe blonde. Tel un adolescent orgueilleux, Waldemar lui répondit en citant un classique :

— Tu as raison de le remarquer, ma chère Alija. Le très sage Martin Luther l'a bien dit : « Le prédicateur doit être beau de sa personne, tel que les bonnes femmes et les petites filles puissent l'aimer. »

Hélas ! C'était sans compter avec les intentions de la petite Martha, qui enviait le sort de sa sœur depuis son mariage avec l'instituteur. Son corps juvénile, inexpérimenté mais plein de sève et de jolies rondeurs pubères, subissait aussi les assauts du démon. Les gémissements de sa mère, depuis la chambre où elle s'enfermait avec le pasteur pour des prières adultes, amenaient la petite à se tortiller de désir pendant ses frottements solitaires. Martha rêvait alors aux mains osseuses de Waldemar la forçant à ouvrir les cuisses, à sa barbe fournie lui chatouillant les seins naissants et à sa voix grave lui ordonnant de se laisser faire car il était avide de lui planter des bébés. Instruite par les minauderies d'Alija envers le pasteur et excitée par son imagination de plus en plus débridée — où les étalons et les taureaux jouaient un rôle essentiel —, Martha passa à l'attaque avec toute la fougue de ses quatorze ans.

Surpris, Waldemar apprit alors combien il était bouleversant de toucher la jeune fille lorsque cette dernière lui demandait de sentir son cœur battre quand elle l'entendait louer le Seigneur. Cela avait une saveur fort différente des caresses faites à la mère. Les soupirs de Martha étaient alors si émouvants qu'il croyait presque à une intervention du Saint-Esprit à travers ses mains. Et la petite en redemandait, extasiée comme certaines des images qu'il avait vues dans des églises papistes en Allemagne. Ces intimités fortuites le troublaient au point de lui inspirer des pensées impudiques et une curiosité sans bornes envers ce corps dodu qui se trémoussait en spasmes au moindre contact fraternel.

La pauvre Alija ne vit pas venir la catastrophe, tant la fillette se montra rusée et le pasteur fit l'innocent. L'été, en Livonie, il fait jour dès trois heures du matin. Un certain lundi, alors qu'Alija était partie très tôt à la recherche de jeunes pousses fraîches pour ses infusions, Martha s'en alla discrètement retrouver le pasteur dans le presbytère misérable du village. Elle le trouva encore endormi, nu sous sa chemise de nuit. La fillette paraissait si oppressée ce matin-là, si désireuse de réconfort et en même temps si étouffée par la chaleur que Waldemar fut subjugué et oublia son œuvre de catéchèse auprès de la maman. Martha se fit déflorer par le pasteur avec beaucoup de passion, son sexe étroit était gluant comme la boue traîtresse du marais et son joli visage prit des mimiques adorables entre les larmes.

Waldemar ne pouvait pas se rappeler comment tout cela s'était passé au juste, mais il fut aussitôt persuadé d'avoir trouvé enfin une épouse digne de lui. Il est vrai que Martha lui força un peu la main, en se mettant à sangloter dès qu'il s'était retiré de son sexe, en l'implorant de l'épouser pour réparer ce viol d'une jeune fille innocente. Elle menaça aussi de tout raconter aux villageois le dimanche suivant, en plein service religieux, s'il n'annonçait pas leurs fiançailles durant son prêche. Mais ce n'était pas nécessaire, car Waldemar se sentait vraiment amoureux, avec une seule idée en tête, celle d'explorer ce corps adolescent encore et encore, pour pratiquer sur la fillette tout ce qu'il avait appris avec la maman. Et il n'oublia pas de louer une fois de plus le Seigneur, dont les desseins étaient vraiment insondables, et qui tissait des chemins droits par des voies qui pouvaient paraître croches aux créatures imparfaites.

Ce fut la crise lorsque Martha avoua en sanglots à sa mère que le pasteur lui avait fait du mal parce que Dieu lui avait dit qu'elle était sa fiancée. Dans sa colère, Alija commença par donner une volée de coups de manche à balai à sa fille, en l'appelant putain, dévergondée, fille ignoble et encore d'autres épithètes incompréhensibles, en russe et en allemand, car la langue lettone n'était pas suffisante pour exprimer tout ce qu'elle ressentait. Après, elle se mit à pleurer à chaudes larmes en tentant d'imaginer une vengeance terrible contre le salaud de Waldemar. Il lui fallait contrer cet affront qu'elle ressentait comme une blessure dans sa chair de femme. Ses rêves aussi grandioses que grotesques de se voir un jour enfin acceptée par les gens de la paroisse, d'abord avec l'instituteur et ensuite avec le pasteur, s'étaient défaits de la manière la plus humiliante et à cause de ses propres filles. Alija continuerait à être simplement la sorcière, la *ragana*, la Baba Yaga méprisée de tous, celle qu'on appelait seulement quand on était malade ou prête à accoucher. Et même en ces occasions, on l'appelait en cachette, pendant la nuit, dans la crainte d'attirer l'attention des voisins. Docteur Sigailis, le pharmacien — la seule autorité médicale de la paroisse —, qu'elle fournissait en herbes pour qu'il pût ensuite les vendre plus cher, ennoblies par des appellations savantes, lui aussi ne la recevait que la nuit et dans la partie la plus sombre de son jardinet. C'était désespérant, mais Alija ne pouvait plus rien faire pour renverser la situation. Crier au viol, tenter de faire un scandale, demander qu'on emprisonne ou qu'on chasse le pasteur ? Impossible. Tout lui retomberait dessus et c'est finalement elle qu'on chasserait de la région. Il n'y avait rien d'autre à faire, sinon avaler ses larmes et tenter de tirer le meilleur parti possible de cette catastrophe.

Peu à peu, elle se calma et réfléchit à tout ce qui lui était arrivé. Son rêve avait été absurde, le pasteur n'aurait jamais épousé une sorcière. Elle aurait été tout au plus sa maîtresse en attendant qu'il se trouvât une femme digne de lui. Alija aurait dû apprendre sa leçon avec l'instituteur. Par ailleurs, en excluant le pharmacien, déjà vieux et de toute manière dépendant de son savoir-faire, elle avait casé ses deux filles avec les deux intellectuels de la paroisse. C'était tout de même un exploit remarquable. Alexandr comptait moins, car il n'était pas un très bel homme et sa toux n'augurait pas une longue vie. Mais le pasteur Waldemar, en plus d'être beau et en santé, était un homme important ; il ferait en sorte qu'Alija, devenue sa belle-mère, aille s'asseoir au temple comme une vraie matrone, à côté de ses filles, lors des services dominicaux. Et personne ne songerait plus à la chasser de la région. Cette ordure de Waldemar était aussi un homme plein de sève, qu'elle avait initié aux secrets de la luxure, et il ne se contenterait pas des charmes fades de cette morveuse de Martha. Et comme consolation, peut-être que maintenant le vieux Sigailis finirait par accepter de l'épouser, ne fût-ce que pour se faire caresser dans un lit conjugal plutôt qu'à la sauvette, dans la cabane froide au fond de son jardin.

Ces pensées n'effaçaient cependant pas toute sa frustration et Alija attendit patiemment la visite du pasteur avant de se décider pour une quelconque vengeance. Le plus important à ce moment-là était de s'assurer que le mariage eût lieu le plus tôt possible, avant que le pasteur eût le temps de chercher conseil auprès d'autres paroissiens. Pour l'obtenir, il était essentiel d'aiguiser le désir de l'étalon tout en empêchant absolument le moindre contact avec la pouliche dévergondée. Elle trouvait que Martha était une idiote, qui allait s'offrir encore et encore ; Waldemar finirait par s'en lasser et changerait d'avis.

Quelle ne fut pas sa surprise, l'après-midi, quand elle le vit apparaître à l'orée du bois, vêtu de sa meilleure redingote et avec un chapeau neuf. Il tenait un bouquet de fleurs dans une main et une bouteille de vodka dans l'autre, et son visage arborait le même sourire d'illuminé que lorsqu'il évoquait les douceurs du paradis.

— Mamouchka ! cria-t-il en l'apercevant. Que Dieu soit loué, mamouchka ! Je viens quérir ma fiancée, mamouchka chérie ! Célébrons, mamouchka ! Une noce chrétienne s'annonce !

— Ne m'appelle pas mamouchka, dévergondé !

— Où se cache-t-elle, ma petite Martha ?

— Je ne suis pas ta mamouchka, salaud ! Je te fends le crâne si tu m'appelles encore mamouchka.

— Je veux retrouver ma fiancée, Alija chérie.

— Je l'ai rouée de coups et je l'ai enfermée. Tu ne la verras plus jamais, cette pauvre enfant déshonorée. Espèce de vicieux !

— Mon Alijenka chérie… Je veux l'épouser ! Nous allons fonder une famille chrétienne, Alijenka. Nous vivrons tous ensemble à l'avenir. Réjouissons-nous, ma chérie. C'est le Seigneur qui l'a mise sur mon chemin.

— De vraies noces ? Quand ? demanda Alija avec méfiance.

— Samedi prochain, mamouchka. Tout est déjà réglé. Ivar Kumis, le prévôt, a accepté d'oublier les bans. Et puisque Martha est mineure, tout se fera dans la plus stricte discrétion. Le prévôt a l'autorité pour nous marier si tu donnes ton consentement. Il signera les papiers et nous serons mari et femme devant le tsar. Mon confrère de Dugas viendra ensuite pour la cérémonie religieuse. Peut-être même qu'il sera là samedi, à temps pour nous bénir ; un messager est parti ce midi avec ma lettre. Mais dans mon cœur, j'ai déjà béni cette union chrétienne, Alija chérie. Tu es déjà ma mamouchka devant Dieu. Où est-elle, ma fiancée ?

— Enfermée dans sa chambre. Je ne veux pas de dévergondage avant le mariage. Ça suffit, ce que tu lui as fait ce matin. Prendre de force une enfant innocente… Elle a quatorze ans, Waldemar, vingt ans de moins que toi. Elle aurait pu être ta fille, notre fille…

— Alija, ma chère mamouchka, ne déverse pas ton courroux contre le gendre qui t'aime. Pense aux beaux petits-enfants que nous allons te donner. Ils seront la fierté de ta vieillesse.

— Justement, Waldemar Salis ! Je ne suis pas encore une vieille. Si tu m'appelles encore mamouchka, je jure que je prends la hache et je te fends le crâne. À toi et à la petite salope.

— Nous serons une famille, Alijenka. J'aurai toujours besoin de ta présence, de tes conseils. Martha est encore une enfant, je te le concède. Mais si tu connaissais mieux les Écritures, tu saurais que les patriarches et les prophètes choisissaient des filles très jeunes pour l'hyménée, pour avoir beaucoup d'enfants solides. C'est la volonté de Dieu, nous n'y pouvons rien.

— Volonté de Dieu… fit-elle avec dédain.

— Oui, Alija, grandissez et multipliez-vous. Tu seras la belle-mère du pasteur, ma chérie, respectée de tous les paroissiens. Nous vieillirons ensemble, dans la paix du Seigneur. Regarde ces fleurs que j'apporte pour ma fiancée. Et cette bouteille pour nous deux, pour fêter ton consentement, l'honneur de me donner la main de ta fille pour des épousailles chrétiennes, Alija. Célébrons ! Ce n'est pas tous les jours qu'on peut se réjouir autant.

Alija connaissait bien la nature exaltée de Waldemar, particulièrement au lit quand il évoquait des thèmes religieux. Mais elle ne l'avait jamais vu aussi surexcité que ce jour-là. Il avait presque l'air d'un fou, et elle pensa qu'il valait mieux changer de stratégie.

— Je te laisserai seulement entrevoir ma petite Martha, dit-elle d'un ton sévère. Tu lui as déjà fait trop de mal aujourd'hui. Viens, pasteur. Si elle est d'accord pour t'épouser, tu ne la reverras plus jusqu'au moment des noces. Il faut bien faire les choses selon nos coutumes et ne pas donner d'aliment aux mauvaises langues. Martha est encore une enfant et tu l'épouseras vierge. Entendu ? Alors, garde le silence sur le crime que tu as commis ce matin, en plein presbytère, la maison de Dieu. Honte à toi, pasteur !

— Oui, vierge, mamouchka ! Martha est toute vierge et innocente.

— Ne m'appelle pas mamouchka !

— D'accord, Alija chérie, d'accord. Je veux seulement la voir, ma petite fiancée vierge.

— Voir… Pas toucher !

— Oui, voir, entendre sa petite voix d'oiseau, lui demander pardon pour mon impétuosité.

— Elle n'a pas cessé de pleurer, la pauvrette.

— C'était la volonté de Dieu, Alijenka.

— Oui, celui-là a de drôles de volontés.

— Ses voies sont insondables dans nos ténèbres. Nous ne pouvons que louer Son nom.

Comme elle s'attendait à cette visite du pasteur, Martha joua à merveille son rôle de victime innocente, avec des larmes et des moues de souffrance, tout en tenant ses mains sur le bas du ventre pour lui rappeler l'endroit où il avait péché. Par la porte entrouverte, elle pouvait apercevoir le visage barbu de Waldemar, dont les yeux paraissaient briller d'un éclat insolite. L'amorce d'un sourire illumina le visage de la fillette quand Alija lui demanda si elle acceptait d'épouser Waldemar pour qu'il rachetât son crime.

— Oui, balbutia-t-elle sans oublier de pousser sa langue entre ses dents séparées de fillette.

— Oui, quoi ? demanda sa mère avec une envie folle de la gifler.

— Oui, je veux l'épouser.

— Malgré ce qu'il t'a fait ? insista Alija.

— Oui maman, je lui pardonne… Je l'aime !

— Elle m'aime ! cria Waldemar. Alléluia ! Tu vois, mamouchka ? Elle m'aime ! Laisse-moi au moins l'embrasser, la bénir... Martha ! Marthenka !

— Non ! cria Alija en refermant la porte et en poussant le pasteur. Tu la verras à la mairie, sous le regard militaire du prévôt Ivar. Pas avant.

— Marthenka ! cria-t-il malgré tout. Attends-moi, ma cavale attelée au char du pharaon. Tu m'appartiens pour toujours, mon nard t'a parfumée, ma bien-aimée.

— Assez, Waldemar ! Cesse de crier tes bêtises bibliques et viens trinquer à ta joie avec ma fille. J'espère que tu ne la rendras pas malheureuse.

— Jamais ! répliqua Waldemar en débouchant la bouteille de vodka et en remplissant les verres. À notre bonheur, Alijenka. Buvons !

— Oui, buvons Waldemar, pour tenter d'oublier...

— Tu as tout à fait raison, Alija ; ta sagesse m'inspire. J'ai passé ma main par le trou du portail de son jardin et, du coup, ses entrailles ont frémi. Mais elle est vierge, sans tache aucune, ma fiancée. Le jardin bien clos de ma sœur avait trop de miel et de lait. Que faire d'autre ? demanda-t-il en avalant un deuxième verre. J'y suis entré avant l'heure pour goûter à son vin, pour récolter ma myrrhe et mon baume. Je ne suis qu'un simple pécheur, elle avait ôté sa tunique, ma cavale du pharaon...

— Calme-toi Waldemar. Et bois encore. La vodka va te faire du bien. Je te ferai un breuvage tout à l'heure. Tu ne peux pas te présenter dans cet état au village.

— Oui, merci. Merci encore pour le don de ta fille, ma chère Alijenka. Il ne te manquera jamais rien, tu verras.

« Il me manquera un homme, sale prêcheur », pensa-t-elle en lui servant encore à boire. « Je pourrais bien te ravir maintenant, salaud, et jouir de ton excitation entre mes cuisses pour me venger de la petite morveuse. Mais non, pas avant les noces. Il ne faut pas risquer de te satisfaire maintenant. Garde ton désir pour la garce. »

Comme s'il avait deviné ses pensées, après plusieurs verres avalés avec empressement, Waldemar tenta de caresser les seins d'Alija. Il faisait chaud dans ces dernières journées de mai, et les chairs abondantes de la femme semblaient vouloir sortir de son ample corsage.

— Non ! cria-t-elle. Bas les pattes, Waldemar ! Plus de dévergondage maintenant, plus de fornication. Si je ne veux pas que tu m'appelles mamouchka, ça ne veut pas dire que je ne le suis pas. Je suis ta belle-mère, pasteur. Alors, respecte-moi.

— Oui, mamouchka… répondit-il d'un air coupable, en avalant un autre verre de vodka. Justement, Alijenka, une famille chrétienne. Je serai un frère pour ma bien-aimée, un frère allaité par le lait de la mère. Je lui serai fidèle.

— C'est ça, Waldemar, fidèle à ta parole. Et cesse de déblatérer tes sottises bibliques. On va croire que je t'ai vraiment allaité, tout barbu que tu es. Mais bois encore, mon cher gendre. Il faut célébrer ces fiançailles.

Waldemar revint au village en titubant. Il était tard, mais le soleil ne se couche presque pas à cette époque dans ces latitudes baltiques ; les gens réunis à la taverne le virent arriver, les yeux brillants et le sourire béat. La nouvelle des fiançailles du pasteur avec la fille de la sorcière avait déjà couru partout à grande vitesse. Waldemar entra dans la taverne et il offrit à boire à la ronde par une curieuse formule : « Buvez ! Enivrez-vous, mes frères ! » Et il annonça alors le plus solennellement du monde qu'il allait « prendre épouse ». Les gens le saluèrent et lui souhaitèrent de la joie et beaucoup d'enfants. En fait, les paroissiens étaient surpris uniquement du choix de la fiancée et de l'urgence de sa décision. Ils se réjouissaient cependant du fait qu'il abandonnait le célibat et que son élue fut la fille plutôt que la mère. Les paroissiennes, surtout celles qui avaient des filles nubiles, paraissaient plus réticentes, voire franchement déçues de son choix étonnant. Après tout, il était un personnage distingué et sa belle figure d'homme attirait les convoitises depuis son arrivée. Les commérages et les potins entre femmes furent même très cruels par la suite, celles-ci allant jusqu'à insinuer que la sorcière lui avait jeté des charmes pour qu'il tombât amoureux de sa fille, comme elle l'avait fait pour l'instituteur. Mais à ce moment précis, les femmes n'étaient pas à la taverne pour gâcher sa joie. Certes, l'alcool des toasts aidant, Waldemar se laissa un peu aller à des pointes d'exaltation. Au contraire d'Alija, les gens n'étaient pas habitués à ses citations du Cantique des Cantiques pour louer sa fiancée, et ils furent assez surpris de l'entendre appeler Martha sa « cavale », sa « sœur », ou évoquer le fait qu'elle allait « faire paître ses chevreaux et ses biches des champs ». Il mentionna aussi des colombes, des gazelles et des pommiers, mais se garda de parler des oliviers ou des palmiers. Comme il parlait déjà en allemand à ce moment de son discours, au texte de Martin Luther, ils ne comprirent pas grand-chose. La « cavale » les laissa songeurs tout de même, et ils disaient ensuite que le pasteur allait forcer sa femme à travailler aux champs comme tant d'autres femmes, car il souhaitait la voir forte comme une jument. Et cela était de bon augure puisque, tout pasteur qu'il était, Waldemar travaillait aussi comme paysan quelques jours durant la semaine pour aider divers fermiers et pour rétribuer ce qu'il recevait comme nourriture.

Le lendemain, en conversation avec le pasteur, Alexandr tenta en vain de lui faire entendre raison. Il avoua presque sa propre expérience dans l'isba de la sorcière et comment il était sorti de là marié contre son gré à Antonija. Mais dans son excitation, Waldemar lui confia que le mal était déjà fait et qu'il entrait dans l'hyménée comme il était entré au séminaire, le cœur en fête.

La cérémonie du mariage fut très sobre, peut-être même un peu trop sobre et hâtive selon l'opinion de beaucoup de paroissiens. Seule la famille proche fut invitée et les mauvaises langues se demandèrent si la fiancée n'était pas déjà enceinte. Heureusement, le pasteur de Dugas, le révérend Mathis Boulis, arriva à temps pour bénir les époux comme il se devait, juste après la signature des actes chez le prévôt. Waldemar était très élégant, tout sérieux dans son complet noir, et il évitait de dévisager sa fiancée pour ne pas dévoiler publiquement la nature de son désir. Martha était ravissante avec ses tresses blondes roulées en chignon, sa robe paysanne blanche aux broderies colorées et sa couronne de fleurs des champs. Mais tous les yeux se tournèrent plutôt vers Alija dès qu'elle se pointa au centre du village. On ne l'avait jamais vue si belle ni si douce, avec les yeux baissés, essuyant discrètement des larmes. Elle était coiffée comme sa fille, habillée aussi d'une robe simple mais boutonnée jusqu'au cou malgré la chaleur de la journée. Son attitude semblait si modeste et contrite que plusieurs observateurs crurent vraiment que le pasteur Waldemar avait accompli un miracle en allant prêcher dans l'isba de la sorcière. Alija n'avait rien de la femme impudique qui s'était enivrée lors des noces de sa fille Antonija avec l'instituteur, quelques mois auparavant.

Les invités, le prévôt et le pasteur Boulis furent ensuite conviés à prendre un verre dans la salle misérable du presbytère. C'est qu'Antonija était trop jalouse du beau mari de sa jeune sœur et elle empêcha Alexandr d'offrir une réception à l'école.

Le couple nuptial se retira peu après dans l'appartement du pasteur, et on ne les revit plus durant trois ou quatre jours d'intenses spéculations érotiques chez la plupart des paroissiens. Heureusement que le révérend Boulis accepta de rester en ville le dimanche, sinon il n'y aurait pas eu de service religieux le lendemain.

•

Lorsqu'il réapparut, Waldemar paraissait un tantinet mal à l'aise et visiblement très fatigué après ses ébats nuptiaux. Il semblait même amaigri, et les cernes sous ses yeux avaient l'air plus profonds que ceux de l'instituteur. Mais il ne toussait pas et il était de bonne humeur. Il répondait aux salutations en disant que Luther avait été bien sage de conseiller le mariage contre les démangeaisons de la chair. Et dans son for intérieur, comme pour s'en convaincre, il se répétait la phrase célèbre du fondateur de sa religion : « Il est condamné à la débauche, celui qui ne se marie pas. Comment en serait-il autrement ? »

Malgré l'opposition des fermiers chez qui il travaillait durant la semaine, qui souhaitaient lui donner encore des jours chômés pour rester auprès de sa jeune épouse, il insista pour reprendre aussitôt le travail. En dépit de la fatigue, il travailla avec enthousiasme, comme si de rien n'était ou comme s'il se réjouissait de sortir de chez lui. Et il se mit encore à offrir ses services pour toutes les corvées qu'on voulait lui confier. Les gens trouvaient que le pasteur Waldemar Salis était un type vraiment formidable, et tous se félicitèrent de le voir marié et établi à Lazispils pour toujours. Ils oublièrent même le fait qu'Alija allait dorénavant assister aux services religieux depuis les premiers bancs, car elle avait fait une très belle impression lors du mariage.

Ce que les gens ne savaient pas, c'est que le pasteur commençait déjà à regretter son célibat. Il ne pouvait expliquer à personne ce qu'il lui arrivait ; c'étaient des choses trop intimes et passablement gênantes. Waldemar avait naturellement eu beaucoup de plaisir lors de la nuit de noces, en déshabillant doucement sa jeune épouse pour contempler d'abord sa nudité adolescente, pleine de rondeurs presque infantiles, ses chairs douces et fermes, ainsi que ses yeux baissés, pudiques, sa respiration nerveuse du fait de se savoir observée. Il la posséda longuement, en silence, pendant que Martha se laissait faire sans l'empressement qu'elle avait manifesté le jour où il l'avait déflorée. Peut-être qu'elle jouait simplement l'épouse timide pour ces premières fois afin de ne pas effaroucher son pasteur de mari. Mais cela fut de courte durée. Ensuite, Martha gagna en confiance et démontra plus d'entrain, comme si elle perdait ses inhibitions, et se décida à faire l'amour continuellement. Au début, Waldemar accueillit cet enthousiasme dans l'allégresse et mit aussi du sien pour chercher à la satisfaire. Et puis, à la troisième journée au lit, elle devint insatiable, elle exigeait le devoir conjugal plusieurs fois de suite et à n'importe quelle heure du jour ou de la nuit. Waldemar somnolait ou cherchait refuge dans la lecture, pour être aussitôt dérangé par une épouse devenue lascive et très intolérante. Le même caractère que sa mère mais accompagné d'un appétit sexuel frôlant l'obscénité. Ce n'était pas l'amour selon les vers de Salomon mais de la pure fornication. Perplexe, le pasteur la rappela à l'ordre :

— Martha, je suis fatigué, dit-il sans cacher sa mauvaise humeur. Je n'en peux plus. Tente de penser à autre chose. Si tu veux, je vais t'apprendre à lire et à écrire.

— Non ! répondit-elle avec une mine boudeuse. Je veux que tu me montes.

— Ne parle pas ainsi. Nous ne sommes pas des bêtes.

— Alors, dis-le comme tu veux mais prends-moi. Il faut m'engrosser, vite.

— Mais je cherche à te féconder, créature de Dieu ! On ne fait que ça depuis quelques jours !

— Je veux un bébé !

— Tu auras ton bébé. Plusieurs bébés même, une famille nombreuse. Mais laisse-moi le temps de me reposer. Ce n'est pas ainsi qu'on vit une fois mariés.

— Je veux un bébé ! cria-t-elle encore en se mettant à sangloter.

Impossible de la consoler, sinon en lui faisant l'amour. La pauvre fille voulait un bébé le plus vite possible ; dans son ignorance, elle croyait que cela était fonction du nombre et de la fréquence des coïts. Waldemar eut beau lui expliquer que cela dépendait plutôt de la volonté de Dieu, elle ne le crut pas.

— Nous n'aurons jamais de bébé si tu passes tes journées à lire ou à aider les fermiers. C'est au lit qu'on fait les bébés. Est-ce que tu me trouves moins belle que maman ?

— Nous aurons des bébés, Martha chérie. Le très sage Luther conseille de modérer ses passions dans le mariage, de remplir le devoir conjugal deux fois par semaine. Trois fois en cas d'extrême nécessité. Pas davantage ! Cela doit suffire pour fonder une famille nombreuse. J'ai d'autres obligations. Et toi, tu devrais t'occuper un peu de notre maison plutôt que de rester nue au lit, à me faire des grimaces. C'est laid, tu sais, ces grimaces de luxure.

— Je fais ça pour t'encourager.

— Tu n'as pas besoin de les faire ni de m'encourager. Mon amour pour toi est suffisant.

— Tu ne veux pas me faire de bébés ! Ouh ! Ouh ! Ouh !

Waldemar finit par comprendre la raison de ce comportement si inapproprié pour une épouse chrétienne. Cela avait très peu à voir avec le désir sexuel ou avec l'amour pour son époux. En s'expliquant, Martha avoua même qu'elle avait mal ou alors ne ressentait rien pendant qu'ils faisaient l'amour, ce qui provoqua une pointe de déception chez le pasteur. Elle voulait « être montée » aussi souvent que possible pour avoir un bébé avant sa sœur. Elle souhaitait se venger ainsi d'Antonija pour son mariage avec l'instituteur et parce qu'elle avait refusé que la fête de ses noces eût lieu à l'école. De la pure jalousie entre sœurs. C'était rassurant, mais cela ne résolvait pas le problème du pasteur. Waldemar se contenta de renoncer à sa paix et à ses lectures, et il trouvait toutes sortes d'excuses pour passer le plus de temps possible hors du foyer conjugal. Il priait Dieu en toute humilité pour qu'Il fît engrosser sa femme le plus vite possible, avant que lui aussi ne se mît à tousser comme l'infortuné instituteur. Pour la première fois de sa vie, il craignit le pire pour lui aussi, et il en vint à remettre en question sa position de juste dans le livre des élus. C'est que les images de la Bête, de la prostituée et de Jézabel paraissaient s'être donné rendez-vous au sein même de son foyer. Aussi, après avoir été initié par la sorcière, il était obligé de reconnaître qu'il n'était pas insensible aux charmes immondes de la fornication.

Heureusement, après des semaines de combats acharnés, alors qu'il entretenait déjà des fantaisies inavouables face au sort de sa jeune épouse, le Seigneur daigna écouter ses prières et Martha se mit à vomir. Comme ça, en toute simplicité, sans aucun signe prémonitoire, un beau matin, elle se mit à vomir. Elle se déclara alors dégoûtée de tout contact sexuel et même de l'odeur de la barbe de son mari — Waldemar s'était mis entre-temps à fumer par pur désespoir, et décida qu'ils feraient chambre à part jusqu'à ce qu'elle eût besoin d'être « montée à nouveau ». Encore une fois, Waldemar s'émerveilla des voies mystérieuses et pourtant si naturelles par lesquelles Dieu venait en aide aux justes : une simple vomissure, une nausée de rien, et le voilà libéré d'une besogne qui l'avait amené, dans un moment de faiblesse, à envier le sort des curés catholiques. Dans le silence du cagibi que Martha avait aménagé en chambre à coucher pour son époux, il loua le Seigneur et se plongea avec délectation dans la lecture des Psaumes.

Suivirent des mois d'une grande tranquillité. Il est vrai que le pasteur devait désormais combattre seul et douloureusement les pensées libidineuses qui l'assaillaient à l'occasion. C'est que Martha tira un trait sur les rapports sexuels dès qu'elle se sut enceinte, sans toutefois gagner un brin de pudeur dans sa façon de se tenir en présence de son mari. Au contraire, à tout moment, la voilà qui ouvrait sa robe pour lui demander d'examiner la grosseur et la fermeté de ses seins, comme elle avait appris à le faire avec les vaches ou les brebis qui tardaient à vêler. Elle trouvait aussi que son ventre ne gonflait pas assez vite à son goût pour qu'elle pût narguer sa sœur. Le fait d'avoir gagné la course à la grossesse contre Antonija n'était pas suffisant; Martha voulait maintenant l'humilier en exhibant une formidable panse dans ses promenades en ville. Même Alija était visée. Martha avoua un jour à son mari, candidement, toute l'étendue de son triomphe :

— Maman s'enfermait dans la chambre avec toi, mais c'est moi que tu as fini par engrosser. Bien fait pour elle. Ce n'est pas le pharmacien qui va lui faire des bébés.

C'étaient des propos fort peu chrétiens, mais le pasteur préféra ne pas discuter la question pour éviter des détails gênants de son passé. Par ailleurs, ce corps jeune et dodu, en de perpétuelles exhibitions accompagnées de demandes d'attouchements et de palpations, taraudait l'esprit de l'homme de foi enfermé dans son cagibi, à la recherche de consolation dans les Saintes Écritures. Seul le souvenir du calvaire qu'avait été le premier mois de son mariage l'aidait à se réconforter. Pendant ces mois de grossesse, Waldemar pensa souvent à aller voir Alija en cachette, prétextant une simple visite amicale et faisant l'innocent pour voir ce que le bon Dieu mettrait en branle. Mais il n'osa pas. Aussi, pendant ses nombreuses soirées passées à jouer aux échecs avec Alexandr Volkine à l'école, il avait entretenu des pensées peu fraternelles au sujet d'Antonija. Comment faire autrement puisque sa belle-sœur était encore plus jolie et dodue que Martha ? Dans la force de ses seize ans et toujours non fécondée, elle lançait de ces regards de désir au pasteur qui ne pouvait qu'en frémir. Pendant ce temps, le pauvre instituteur maigrissait et s'étouffait en toussant, incapable de cesser de fumer ses cigarettes de *machorka*, comme s'il cherchait à trépasser le plus vite possible. En ces occasions, tout en dégustant des yeux les seins lourds d'Antonija, Waldemar louait la sagesse des patriarches. Il rêvait qu'advenant un malheur à cet infortuné d'Alexandr, lui, le pasteur, à l'exemple de Jacob, prendrait Antonija sous sa protection. Et il saurait, avec l'aide de Dieu, mettre un terme à sa pénible et disgracieuse stérilité. Par pure pitié chrétienne, cela va de soi.

Malgré l'aiguillon agaçant du désir sexuel, Waldemar vécut ces mois de paix avec beaucoup de plaisir. Comme lorsqu'il était célibataire, il avait toute la liberté pour lire et pour bien préparer ses prêches, en les embellissant de citations et d'exhortations luthériennes. Il disposait alors de beaucoup de temps pour rendre visite aux nécessiteux de la paroisse et pour ses longues promenades solitaires des après-midi dominicaux dans les bois environnants. Il se rendait aussi à la taverne pour prendre un verre, histoire de surveiller le comportement des hommes mariés envers les trois femmes qui y exerçaient la prostitution, au vu et au su de tous. La taverne était un lieu de perdition, ni plus ni moins. Son prédécesseur, feu le révérend Lukasis, avait toléré ce lieu de débauche pendant au moins une trentaine d'années, au point qu'on ne discutait plus son droit d'exister. La plupart des jeunes hommes du village et des environs y avaient d'ailleurs perdu leur pucelage, même si on s'obstinait à appeler « pension » les trois chambres du haut de la taverne, et « pensionnaires » ses trois occupantes. Il est vrai, par ailleurs, que sans la présence de ces trois femmes, les chambres resteraient éternellement vides, car personne ne venait jamais séjourner à Lazispils. Les gens passaient par là, certes, mais le village et la paroisse étaient si pauvres que les voyageurs de commerce préféraient passer rapidement pour aller dormir ailleurs.

C'étaient les soirées passées à jouer aux échecs à l'école qu'il chérissait le plus. Outre Alexandr, qui était un excellent joueur, le village comptait aussi deux ou trois autres amateurs du jeu, dont le jeune Karlis, le fils du menuisier Janis Schultz. Ce garçon d'à peine quinze ans excellait comme son père dans l'art de fabriquer des cercueils et de sculpter le bois. Mais au contraire de son père musicien — Janis jouait du violon et du concertina —, Karlis était seulement passionné d'échecs. Peut-être était-il passionné aussi des formes avantageuses d'Antonija, son ancienne compagne de jeu. Waldemar se prélassait là durant de longues heures, à jouer ou à regarder les autres jouer, dans un silence entrecoupé seulement par la toux d'Alexandr. En servant le thé à ses invités, Antonija en profitait pour bien se pencher et faire admirer ses seins blancs, sans toutefois trop déranger la concentration des joueurs. Seuls Waldemar et le jeune Karlis semblaient faire attention à son manège, à la dérobade, bien sûr, par respect pour l'instituteur. Curieusement, Waldemar aimait ces soirées loin de Martha pour un autre motif assez spécial. C'est qu'en jouant aux échecs, il oubliait momentanément ses obsessions au sujet des catastrophes futures, celles qui risquaient de tout anéantir au passage, dans un exemple de plus de la formidable colère divine. Il avait alors la certitude que le jeu d'échecs se soustrayait tout à fait à l'ensemble des passions humaines et qu'il renfermait des règles morales d'une rectitude absolue. Il croyait que la bêtise des hommes, leur impétuosité et leur vanité y étaient châtiées d'une façon claire et automatique, sans que Dieu eût besoin d'intervenir à chaque partie. C'était donc un terrain d'une grande sérénité pour les créatures assaillies par les tentations et le goût du péché dans leur vie de tous les jours. Waldemar s'étonnait d'ailleurs de n'avoir jamais trouvé aucune exhortation du grand Martin Luther à l'exercice du jeu d'échecs contre les malheurs de la vie conjugale.

2

Les mois passèrent, les récoltes furent engrangées et on célébra la Nativité. La neige arriva et couvrit le village de Lazispils d'une jolie couche blanche, purificatrice, sinon pour abolir les passions, du moins pour les cacher dans les isbas jusqu'à l'arrivée du printemps. Mais voilà que maintenant, fin janvier de l'an de grâce de 1905, un jour comme les autres, propice aux grands malheurs, Waldemar se trouvait assis devant la porte de l'isba de sa belle-mère en train d'attendre la naissance de son enfant. Comment pouvait-il alors s'empêcher d'attendre le pire ? Aidé par la fumée de sa pipe et par les gorgées de vodka qu'il prenait à même le goulot, il s'efforçait de chasser les idées noires de son esprit. Il tentait de se convaincre que rien de mal ne pouvait arriver, ni à lui ni à son fils, même s'il entrevoyait facilement moult supplices, voire la mort pour sa jeune épouse. En tout cas, les cris de Martha qui lui parvenaient à travers la porte fermée étaient déchirants. Elle ne se privait pas de vociférer aussi des imprécations et de grossiers blasphèmes dans ce moment crucial de sa vie de femme et d'épouse. Alija, au contraire, paraissait très calme et elle lui avait dit que tout se passait bien. Ce n'était pas suffisant pour rassurer le futur père. Waldemar imaginait dans le moindre détail les tristes funérailles de sa jeune épouse et le sort odieux de l'enfant orphelin qui aurait fait mourir sa mère en venant au monde. De fil en aiguille, il se demandait si Antonija serait une bonne mère pour le pauvre bébé ou si elle allait le martyriser en pensant à sa défunte sœur détestée. Oui, Antonija, car Waldemar savait pertinemment qu'un malheur n'attendrait pas l'autre, et que l'infortuné Alexandr allait à son tour succomber d'étouffements et d'angoisse devant tant de souffrances dans la famille. Antonija était aussi dans la chambre avec Martha, pour assister Alija dans son travail de sage-femme ; Waldemar trouvait que sa présence en ce moment avait le caractère d'un signe. Et que dire du petit être, celui qui déchirerait bientôt les entrailles de sa misérable mère ? Serait-il capable de louer jamais le nom du Seigneur ? Cela n'augurait rien de bon. Peut-être même que cette atroce naissance aurait des conséquences néfastes pour toute la paroisse. Après tout, c'était le fils du pasteur par qui la punition allait s'installer dans la région. Et si Dieu demandait de l'offrir en holocauste comme Il l'avait ordonné à Abraham ? Quel sort réservait le Seigneur à Alija dans cette interminable tragédie ? Il s'agissait d'une âme pécheresse, sans aucun doute, d'une sorcière qui se prétendait prophétesse comme Jézabel... Est-ce qu'un dragon surgirait aussi au dernier moment pour ravir cet enfant mâle dont la femme était en train d'accoucher ? Comment ne pas douter, si des paroles semblables étaient clairement écrites dans le livre de la Révélation ? Chacun allait être jugé par ses œuvres et la fin pouvait être très proche.

Plongé ainsi dans ses pensées eschatologiques, Waldemar n'entendit pas les pleurs du bébé et ne remarqua pas le silence de son épouse. Mais il fut tiré de sa rêverie par les cris de joie d'Alija :

— Il est né coiffé ! Il est né coiffé ! Waldemar ! C'est un mâle et il est né coiffé !

La tête encore un peu troublée par l'alcool et les visions, Waldemar accourut dans l'isba pour voir de ses propres yeux l'étendue de la catastrophe. Mais tout s'était étrangement bien passé : Martha n'était pas morte dans son sang et le bébé se portait à merveille, avec des pleurs capables d'éloigner tous les dragons de l'apocalypse. Qui plus est, à sa naissance, l'enfant avait sur sa tête le reste des membranes amniotiques, d'où l'admiration d'Alija quant à l'avenir de ce bébé.

— Figure-toi sa chance ! s'exclama-t-elle avec des larmes de joie. Né coiffé, fils de pasteur et avec une grand-mère voyante comme moi. Ton fils sera soit un saint, soit un criminel, Waldemar.

Le pasteur tressaillit en entendant cette prophétie, après tout ce qu'il s'était imaginé comme horreurs auparavant. Pourtant, le bébé était beau, en santé et il n'avait pas déchiré les entrailles de sa mère. Il suffirait de le baptiser le plus vite possible et le démon n'aurait pas d'emprise sur lui.

— Buvons, mon gendre, pour célébrer cette naissance.

— Louons plutôt le nom du Seigneur, ma chère Alijenka, répondit-il en riant et en pleurant en même temps.

— Viens, Waldemar, sortons d'ici. Antonija s'occupera de ta femme et du bébé. Martha doit se reposer pour que la montée de lait se fasse. Viens, mon gendre, nous allons arroser ce miracle.

Alija le tira vers sa chambre. Assis sur le lit, ils se mirent à boire de la tisane et de la vodka, tout en se réjouissant de cette naissance merveilleuse. Waldemar ne fut pas plus rassuré quand Alija lui expliqua les vertus de la coiffe. Il s'agissait de quelque chose d'extraordinaire pour le nouveau-né, une sorte de signe d'excellence pour le bien ou pour le mal. L'avenir seul déciderait quelle direction morale serait imprimée à sa destinée. Chose certaine, la coiffe elle-même était une substance de grande valeur mystique, dont Alija comptait se servir pour faire des potions aux vertus très étendues, allant des guérisons physiques aux miracles spirituels. Et pour tenter de calmer son gendre, elle lui fit encore boire de la vodka et une tisane spéciale, et elle chercha à changer de sujet vers des thèmes plus agréables.

— Tu as été un ange durant toute sa grossesse, Waldemar. Martha m'a raconté à quel point tu t'es bien comporté, sans l'importuner par des demandes au lit. Cela n'a pas dû être facile pour un mâle impétueux comme toi, mon cher. Je t'ai attendu, tu sais ? Je t'ai attendu souvent… Je comptais t'aider à passer ces mois difficiles avec un peu de consolation. J'imagine ce que cela a dû être pour toi, car moi aussi je souffre d'être seule au lit. La nuit, je me souvenais des bons moments que nous avions passés ensemble, de ta vigueur d'homme bien membré. Tiens, rien que d'en parler, mon cœur se met à battre la chamade. Touche pour voir, Waldemar. Mais touche… Tu vois? Je suis tout émue… Pauvre de toi, tu devras encore attendre plusieurs mois avant que Martha ait de nouveau la fringale. Ah! Waldemar, je sens que toi aussi, tu deviens ému. Il faut continuer à célébrer, mon chéri, c'est un jour de fête. Mais attends un moment, je vais voir si tout se passe bien avec Martha et je reviens te consoler. Toi aussi, tu as besoin de mes soins. Couche-toi en attendant, je n'en ai que pour un instant.

Alija sortit en le laissant dans la noirceur. Waldemar se sentait étrangement heureux, comme s'il flottait dans l'air; les odeurs de la couche de sa belle-mère lui ramenaient à la mémoire bien des souvenirs sensuels. Elle revint en silence, elle se déshabilla sans allumer la chandelle et vint se coucher à côté de lui. Waldemar croyait rêver. Il se laissa déshabiller par des mains nerveuses tout en caressant ce corps aux chairs fermes; c'était comme si Alija avait rajeuni d'un coup depuis leurs dernières rencontres, neuf mois auparavant. Obéissant à son désir, il la posséda furieusement, au point de la faire gémir avec une voix de fillette. Et il tomba endormi dans un sommeil très profond.

Waldemar revint le lendemain chez Alija rendre visite à son épouse. Il voulait ramener Martha au presbytère, mais sa belle-mère s'opposa catégoriquement à son départ.

— Il lui faut sept à dix jours au lit, dit-elle. Regarde comme elle allaite déjà, comme ton fils tète avec plaisir. Ta femme a de belles mamelles, mon gendre. Mais ce n'est pas pour ton bec avant au moins quarante jours. Viens dans ma chambre, Waldemar, buvons encore à ce miracle. Antonija s'occupera d'elle. N'est-ce pas, Antonija?

— Oui, maman, répondit Antonija en souriant à sa sœur.

Waldemar accepta la tisane amère offerte par Alija avant de passer à la vodka. Ensuite, dans la noirceur de la chambre, ils continuèrent à boire en se caressant. Quand Alija le sentit s'émouvoir, elle sortit comme la veille et revint ensuite se coucher nue auprès de lui pour se faire posséder. Moins ivre cette fois, le pasteur eut la nette impression que le corps qu'il caressait en silence était celui d'Antonija plutôt que celui de sa belle-mère. Mais il chassa aussitôt cette impression qu'il jugea absurde, et préféra déguster en toute innocence ce que le Seigneur lui avait réservé, sans avoir la vanité de tenter de comprendre Ses voies insondables.

Toute la semaine, il revint rendre visite à son épouse, pour se laisser ensuite consoler dans la noirceur, avec une fébrilité juvénile, par une compagne de lit fougueuse comme la cavale du pharaon.

•

Comme le pire tardait à arriver, Waldemar eut tout le temps nécessaire pour se réjouir de son nouveau statut de père. Encore abasourdi, toujours incapable de saisir l'étendue de ce miracle, il accepta avec un sourire béat les compliments qu'on lui prodiguait, les verres de vodka qu'on lui offrait à la taverne et chez les paroissiens, ainsi que les diverses pièces de linge pour bébé que les femmes avaient cousues pendant la grossesse de Martha. Au presbytère, comme il s'y était déjà bien habitué, il garda son lit dans le cagibi pour ne pas déranger la mère et l'enfant. Il pouvait ainsi continuer à lire et à méditer en toute tranquillité, sans être importuné.

L'arrivée de l'enfant ne changea pas la routine de la maison, sauf que Martha semblait maintenant plus douce dans ses manières et plus intéressée à s'occuper de son intérieur. Le fait d'allaiter lui donnait un appétit vorace et elle s'appliquait avec plaisir à cuisiner. Sa kacha et sa soupe aux choux étaient devenues presque aussi savoureuses que celles d'Alija. Et comme le kvas était censé stimuler la lactation, il n'en manquait jamais à la maison, pour le plus grand plaisir du mari.

Le bébé était d'un naturel paisible, passant facilement des longues tétées aux longs sommeils, sans démontrer aucun signe de posséder les qualités excessives que sa grand-mère avait prédites lors de sa naissance. Par ailleurs, la présence de ce nouvel être semblait déjà bénéfique aux relations familiales. En effet, Martha et sa sœur s'étaient réconciliées comme par miracle, et Waldemar pouvait désormais recevoir la visite d'Alexandr et d'Antonija au presbytère. Pendant qu'elles s'occupaient du bébé en échangeant maintenant des rires complices, les deux hommes jouaient aux échecs ou avaient de longues conversations sans plus être accusés de trahison par leurs épouses respectives. La présence d'Antonija, ravissante et très joyeuse, n'était pas sans déranger le pasteur, même si la jeune femme ne lui donnait jamais motif d'inquiétude par une quelconque conduite déplacée. Pourtant, elle était souvent là et Waldemar devait composer seul avec ses doutes et ses fantaisies concernant ce qui s'était passé durant la semaine ayant suivi la naissance de son garçon. Pour chasser ses obsessions, il rendait régulièrement visite à sa belle-mère dans l'espoir de voir se renouveler les rencontres dans la noirceur qui ne cessaient de le tourmenter. Mais si Alija était toujours ravie de le consoler avec sa chaleur coutumière, elle gardait la chandelle allumée pendant leurs ébats. Waldemar avait beau fermer les yeux pour tenter de retrouver les sensations passées, c'était toujours le corps mûr et quelque peu lourd d'Alija qu'il sentait sous le sien. Ses gémissements de femme n'avaient rien du timbre ni de l'urgence de ceux qu'il gardait en mémoire. Avait-il rêvé ces étreintes brûlantes avec sa belle-sœur ou avaient-elles quelque chose de surnaturel, d'impossible à comprendre pour de simples mortels ? Il se demandait si ces rapports mystérieux avec un corps jeune et passionné dans la chambre d'Alija n'avaient pas une signification particulière, d'ordre transcendantal, comme une sorte de signe avant-coureur d'événements extraordinaires, voire même d'une parousie prochaine. En tout cas, la naissance de son enfant dans des circonstances aussi particulières ne pouvait être détachée de ce que le père avait vécu en matière de sensualité dans ces moments magiques, couché sur le grabat de la grand-mère. Cela ne pouvait pas relever de la pure coïncidence. N'avait-on pas prédit que des événements insolites auraient lieu un peu partout pour confondre les sceptiques, juste avant la fin des temps ?

En dépit de ces réflexions qui occupaient souvent le meilleur de son esprit, Waldemar prit la sage décision de ne pas les rendre publiques pour ne pas effrayer prématurément ses paroissiens. Il s'agissait de garder le calme en attendant que d'autres signes viennent les corroborer, voire préciser la nature des faits qui s'annonçaient encore de manière trop sibylline. Mais, concluait-il, si un voile cachait toujours la signification exacte de ces oracles, c'est qu'une intention supérieure était sans doute à l'œuvre derrière eux. Il était persuadé que cette intention l'inviterait forcément à la noble tâche de l'interpréter lorsque le temps serait mûr pour qu'elle se dévoilât dans toute sa splendeur. Ainsi, il s'efforçait de ne rien laisser transparaître aussi bien dans sa conduite que dans ses prêches malgré l'exaltation grandissante qui s'emparait de sa personne.

S'il se taisait, cela ne voulait pas dire qu'il cessait ses investigations. Comme d'habitude, il cherchait avidement la lumière dans les livres de ses prophètes préférés, qui étaient d'ailleurs ceux aux propos les plus incendiaires : Ésaïe — que son propre père, du même nom, avait appris à aimer et à craindre —, mais aussi Daniel, Ezéchiel, Jérémie et Joël. Jusque tard dans la nuit, il comparait leurs paroles avec le texte de Jean de Patmos, sans cependant arriver à conclure quoi que ce fût de bien sensé.

•

Un mois après la naissance de son enfant, Waldemar surmonta des doutes déchirants et beaucoup de questions laissées en suspens, et il décida de baptiser son fils du nom de Ruben. C'était un choix assez risqué, car c'est ainsi que le patriarche Jacob avait appelé son fils aîné. Et le pasteur se souvenait assez bien du fait que ce premier fils, Ruben, avait ensuite choisi Bilha, l'une des épouses de son père, pour forniquer. Par contre, Waldemar ne pouvait pas nier l'impression de ressemblance ou de déjà-vu que lui laissait la naissance de son propre fils par rapport à l'histoire de Jacob et des deux sœurs qui allaient devenir ses épouses. Ruben lui parut ainsi un prénom tout à fait indiqué pour son bébé. Malgré le risque que ce dernier vînt un jour profaner sa couche, cela pouvait tout aussi bien devenir la marque prémonitoire d'une grande famille et d'une descendance nombreuse. Waldemar garderait tout cela en tête et il verrait à surveiller cet enfant pour qu'il ne tombât pas dans l'erreur de son illustre prédécesseur.

Le jour du baptême du petit Ruben Salis, où ce dernier allait renoncer pour toujours aux tentations du démon, un autre signe d'importance fut envoyé depuis l'au-delà pour compliquer davantage l'ensemble des augures qui confondaient le pasteur. Dans le temple, pendant que Waldemar procédait à la cérémonie du baptême devant les invités, Antonija, la marraine de l'enfant, fut prise de nausées violentes et dut sortir à la hâte pour aller vomir sur le parvis. Alexandr, qui devait être le parrain, fut pour sa part pris d'une quinte de toux si furieuse qu'il dut tendre à la hâte le bébé à Alija. Comme ces deux-là se sentaient trop mal pour revenir à temps et qu'il ne fallait pas ajourner une bénédiction aussi cruciale pour le salut de l'âme de l'enfant, Waldemar procéda. C'est ainsi que le petit Ruben Salis reçut le sacrement en ayant Alija, la sorcière, comme marraine et Ivar Kumis, le prévôt ivrogne, comme parrain.

Alija semblait très fière de devenir la marraine du bébé, mais le prévôt paraissait plutôt mal à l'aise de se trouver là malgré lui, pour un parrainage qu'il n'avait pas choisi. Son épouse, Tatiana Kumisa — une femme snob qui se donnait des airs d'aristocrate parce que son prévôt de mari était le seul représentant local de la puissance du tsar —, fut scandalisée de voir Ivar Kumis trinquer avec la sorcière après la cérémonie du pain et du sel. Mais tout s'était passé si vite suite aux malaises des deux parrains désignés que si le prévôt n'était pas venu en aide à Alija pour soutenir l'enfant, ce dernier serait tombé par terre ou aurait été baptisé sans parrain. Tout cela n'augurait rien de bon, surtout qu'Ivar était russe et non pas letton, et qu'il était de confession orthodoxe. Sans compter qu'il était un policier cruel et un ivrogne.

Waldemar se consola à l'idée que le prévôt était une autorité militaire et administrative pour toute la paroisse, et que ce ne serait pas mauvais de l'avoir de son côté lorsque des événements graves allaient arriver. Martha fut d'abord très fâchée contre Antonija et Alexandr ; elle croyait qu'ils avaient fait exprès parce qu'ils ne voulaient pas avoir Ruben comme filleul. Les anciennes rancunes entre sœurs refaisaient surface. Mais ensuite, alors que la famille était réunie chez elle pour fêter le baptême, tout s'éclaircit dans la joie. En effet, Alija annonça que les malaises de sa fille et de son gendre avaient été bel et bien réels, impossibles à contrôler. C'est qu'Antonija était enfin enceinte à son tour. Cette grossesse qu'il n'attendait plus bouleversa énormément Alexandr ; il commençait même à penser qu'il s'agissait d'un miracle, d'où son émotion devant les fonts baptismaux.

Alija avait d'ailleurs vu cette grossesse dans ses cartomancies. Elle écartait cependant toute influence divine. À son avis, il s'agissait d'un phénomène assez normal, très courant chez des sœurs : quand l'une d'entre elles accouchait, le ventre de l'autre se réveillait enfin de sa paresse pour faire germer les semences que l'époux avait déposées là auparavant, apparemment sans succès. Il n'y avait rien de miraculeux ; tout se passait de manière analogue au grain qu'on semait à l'automne et qui dormait discrètement jusqu'aux premières chaleurs du printemps. Alija avait consulté le pharmacien à ce sujet, et l'homme de science avait abondé dans le même sens. Le docteur Sigailis avait même mentionné des grossesses tardives, chez des veuves chastes, survenues des années après la mort de leur mari. Selon lui, la littérature médicale regorgeait de cas semblables.

Si ces explications savantes rassuraient l'instituteur, elles contribuèrent cependant à augmenter la confusion spirituelle du pasteur. Cette grossesse d'Antonija était un signe de plus du bouleversement croissant de l'ordre des choses. Cela ressemblait étonnamment à certains phénomènes rapportés dans les Saintes Écritures. Il se questionna aussi sur le rôle de ses propres rêveries concernant une possible connaissance mystique du corps de sa belle-sœur. Cela l'obligea à considérer la possibilité de se trouver devant un événement surnaturel. Il va sans dire que Waldemar souhaitait ardemment voir se répéter ces unions mystiques avec Antonija, dont l'intensité sensuelle avait dépassé de beaucoup ses rêveries nocturnes. Mais il se retint de le demander dans ses prières par souci de modestie, se limitant à louer la sagesse de Dieu. Par contre, son exaltation au sujet de la fin des temps était devenue trop envahissante, et il décida de consulter son beau-frère en toute discrétion. Alexandr lisait des journaux qu'on lui envoyait depuis Saint-Pétersbourg et il semblait bien informé sur ce qui se passait hors des frontières étroites de la Livonie et de la Courlande.

Au cours d'une de leurs soirées, lorsqu'ils étaient seuls à jouer aux échecs, Waldemar lui demanda :

— Maintenant que tu vas être père, Sacha, que penses-tu que l'avenir réserve à nos enfants ?

Alexandr parut surpris par la question, comme s'il la trouvait absurde. Il caressa sa barbichette avant de répondre. Il gratta son front protubérant, que la calvitie et la pâleur de son teint rendaient plus imposant encore, et toussota en fronçant les sourcils.

— L'avenir... commença-t-il comme s'il hésitait à aborder un sujet pénible. Je ne vois aucun avenir pour nos enfants, Waldemar. Même que je déplore le fait de devenir père. Faire naître un enfant dans ce monde-ci, dans ce gouvernement misérable aux frontières de l'Empire, me semble relever de la pure irresponsabilité.

Après un instant de surprise, Waldemar insista :

— Tu ne sembles pas te réjouir du miracle qui se déroule dans les entrailles de ton épouse...

— Non, pas du tout.

— Tes paroles absurdes sont bien celles d'un incroyant, Sacha. Que fais-tu de la colère de Dieu ?

— Pauvre Waldemar... Nous subissons la colère de ton Dieu depuis des siècles. Que veux-tu qu'il invente encore pour nous humilier ? La fin du monde ? Ça nous ferait du changement et ça nous sortirait du marasme d'ici.

— Tu parles ainsi parce que tu es plus russe que letton, Sacha. Mais pour nous, les Lettons, c'est ici la patrie que Dieu nous a donnée pour cultiver et pour célébrer sa gloire.

— Alors, pasteur, ton Dieu s'est moqué de toi. Ou bien il t'a puni en te faisant naître Letton. Regarde ces champs de moraines... Les paysans n'arrivent à les rendre arables qu'en cassant continuellement les rochers erratiques. Tous ces marais... Seules les forêts sont belles, mais nous ne pouvons pas nous en servir, elles ne sont pas à nous. Lazispils, comme toute la Livonie, est un endroit oublié de Dieu. Nous survivons ici par pur esprit de contradiction. La terre est sablonneuse, pauvre. Le lin pousse mieux que le seigle et l'orge, et il rapporte peu. Je ne vois aucun motif ici pour louer ton Dieu.

Surpris de le voir aussi bavard, car d'habitude Alexandr était plutôt silencieux, taciturne, Waldemar insista encore :

— Pourtant, tu cherches à instruire les jeunes gens. C'est que tu croïs malgré tout à l'avenir.

— Instruire... Qu'est-ce que je leur enseigne à part le russe ? Un peu d'arithmétique pour qu'ils apprennent à compter, même s'ils compteront toujours en kopecks, très peu en roubles. Le reste, tu le sais bien, ce sont des histoires bibliques et des hymnes luthériens auxquels je ne crois pas. Ils vont baragouiner un peu l'allemand pendant les services religieux, le russe avec les autorités et le letton quand ils seront entre eux à la taverne. Mais savent-ils vraiment lire et écrire ne serait-ce qu'une de ces langues pour continuer à s'instruire ?

— C'est dommage, Sacha. Nous faisons si peu pour notre langue qu'elle risque de s'appauvrir. Pourtant, le letton est une belle langue, bien plus ancienne que le russe.

— Et alors ? Le letton n'a pas plus de valeur que l'ouzbek ou le tatar aux yeux des gens qui comptent dans le monde. Tu ne t'en sortiras nulle part en parlant le letton. C'est d'ailleurs une langue pratiquement sans littérature. Et pour compliquer les choses, à la cour impériale, on parle plutôt le français. Voilà la confusion qui empêche les gens de sortir du marasme. En fin de compte, mes élèves sortent de l'école sans pouvoir parler correctement aucune langue, et ils sont incapables de penser des choses abstraites. C'est fait exprès, pasteur. Le servage a été aboli il y a presque cinquante ans, mais nos paysans vivent toujours comme des serfs. Ils travaillent la terre des barons allemands établis à Saint-Pétersbourg et n'en retirent que des miettes. Et attention à la rébellion ! Le prévôt mande les cosaques à la moindre insubordination. Seuls les Juifs pâtissent davantage dans les pogroms ; tu le sais bien mais tu évites d'y penser parce que ta religion les méprise. Tu parles d'un avenir pour nos enfants !

Ces propos catastrophiques intéressaient beaucoup Waldemar à cause de leur aspect eschatologique.

— Quelques enfants s'en sortent, Alexandr. Toi et moi, nous en sommes la preuve.

— Tu appelles ça s'en sortir ? Nous survivons, c'est tout. Et cela ne fera qu'empirer. La guerre avec le Japon est une calamité pour l'Empire. Il y a des révoltes réprimées dans des bains de sang, dans la capitale, à Odessa, à Kronstadt, partout. Des troubles en Finlande et en Pologne… Mais le tsar tient solidement les rênes du pouvoir. Quant à nous, il faudra payer davantage en redevances et en impôts. La famine guette même les fermiers de notre paroisse. Je ne vois pas pourquoi mon enfant devrait me remercier de l'avoir mis dans ce monde.

— Il ne faut pas perdre la foi, Sacha. Ta révolte n'est pas saine, elle te pousse au désespoir et à des idées séditieuses.

— Désespoir… Oui, c'est bien le bon mot pour répondre à ta question sur l'avenir de nos enfants.

— À ton avis, il n'y a pas de solution ? Je sens que la crainte de Dieu te fait douloureusement défaut, beau-frère.

— Si en plus des hommes du tsar je devais craindre Dieu, je me ferais terroriste. Pour lancer des machines infernales non seulement sur les nobles, mais aussi sur les processions religieuses. Pour en finir au plus vite.

Après un long silence et une autre cigarette, suivie encore de toussotements, l'instituteur enchaîna :

— Non, je ne vois pas de solution. À moins de fuir d'ici… Justement, fuir, m'en aller ailleurs, bien loin. Tiens, l'Amérique par exemple. Ou peut-être retourner à la capitale pour avoir au moins l'impression que je suis parmi des gens civilisés. Mais cette issue est la solution pour un homme instruit, pas pour les paysans. Ils vont continuer à vivoter ici, génération après génération, en louant ce Dieu duquel tu es le porte-parole. Toi aussi, Waldemar, tu contribues à maintenir le joug sous lequel ils ploient. Ton Dieu est au service des grands de ce monde. Il nous faudrait un dieu plus sympathique à la révolte qu'à la soumission de ses créatures. Un dieu plus juste, moins incohérent que celui que tu prêches, beau-frère.

— Ses desseins sont insondables pour moi aussi, Sacha, répondit-il attristé. Mais je ne désespère pas. Je commence même à croire que les temps sont mûrs pour de grands bouleversements. Quelque chose d'important se prépare, Sacha, et nous devons être prêts à accueillir ce qui s'annonce.

— Attention, pasteur ! Tes paroles ressemblent à celles des bolcheviks. On pourrait croire que tu te convertis au socialisme. Fais gaffe que ton ami le prévôt ne s'aperçoive de tes idées nouvelles, Waldemar. Cela te vaudrait des vacances en Sibérie.

— Je parle du royaume de Dieu, Alexandr, pas de celui du tsar, tu le sais bien. Et ce royaume approche, j'en ai la conviction. Prépare-toi à te repentir, mon frère.

— Pauvre Waldemar, ton Dieu n'a pas l'air de bien s'occuper de toi, répondit l'instituteur en montrant l'échiquier. Prépare-toi plutôt à me concéder la victoire. Malgré tout ton bavardage, dans cette partie-ci, je crois que j'ai un mat en quatre coups.

•

Les propos de l'instituteur sur l'état du monde firent une forte impression sur Waldemar. Il se promit de le questionner encore pour tenter de découvrir d'autres signes avant-coureurs de la fin des temps. Alexandr était un libre penseur aux tendances anarchistes, mais la vérité pouvait très bien se cacher derrière les paroles des incroyants en cette époque de transition. Il décida aussi de demander l'avis d'autres paroissiens, en se gardant soigneusement de révéler ses véritables intentions. Les temps n'étaient pas encore mûrs pour discuter ouvertement un thème d'une telle importance. Par ailleurs, ce qu'avait dit Alexandr eut aussi comme effet de lui ouvrir les yeux sur la situation de misère des paysans de sa paroisse. Waldemar avait toujours connu cette région dans le même état de pauvreté. Et si cela l'avait quelque peu surpris au début, il avait vite écarté cette constatation, en se disant qu'il serait bien vaniteux de sa part de vouloir critiquer les volontés de Dieu. Maintenant, cédant à une goutte de tentation, le pasteur se mit malgré lui à établir des comparaisons avec d'autres endroits qu'il avait connus, en Russie et en Prusse. La vie en Livonie était sans aucun doute bien plus difficile qu'ailleurs ; les paysans y étaient condamnés à une existence sans attraits matériels et sans espoir de changement. En outre, comme les fonctionnaires du tsar craignaient les sursauts nationalistes liés aux idées révolutionnaires, la répression était plus intense dans les contrées où l'on parlait d'autres langues que le russe. Les paysans étaient liés à la glèbe non plus par la loi du servage, mais parce qu'ils ne disposaient pas du droit de se déplacer à leur guise. L'émission d'un passeport pour voyager ou pour s'établir ailleurs était pratiquement impossible à obtenir pour des gens illettrés, en plus d'être trop chère pour leurs maigres revenus.

Ces observations commencèrent sournoisement de s'ajouter aux réflexions de Waldemar sur la fin des temps, mais en les déviant peu à peu vers ce qui était raconté dans les livres de la Genèse et de l'Exode. Peut-être que son intérêt envers l'histoire de Jacob et de ses femmes était pour quelque chose dans ce changement de direction. À moins que ce ne fût la présence du petit Ruben chez lui. Les propos de l'instituteur sur la fuite comme seule solution teintèrent sans doute ses rêveries, en lui rappelant plus fréquemment la fuite de l'Égypte ou la recherche d'une terre promise. C'étaient des pensées fort confuses, il s'en rendait compte, car le début et la fin des temps s'y confondaient, l'exil en Babylone commençait à ressembler à la captivité chez le pharaon. Comment tirer tout cela au clair si ses prophètes préférés avaient tout mélangé, au point d'ouvrir la voie à des interprétations paradoxales sur la venue du Messie ? Même les quarante années de la randonnée incertaine conduite par Moïse n'étaient pas sans rappeler les vagabondages de Caïn et de sa famille, errant à l'est de l'Éden.

Waldemar devenait de plus en plus exalté par ce tourbillon d'idées bouillonnant dans sa tête, sans qu'il pût se confier à personne. Quand il regardait autour de lui, tout semblait très paisible, se répétant depuis toujours sans nouveauté apparente. Sa femme Martha était égale à elle-même, bourrue, ignorante et obtuse, entièrement consacrée à son bébé comme si elle n'était qu'un simple mammifère et non pas l'enveloppe d'une âme immortelle. Les gens ne paraissaient pas étonnés de voir le soleil se lever chaque jour comme si de rien n'était, ou les saisons se succéder, et la crainte de la colère divine ne semblait pas en voie d'augmenter. Alexandr non plus ne se révoltait pas, en dépit de ses idées subversives ; il semblait même prendre du mieux depuis que son épouse était enceinte. Devant cette dangereuse insouciance, Waldemar décida d'aller questionner directement ses paroissiens, à la recherche de pistes nouvelles.

Leurs réponses le laissèrent encore plus perplexe. Elles confirmèrent les propos d'Alexandr sur la misère et l'absence de perspectives d'avenir. Il ne trouva pas chez eux de sentiments de révolte mais plutôt un grand conformisme, comme s'ils étaient incapables d'imaginer leur vie autrement. Leurs préoccupations étaient immédiates, reliées aux récoltes prochaines ; ils se demandaient s'il allait faire beau au moment de rentrer les foins, s'il allait pleuvoir assez, mais pas trop, pour faire pousser les cultures. Ceux qui avaient des animaux se souciaient de la santé de leurs bêtes et ils craignaient plus la fièvre aphteuse que les feux de l'enfer. Plusieurs d'entre eux lui répondirent même très naïvement qu'ils allaient au temple le dimanche surtout pour rencontrer les parents et les amis, pour chanter et pour que leurs enfants entendent les belles histoires racontées par le pasteur. En matière de craintes, ils redoutaient principalement les fonctionnaires et les cosaques du tsar, les maléfices provenant des esprits du marais, le mauvais œil et les sorts que les envieux pouvaient leur jeter.

Chez les gens réunis à la taverne, on lui confia en toute discrétion que la peur du mal français était très répandue chez les jeunes hommes qui partaient au service militaire. Aussi, plusieurs des buveurs attablés devant leur carafe de vodka — que le tavernier Gundars et sa femme Maroussia distillaient en cachette — lui avouèrent craindre de mettre au monde des enfants comme Pougala, l'idiot, justement à cause des effets peut-être nocifs de cette vodka frelatée qu'ils aimaient tant. Gundars lui laissa entendre qu'il redoutait la visite des inspecteurs, et que cette peur l'obligeait à graisser la patte du prévôt Ivar Kumis en lui refilant gratuitement des cruches de son eau-de-vie chaque mois. Il craignait aussi que l'une ou même les trois prostituées qu'il hébergeait ne trouvent un autre protecteur et s'en aillent de sa pension. Mais il était certain qu'aucun danger ne le menaçait du côté de Maroussia, son épouse, car il la trouvait laide et détestable, et était convaincu qu'aucun homme ne jetterait son dévolu sur une telle créature. Puis il ajouta, à voix basse, qu'il consommait rarement de sa vodka, juste les fois où il devait accomplir son devoir conjugal.

Viksna, le marchand qui tenait l'unique magasin du village, confia à Waldemar qu'il avait seulement peur de voir sa fille Lilija tomber amoureuse d'un des garçons de la paroisse. Il était veuf et il s'attendait à ce qu'elle devînt vieille fille pour continuer à l'aider au magasin jusqu'à sa mort.

— Il y a aussi la question de la dot, pasteur, ajouta Viksna avec une mimique de souffrance. Si Lilija se trouve un fiancé, c'est certain qu'ils voudront une part de mon magasin. Et les affaires vont si mal que je ne survivrais pas.

— L'avarice est un péché très laid, Viksna, avertit le pasteur. Il est écrit qu'on ne doit pas laisser en jachère la glèbe féconde. Et Lilija a déjà vingt-cinq ans.

— Je sais, je sais, pasteur. Mais les temps sont durs et je ne peux pas embaucher un employé.

— En effet, Viksna, et ça ne fera qu'empirer. Mais pense d'abord à sauver ton âme plutôt que d'accroître ton bas de laine. Qui sait si la pauvre Lilija ne brûle pas par le bas et si cela ne la conduira pas en enfer ? Chacun ici sait bien que tu n'es pas à plaindre. Il y a des passages de la Bible qui parlent clairement du grain mal pesé et de l'argent soutiré au misérable. Il est encore temps de te repentir, frère Viksna. Chacun sera jugé par ses œuvres.

Paulis, le forgeron au corps de géant, dit au pasteur qu'il avait peur que sa femme ne devînt à nouveau enceinte. Il avait déjà trois enfants, et sa petite Marija était encore un bébé.

Janis Schultz, le menuisier, un bon vivant, lui répondit en riant qu'il avait peur des progrès de la médecine.

— Si les gens se mettent à ne plus mourir, pasteur, expliqua-t-il, je n'aurai plus de clients pour mes cercueils et mes croix tombales. Je n'arriverais pas à survivre uniquement en jouant du violon dans les noces. Vous aussi, Waldemar Salis, vous devriez vous méfier de la médecine. Sans la peur de mourir, votre temple restera désert.

Willems, le fils aîné du fermier Max Jostins était un nain bossu, mais doté d'une force extraordinaire. C'était un jeune homme très drôle et joyeux en dépit de sa malformation. Il jouait de la balalaïka comme un vrai artiste et il était capable de faire pleurer d'émotion les femmes avec sa voix de basse. Pourtant, après quelques verres à la taverne, il avoua à Waldemar qu'il avait peur de ne jamais trouver une femme jolie, capable de l'aimer.

— Seuls les cirques aiment les nains, pasteur, ajouta-t-il. Votre bon Dieu a craché sur moi sans que je sache pourquoi. Je crains de ne pouvoir jamais fonder une famille.

Anton Landis, un autre fermier, confia à Waldemar que sa seule crainte était de voir sa fille rester sans mari. Salme était très jolie et rondelette, mais elle avait déjà dix-huit ans et n'avait pas de fiancé parce qu'elle était née avec un pied bot.

— C'est un mauvais sort qu'on a jeté à ma femme Rachel alors qu'elle était enceinte pour la troisième fois, dit-il. Les gens étaient jaloux de la beauté de mes deux garçons, Andrijs et Arnoulds. Le maléfice est tombé sur la pauvre Salme pendant qu'elle était encore en train de fermenter dans le ventre de sa mère. J'avoue avoir maudit le ciel, pasteur, pour cette méchanceté contre ma fille chérie.

Les deux seuls personnages qui affirmèrent n'avoir aucune crainte furent le prévôt Ivar et le pharmacien. Ivar ajouta pour se justifier que son rôle était d'ailleurs de provoquer la crainte chez tous les paroissiens, y compris ceux qui se prétendaient Lettons, en leur rappelant qu'ils étaient sujets de sa majesté impériale, le tsar de toutes les Russies. Quant au docteur Sigailis, il répondit qu'il était déjà trop vieux pour avoir peur, et que si Dieu existait, il était sans doute un Dieu bon, capable de pardon et non pas de colère. Quand Waldemar insista, le pharmacien avoua, après mûre réflexion, qu'en fin de compte, il avait un peu peur des piqûres de guêpes.

Alija non plus ne lui fut d'aucune aide. Elle trouvait que le monde était bien tel qu'il était, surtout après qu'elle eut casé ses filles, ce qui lui permettait de vivre sa vie telle qu'elle l'entendait. Les esprits des forêts et des marais n'avaient pas la même nature vindicative et hautaine que le Dieu du pasteur, et ils n'exigeaient pas de sacrifices inutiles aux gens qui les consultaient. Ainsi, ses clients pour les potions et pour la lecture des cartes continuaient à lui être fidèles, tout en fréquentant le temple les dimanches. Les accouchements se succédaient et lui rapportaient assez pour vivre. Maintenant, sans la présence fouineuse de ses filles, elle pouvait aussi recevoir toutes les visites galantes que le ciel daignait lui envoyer.

— Au contraire, Waldemar, je trouve que tout va bien, répondit-elle un soir après l'avoir consolé au lit. Martha va bientôt te demander de l'engrosser à nouveau. D'après moi, ce n'est qu'une question de jours et tu auras encore une pouliche chaude à la maison, avide d'être montée. As-tu remarqué comme elle a gagné des formes ? Ses chairs dodues vont bientôt avoir besoin d'un étalon. Garde tes forces.

— Hélas ! Je ne le sais que trop, Alija, dit-il avec une mine soucieuse. Ne pourrais-tu pas lui donner une tisane quelconque pour calmer ses ardeurs ? Après tout, j'ai mille choses à faire et ma tête est remplie de sujets autrement plus sérieux.

— Le devoir conjugal est une chose très sérieuse, Waldemar. Prends garde qu'elle n'aille pas se faire consoler ailleurs si tu la délaisses. Il y a plein de jeunes gens dans la paroisse qui ne demanderaient pas mieux, tu le sais bien.

— Je parle d'une tisane pour la calmer un peu. Ou tu pourrais lui expliquer comment cela se passe au juste pour la fécondation. Ta fille est trop têtue quand elle désire quelque chose.

— C'est la femme que tu as choisie, pasteur. Je n'y suis pour rien. Tu as préféré cette écervelée à une femme mûre et expérimentée. Alors, apprends à la plier, à la faire obéir. Bats-la s'il le faut pour l'éduquer, comme font les paysans.

— Ce n'est pas dans ma nature, Alijenka...

— Menace-la de l'enfer comme tu fais dans tes prêches. Maintenant qu'elle a un enfant, peut-être qu'elle t'écoutera. Parle-lui de cette fin du monde qui te préoccupe tant. Mais ne lui en parle pas trop, car elle pourrait alors désespérer et aller se dévergonder pour profiter des derniers moments avant la fin. C'est ce que je ferais si j'étais certaine que tout allait bientôt disparaître dans les flammes éternelles.

— Entre nous, Alija, que ça reste entre nous. Mais dans tes visions, est-ce que tu ne vois rien de nouveau à l'horizon ?

Je veux dire des malheurs ou quelque catastrophe... Des choses qui te font peur ou des prémonitions auxquelles tu ne comprends rien ? Des signes qui te paraissent bizarres...

— Non, Waldemar, ces folies sont dans ta tête seulement. L'unique danger que je vois en ce moment est l'intérêt trop peu fraternel que ma fille Antonija démontre au jeune Karlis Schultz. Ils ont à peu près le même âge et ils jouaient ensemble autrefois. Il ne faudrait pas qu'ils se remettent à jouer ensemble maintenant. Antonija est une femme mariée.

— Je ne savais pas... fit Waldemar très surpris.

— Moi non plus. C'est Julijs, sa mère, qui me l'a dit. Si son père l'apprend, ça risque de mal finir. Le pauvre Alexandr ne mérite pas ça, n'est-ce pas ?

— Oui... Tu as raison. Il faut contrer ce danger par tous les moyens. Parle-lui, avec sévérité. Je garderai aussi un œil là-dessus.

— Karlis, mais aussi Martins, le fils du forgeron. Ils étaient les compagnons de jeu de mes filles. Ils s'amusaient et riaient beaucoup... Si leurs époux se montrent trop mous, Waldemar, elles risquent de se souvenir de ces beaux garçons qui les faisaient rire autrefois. Le printemps avance. Souviens-toi que c'est à cette saison diabolique que tu as fait ta bêtise, l'an dernier. Je t'avertis, quand une jeune femme apprend à se donner à des hommes différents, c'est un vice pour la vie. Crois-moi, mon gendre, je sais de quoi je parle.

•

Assez déçu de sa quête d'information sur ce qui faisait peur à ses paroissiens et déjà persuadé qu'aucun d'entre eux n'était du nombre des justes que Dieu avait choisi de sauver, Waldemar décida de changer de stratégie. Il était de plus en plus convaincu que la fin des temps arrivait et il fallait se dépêcher. L'insouciance des gens constituait un signe supplémentaire du fait que l'heure du règlement de comptes approchait. Leur absence de passion religieuse ressemblait trop à ce que les prophètes Jérémie et Joël avaient annoncé, même si l'apparition soudaine d'une nuée de sauterelles était peu probable dans ces latitudes nordiques. Mais d'autres signes plus subtils devaient sans doute exister sous la forme de changements discrets de la nature ou des gens. Waldemar était depuis trop peu de temps dans la région pour s'apercevoir des nouveautés qui pouvaient s'y être manifestées. Il se dit que les plus vieux sauraient l'orienter, en dépit du fait que ces esprits simples n'étaient pas armés pour tout comprendre. Il reprit alors ses questions, tout en se gardant d'influencer ses interlocuteurs.

Selon la plupart des habitants de la paroisse, l'exemple le plus commun de choses bizarres était Pougala, l'idiot. C'était un garçon de grande taille et très maigre, d'environ dix-sept ou dix-huit ans, toujours en haillons et à la barbe peu fournie. Visiblement simple d'esprit et très docile, ses crises d'épilepsie effrayaient malgré tout les gens. On le trouvait bizarre aussi parce qu'il n'avait pas de parents connus et qu'il était apparu à Lazispils venant de nulle part, deux ou trois ans auparavant. On l'appelait Pougala à cause de sa ressemblance avec un épouvantail. Il vivait de la charité publique et la rumeur voulait qu'il soulageât ses désirs sexuels avec les vaches et les brebis. Waldemar s'intéressa donc à sa personne durant plusieurs jours, afin de vérifier si Pougala prophétisait ou s'il percevait des signes invisibles pour les gens normaux. Mais ce fut en vain, car le pauvre idiot était muet et ne semblait pas comprendre les questions du pasteur. Certes, sans être religieux, Pougala se rendait aux services du dimanche au temple et il s'y comportait très convenablement, en imitant silencieusement les gestes des autres fidèles. C'était insolite. Mais on expliqua ensuite au pasteur que ce comportement était nouveau. Auparavant, Pougala cherchait à chanter et à danser, même à exhiber ses parties honteuses pendant le culte. Seules quelques sérieuses raclées vinrent à bout de ses mauvaises habitudes, et depuis lors Pougala restait tranquille.

D'autres nouveautés perçues par les gens et qualifiées d'étranges avaient trait à la nature, particulièrement en rapport avec les saisons. Il était difficile cependant de s'y retrouver puisque les avis étaient trop partagés. D'aucuns prétendaient que les hivers étaient de plus en plus longs et enneigés, tandis que d'autres affirmaient le contraire. Le fait que les récoltes étaient sans cesse plus maigres pouvait être expliqué par la pauvreté du sol. Les femmes qui mouraient en couches n'étaient pas une nouveauté en soi. Le pharmacien trouvait que la mortalité, tant adulte qu'infantile, diminuait dans la paroisse grâce aux médicaments qu'il prodiguait. Les gens ne se souvenaient d'aucune éclipse récente ni d'aucune chute de météorites dans les parages. Les apparitions d'esprits et d'autres créatures surnaturelles avaient rarement lieu dans les maisons ou dans le village ; elles arrivaient plutôt en forêt et dans les marais. Comme les témoins de ces événements fantastiques étaient eux-mêmes très craintifs des âmes en peine, ils évitaient les endroits dangereux ; cela avait pour effet de diminuer sensiblement la fréquence de ces apparitions. Chacun connaissait une ou plusieurs histoires de ce genre, sauf que c'étaient des témoignages vagues, par ouï-dire. Seule Alija fréquentait assidûment les endroits propices pour voir les esprits, et tous s'entendaient quant au fait qu'elle était une sorcière. Lorsqu'il tenta de les interroger davantage à son sujet, les gens se firent trop discrets, de peur d'être accusés de dénigrer sa belle-mère.

Le temps passait, et Waldemar devait se contenter uniquement des signes rapportés dans la Bible, lesquels ne correspondaient pas tout à fait à ce qui existait en Livonie. Les vignes, les oliviers et les palmiers n'y poussaient pas, on n'avait jamais entendu parler d'infidèles d'autres tribus et les seuls Juifs de la région vivaient isolés en ghettos, continuellement terrorisés par les agents du tsar. Ce qui ressemblait le plus à un désert étaient les grandes extensions marécageuses, où abondaient mouches et moustiques, sans aucune trace de serpents.

Un motif beaucoup plus prosaïque obligea le pasteur à cesser ses interrogations sur les choses étranges. C'est que ses paroissiens commencèrent à penser que ses propres questions étaient une nouveauté digne d'attention, et ils devinrent soudainement curieux et bavards. Les femmes, surtout, se mirent à lui rapporter toutes sortes de commérages, parfois très indiscrets, sur la vie de leurs voisines ou sur les allées et venues des maris des autres femmes. Voyant que Waldemar leur prêtait une oreille attentive et qu'il semblait s'attendre à quelque scandale, elles se mirent aussi en devoir de le satisfaire, quitte à inventer leurs confidences de toutes pièces. Bien vite, cela devint comme un feu de brousse, embrasant la paroisse, ravivant d'anciennes querelles ou en créant de nouvelles à partir de racontars en apparence inoffensifs. La chose prit une telle ampleur, provoquant des bagarres à la taverne et laissant plusieurs épouses rossées par leurs maris, que le pasteur dut mettre une fin publique à ces excès. Il consacra alors tout un prêche du dimanche aux péchés de la médisance, de la calomnie et du mauvais œil envieux pour tenter de restaurer la paix chez ses paroissiens.

3

À Pâques, les paroissiens célébrèrent comme d'habitude, en allant d'abord porter les œufs peints et les gâteaux au temple pour le service religieux du samedi soir. Ensuite, Waldemar et sa famille s'en allèrent à l'école pour la veillée pascale en compagnie d'Alija, d'Alexandr et d'Antonija. Ils burent du thé et mangèrent des brioches dans une ambiance très joyeuse. En attendant la résurrection du Christ et pendant que les femmes s'entretenaient entre elles — la veille du dimanche de Pâques était une occasion spéciale, où Alija et ses filles concoctaient des sortilèges —, le pasteur et l'instituteur jouèrent aux échecs.

Waldemar n'osa pas aborder immédiatement la question de l'avenir avec son beau-frère, même si celle-ci et d'autres dilemmes assaillaient continuellement son esprit, surtout à une date aussi importante. Il ne fit que perdre plusieurs parties de suite, de manière désastreuse, au point d'éveiller la curiosité d'Alexandr.

— Serais-tu amoureux, Waldemar ? demanda l'instituteur après un mat au bout d'à peine une quinzaine de coups.

— Amoureux ? fit le pasteur surpris, en sortant de sa rêverie. Comment ça, amoureux ?

— Je ne sais pas. Pour jouer aussi mal, soit tu es ivre, soit tu es amoureux. Comme nous n'avons pas encore commencé à trinquer, je me demande si tu n'es pas en train de penser à l'une de tes paroissiennes.

— Tu blagues, Sacha... Je suis simplement distrait par des pensées religieuses. Après tout, on célèbre maintenant le renouveau de la foi. Ou peut-être que si, je suis amoureux du Christ qui ressuscitera bientôt avant de monter au ciel.

— Tu crois vraiment à ces histoires ?

— Bien sûr ! C'est une évidence. Sauf peut-être pour une âme sceptique comme la tienne, capable de douter d'un miracle qui a changé le sort de l'humanité. Tu douterais même de la venue du printemps.

— Tu exagères, Waldemar. Le printemps revient chaque année après l'hiver. Tandis que ton messie ajourne sans cesse sa deuxième entrée en scène.

— Est-ce que ça t'agace, Sacha ? Le retard de la parousie ?

— C'est en tout cas fâcheux, tu ne trouves pas ? Nous devons nous contenter de la fable de sa première mort et ça peut rendre la vie désespérée.

— Si ça t'agace, tu devrais au moins craindre un peu pour ton âme éternelle. Laisse-moi te rappeler que ton scepticisme ne semble pas convenir à l'un des justes. Ce serait dommage de ne pas nous retrouver au paradis, beau-frère.

— Parce que, si je comprends bien, pasteur, tu y seras à coup sûr. Je crois me souvenir qu'il s'agit là d'une manifestation d'orgueil. Est-ce que je me trompe ?

— Non, Sacha… C'est en effet de la vanité que de vouloir prévoir les intentions divines. Mais tu te trompes, je ne suis pas victime d'une telle présomption. J'espère, c'est tout. En attendant, je crois et je loue le nom du Seigneur comme tout bon chrétien devrait le faire.

— Mais ça te préoccupe, n'est-ce pas ? Au point de te faire perdre tes moyens et d'oublier de roquer. Est-ce que ton Dieu exige que tu sois si obsédé ? Après tout, Waldemar, Pâques est une fête de joie, et je te sens soucieux.

— Le souci est la seule attitude qui convient à l'homme seul face au silence de son Créateur. Le penseur danois Søren Kierkegaard a des passages éloquents à ce sujet. Tu devrais le lire et méditer sur ses paroles ; cela t'aiderait à donner un sens à ton existence de libre penseur. Je me fais du souci pour toi aussi, Sacha, plus encore que pour d'autres paroissiens. Au moins, eux, ils craignent Dieu.

— C'est bien la seule chose qu'ils craignent, ces paysans ignorants, répondit Alexandr en arrangeant les pièces sur l'échiquier. Figure-toi que cette année encore, sous prétexte de faire fermenter le lin et de s'occuper des semailles, ils retirent leurs enfants de l'école avant la fin de mes cours. C'est à croire que l'instruction est pour eux un passe-temps d'hiver. Comment veux-tu ne pas désespérer ? Chaque année, après la résurrection du Christ, les bancs de l'école restent vides jusqu'à la fête des Morts. Est-ce que tu comptes les sermonner demain sur cette pratique ignoble ?

— Les temps sont durs, Sacha. Il faut être patient et ne pas leur jeter le blâme pour cette misère alentour. Qui sait si tout cela n'est pas mûr pour disparaître ?

— Encore des pensées séditieuses, pasteur ?

— Je me réfère à la fin absolue des temps, Sacha. Tu restes un nihiliste, c'est ton droit. Moi, je sens que des temps nouveaux se préparent. Ce siècle nouveau, le dernier avant l'an 2000, me semble propice à de grands événements religieux. La sagesse populaire ne se trompe pas quand elle évoque la crainte du millénaire. Je me soucie de mon troupeau, tu peux en être certain… Pour ce qui va arriver, l'instruction que tu offres à leurs enfants ne leur sera d'aucune utilité.

— Ils vont donc crever ignorants, pour ne pas être tentés de se révolter contre ton Dieu colérique. C'est ça ? Que fais-tu alors de la douceur de l'agneau, de la miséricorde et de la grâce ? Des paroles en l'air pour mieux les berner ? Pourquoi insistes-tu sur cette satanée fin du monde plutôt que de penser à un monde meilleur ?

— Est-ce que tu crois à un monde meilleur, Sacha ?

— Oui, mais pas dans ce pays de merde. L'idée de m'en aller d'ici me travaille à mesure que le ventre de ma femme grossit. Je ne veux pas que mon fils soit un serf comme les autres paroissiens. Avant, cela n'avait pas d'importance parce que j'étais toujours libre de m'en aller. Mais avec un enfant...

— Moi aussi, j'avoue que les responsabilités familiales me pèsent trop, Sacha, dit Waldemar avec tristesse. Je me sens prisonnier et l'avenir ne cesse de me hanter.

— Voilà alors une tâche plus noble pour un pasteur, Waldemar : conduire son troupeau vers des pâturages plus verts. C'est mieux que la fin du monde pour te sauver tout seul, tu ne trouves pas ?

— Abandonner le sol natal pour errer comme Caïn ? Seul un esprit tourmenté comme le tien peut évoquer une telle solution. Fuir n'est pas une issue valable, Sacha ; le regard de Dieu n'a pas perdu la trace de son serf Jonas dans le ventre du Léviathan.

— Je ne parle pas de fuir mais d'aller répandre ta bonne parole. Ici, rien de bon ne va arriver. Et s'il n'en dépend que des sbires du tsar, même ta foi va disparaître. Avec l'imposition de la langue russe, bientôt ce n'est plus un pasteur qui prêchera ici, mais un pope orthodoxe. Est-ce que tu en es conscient ?

— À t'entendre, Sacha, tu sembles plus enclin à croire en Jean de Patmos qu'aux évangélistes.

— Ne change pas de sujet, beau-frère. Tant qu'à m'intéresser à des écrits, je préfère ceux de Kropotkine et de Bakounine. Ton Jean de Patmos était un fou, comme d'ailleurs les autres prophètes de malheur que tu chéris tant. Tous des fous à lier, si tu veux mon opinion. Des délirants ou des ivrognes. Quel dieu aurait créé le monde pour ensuite le détruire, en n'en sauvant que quelques pauvres types choisis au hasard ? Est-ce que le salut se joue à la roulette ? Si c'est le cas, ton Dieu est aussi barbare que le tsar. Souviens-toi du message du Christ, pasteur. Sinon, à quoi cela sert de réveillonner ici en attendant sa résurrection ?

Waldemar ne sut que répondre et ils restèrent à fumer et à boire du thé en silence pendant un long moment. Les paroles de l'instituteur ajoutaient à la confusion dans l'esprit du pasteur, d'autant plus qu'il avait déjà à maintes reprises tenté de percer le secret de ces mêmes paradoxes. Pourtant, les sentiments d'urgence et d'alarme devant quelque chose d'inévitable ne cessaient de le hanter, de le rendre incapable de s'intéresser au jour le jour à sa paroisse. Si tout allait bientôt être mis sens dessus dessous, à quoi bon s'occuper de frivolités ?

L'instituteur le sortit encore de sa rêverie, en insistant :

— Tu sembles trop égoïste, Waldemar, avec ta manie de croire au sens littéral de la Bible plutôt que de t'en servir pour aider les plus faibles. Ça te laisse le beau rôle de prêcheur, pendant que les paysans travaillent la terre et se soucient de ce qu'ils vont manger le lendemain.

— Je travaille aussi avec eux, Alexandr, protesta-t-il d'un ton offensé.

— Oui, tu travailles parce que ça te fait plaisir. Mais ta tête est ailleurs, dans la certitude que ton Dieu pourvoira à tes besoins. Les paysans, au contraire, savent très bien que ton Dieu est avare, d'où leur angoisse concrète au sujet du lendemain. Ton angoisse ressemble plutôt au passe-temps d'un homme riche, de celui qui s'ennuie parce qu'il n'est pas obligé de travailler.

— Tu veux me blesser, Sacha… Pourquoi ?

— Je ne cherche pas à te blesser, beau-frère, au contraire. Je cherche à t'ouvrir l'esprit pour que tu retombes sur terre, que tu te rapproches des gens comme homme concret, en chair et en os. Pour que cessent tes lubies et ces questions absurdes qui te font paraître ridicule aux yeux des gens. Tu augmentes leur confusion, Waldemar, plutôt que de les apaiser et de leur apprendre à aimer la vie, à se battre. Si ton Dieu a créé le monde, c'est pour notre plaisir. Il faut donc tenter de l'améliorer par des œuvres concrètes et ton Dieu nous en sera reconnaissant.

— En leur rappelant la colère divine, je contribue à perfectionner Son œuvre.

— Pauvre de toi, Waldemar… Que tu dois souffrir avec ta tête pleine de menaces. À force de t'entendre parler de cette colère divine, je commence à croire que tu crains beaucoup pour le salut de ton âme. Tu dois avoir beaucoup de choses à te faire pardonner. Si dans ton for intérieur tu penses que ces feux promis par les prophètes te sont destinés, cesse d'attribuer à d'autres ce qui te revient de droit. Pose-toi pour une fois la question suivante : et si ma peur n'était pas justifiée ? Et si le monde était plutôt un endroit fait pour de belles aventures ?

— C'est pourtant contraire aux textes sacrés, répondit-il avec hésitation.

— Au diable tes Écritures ! Si au moins tu cherchais en elles des propos plus édifiants… Les aventures terrestres peuvent être fascinantes, Waldemar. Souviens-toi comme tu étais heureux à la veille de ton mariage. Tu ne parlais alors d'aucune catastrophe. Est-ce que la vie conjugale t'a aigri, beau-frère ? Est-ce que tu regrettes d'avoir choisi la fille plutôt que la mère ? insista Alexandr avec un sourire moqueur.

— Qu'est-ce que tu dis là, Sacha ? Tu délires…

— Moi, en tout cas, Waldemar, je le regrette profondément. Je le regrette chaque jour et je me demande comment je vais faire pour m'en sortir.

Waldemar n'eut pas le temps de répondre à cette confidence qui le touchait aussi de manière personnelle. À cet instant-là, ils entendirent au loin des cloches, les cloches de Pâques. Les cris joyeux des femmes vinrent alors briser l'ambiance lourde dans laquelle les deux hommes se trouvaient plongés :

— Le Christ est ressuscité ! C'est minuit ! Il est ressuscité !

— En vérité, Il est ressuscité ! répondit le pasteur avec la formule d'usage, les yeux plein de larmes. En vérité, Il est ressuscité, mes frères !

Et il se leva pour embrasser Alexandr et les femmes.

— Réjouissons-nous ! cria Alexandr en repoussant l'accolade mielleuse du pasteur. Sers-nous à boire Antonija. De la vodka aussi pour Alija, la sorcière qui nous a enfanté de si jolies et satanées épouses. Allez, on boit pour oublier le gouffre où nous sommes plongés. Le Christ te pardonne, Waldemar, comme à chaque printemps.

•

La conversation avec Alexandr l'avait littéralement bouleversé. Waldemar avait ensuite tellement bu à la santé du Christ ressuscité que son prêche du dimanche de Pâques fut très confus, parsemé de citations disparates de la Bible et d'exhortations à la joie terrestre. Heureusement que la plupart des paroissiens avaient aussi fêté jusqu'à l'aurore et qu'ils sommeillaient paisiblement sur les bancs du temple.

La confusion dans l'esprit du pasteur ne cessa d'augmenter au cours des jours suivants, au point de lui faire perdre le sommeil et l'appétit. Maintenant, ce n'était plus seulement l'attente de la fin du monde qui lui confondait les idées, mais aussi la peur de s'être complètement trompé dans ses prévisions eschatologiques. Il y avait en outre la honte face à Alexandr, qui semblait être au courant de ses rapports avec Alija. Après tout, même si la chair était proverbialement faible, sa conduite n'était pas tout à fait celle d'un juste, car son appétit pour la luxure pointait vers les nourritures terrestres plutôt que vers les nourritures de l'âme.

Heureusement que Martha devint plus sage avec l'éclosion du printemps. Certes, elle était décidée à se faire engrosser à nouveau, et le plus vite possible, pour ne pas perdre la course aux progénitures engagée contre sa sœur. Mais sans doute instruite par Alija, Martha semblait avoir compris que sa matrice fonctionnait autrement qu'un silo à grains. Elle réclamait désormais le devoir conjugal seulement cinq fois par semaine, avec repos les samedis et les dimanches, ce qui paraissait déjà exagéré à son mélancolique époux.

Soulagé après avoir satisfait sa chaude moitié, Waldemar revenait dans son lit de célibataire et pouvait plonger à sa guise dans des questions autrement plus sérieuses sans se faire incommoder. Sans les sentiments de coulpe d'avoir forniqué avec la sorcière, il se sentait alors prêt à revenir en pensée bien en arrière, au temps de son enfance, pour vérifier si les âpres paroles d'Alexandr à son sujet avaient ou non un fond de vérité. Il y allait du salut de son âme.

Dans son cagibi, il avait pris l'habitude de commencer ses méditations par la récitation du psaume 130, qu'il trouvait pertinent tant en ce qui concernait le lieu où il se trouvait que son besoin de pénitence. Mais, coquettement, il disait les premiers vers du psaume en latin, comme il l'avait appris en Allemagne de la bouche d'un prêtre papiste : *De profundis clamavi ad te Domine.* Et il faisait suivre ce vers du texte luthérien chanté, comme s'il cherchait à s'excuser pour cette petite hérésie. Une fois cette entrée en matière accomplie, Waldemar tentait de se souvenir de scènes de son enfance, à la recherche des premières manifestations de sa luxure future. En vain. Il ne trouvait jamais aucun détail scabreux pour le mettre sur une piste sûre. Son père, le révérend Jesaïas, n'était pas à proprement parler un homme porté sur les désirs inavouables. Après la mort en couches de son épouse, nommée la chaste Birgitis dans les récits faits au petit Waldemar, il se consacra à l'éducation de son garçon. Il n'avait eu recours à aucune autre présence féminine qu'à celle des vieilles laides et très humbles, dont l'odeur de sueur rance avait teinté l'univers sensuel de l'enfant. Rien de bien libidineux, ni même le soupçon d'une maîtresse cachée ou d'un vague batifolage avec les servantes de ses temples successifs. Oui, successifs et très nombreux, car Jesaïas Salis avait été une sorte de prêcheur itinérant, plutôt indépendant, même s'il se disait membre de l'Église évangélique luthérienne. Mais il n'hésitait pas à intégrer dans ses convictions plusieurs éléments de la doctrine des baptistes, des pentecôtistes et des adventistes, selon l'endroit où il prêchait. Les trouvailles de son propre cru, au gré de sa bouillante imagination, n'étaient pas non plus très rares. La liberté avec laquelle Waldemar se servait des Saintes Écritures lui avait d'ailleurs été léguée par son père, car Jesaïas ne faisait pas non plus une grande distinction entre la réalité palpable et celle décrite dans les textes sacrés.

— L'important, c'est de toucher l'âme de la créature pécheresse et non pas sa raison, enseignait-il à son jeune fils. Le grand Luther avait déjà dénoncé les maléfices de la raison pour le croyant. Les voies du Seigneur sont insondables. Comment pourrais-je savoir, moi, un simple pécheur aussi, ce qu'il est bon de prêcher et ce qui ne l'est pas ? Si par mes paroles la crainte de Dieu apparaît dans l'esprit de mes paroissiens, ma besogne est accomplie dans cette vallée de larmes.

Jesaïas, accompagné de Waldemar, menait une vie d'errances, se rendant continuellement dans les paroisses et dans les régions isolées pour prêcher la bonne parole. Cette façon de vivre permit d'ailleurs au jeune Waldemar de voyager beaucoup, de connaître toutes sortes de gens et d'apprendre l'allemand et le russe avant même d'avoir fréquenté l'école. Ainsi, il avait eu peu de contacts avec d'autres enfants et n'avait pas subi l'influence délétère de galopins pervertis capables d'allumer dans son cœur la flamme des passions. Les seuls éléments dont il se souvenait et qui avaient un fumet démoniaque étaient les histoires fantastiques que son père semblait inventer avec une facilité presque délirante pour bercer et édifier son fils. Mais si la violence et la cruauté étaient légion dans ces récits, la luxure n'y avait pas un grand rôle, ou bien le garçon n'avait pas saisi alors la signification des scènes impudiques.

Même plus tard, durant son adolescence de séminariste ou de jeune pasteur, Waldemar ne se souvenait pas d'avoir jamais été dérangé par les basses passions. Il avait croisé des femmes de mauvaise vie pendant ses voyages, et il se souvenait d'avoir été sollicité à quelques reprises, sans jamais avoir ressenti d'inclination aux démangeaisons de la chair avec qui que ce fût. Impossible d'aller plus loin dans sa recherche d'influences néfastes. Waldemar n'avait d'autre choix que de considérer ses nouvelles dispositions sensuelles comme la conséquence d'un quelconque philtre concocté par la sorcière Alija et sa diablesse de Martha. Et si tel était le cas, en dépit des enseignements religieux, il serait pardonné en fin de compte, comme Job l'avait été. Il suffirait d'un peu de patience et d'un usage fréquent de ce psaume 130, car il n'était qu'une victime momentanée de maléfices païens.

Ces méditations dans son cagibi le rassuraient beaucoup. Il en ressortait ragaillardi, prêt pour ses efforts d'évangélisation et pour les travaux dans les champs. Il savait que le noyau des paroles d'Alexandr ne touchait pas véritablement la sensualité, et qu'il ne le considérait pas comme un libertin. Mais il préférait chasser vers le fond de sa mauvaise conscience ce que l'instituteur avait tenté de lui faire comprendre ; le pasteur n'était pas encore prêt à abandonner ses espoirs d'un rôle distingué que seule la fin des temps pouvait lui conférer.

•

Au début de l'été, une nouvelle hors du commun vint jeter la confusion dans tous les esprits et raviver les espoirs bibliques de Waldemar Salis. Cela n'eut rien à voir avec le ventre d'Antonija ni avec l'appétit toujours gourmand de son épouse pour les ébats conjugaux. Certes, au contraire de la première fois, Martha tardait toujours à se mettre à vomir, même si les époux suivaient rigoureusement une discipline propice pour féconder tout un troupeau de vaches. Mais avec l'aide de Dieu, la grossesse ne tarderait pas à se manifester et Waldemar aurait enfin la paix. Qui plus est, cette assiduité forcée entre les cuisses de sa légitime épouse avait l'effet bénéfique de le dégoûter de la fornication, et de le laver ne fût-ce que provisoirement de ses inquiétudes métaphysiques au sujet de sa propre sensualité. Waldemar était déjà persuadé que le sexe n'était pas un péché, mais une punition extrêmement bien conçue par Dieu pour mortifier les hommes. C'était le pendant du « tu accoucheras dans la douleur », destiné littéralement à empoisonner l'existence quotidienne des mâles depuis la puberté, en les poussant à vouloir s'accoupler justement pour que leurs compagnes puissent être en mesure d'enfanter dans la douleur. Une sorte de symétrie dans le châtiment, ni plus ni moins. Il vint même près de maudire ses propres parties honteuses, ce qui le rassura sur sa place de juste dans le cœur de son Créateur.

Comme il arrive parfois avec les nouvelles d'une très grande importance pour l'avenir, celle-ci ne sembla pas de prime abord mériter une considération particulière. D'ailleurs, Waldemar l'apprit de manière tout à fait quelconque, presque en passant, lorsqu'il alla au magasin de Viksna pour acheter une carotte de tabac en toute discrétion. C'était une belle journée comme tant d'autres, ni plus chaude ni plus froide, et depuis l'aube, aucun signe prémonitoire n'avait attiré l'attention du pasteur pour le préparer à ce qui allait suivre.

— Il paraît qu'ils cherchent des candidats pour émigrer d'ici, lui dit Viksna, le dos tourné, en train de peser sa demi-livre de tabac. C'est Petijs, le cocher, qui me l'a appris ce matin, à son retour de la paroisse voisine.

— Ah, bon… répondit Waldemar distraitement. Pour aller où cette fois ?

— En Amérique, paraît-il. Quelque part en Amérique. Petijs ne sait pas où au juste.

— Ils ne trouveront personne avec assez d'argent chez nous pour payer un tel voyage. C'est chaque fois la même chanson, suivie d'amertume.

— C'est justement ce que j'ai répondu à Petijs. Mais le plus surprenant c'est que, cette fois, l'Amérique paye le voyage. Du moins, c'est ce qu'ils disent.

— Ils payent le voyage ? demanda le pasteur avec méfiance. Cela me semble impossible.

— C'est ce qu'ils prétendent, en tout cas. Il paraît qu'ils cherchent beaucoup de familles pour coloniser des terres vides, à l'intérieur de leur pays. Des contrées immenses, paraît-il, abandonnées depuis qu'ils ont aboli le servage des nègres. Il paraît que les choses là-bas ne se sont pas passées comme ici en Russie. Les nègres ne sont pas restés sur les terres comme nos paysans ; ils seraient tous partis vers les villes pour devenir danseurs, musiciens ou garçons de café. Sans compter ceux qui sont retournés en Afrique. Alors, le gouvernement de l'Amérique cherche des paysans à qui donner ces terres, figurez-vous ! Donner les terres… À toutes les familles qui accepteront de les cultiver et de peupler ces contrées maintenant vides. L'Amérique… C'est un pays de cocagne !

— Les terres ne doivent pas être bonnes, répliqua Waldemar. Sinon, les Américains les garderaient pour eux au lieu de les donner à des étrangers.

— Selon ce que le cocher a appris, ce sont de bonnes terres, peut-être même meilleures que les terres d'ici. Le climat là-bas semble plus doux et les paysans seraient en mesure de semer et de récolter deux fois par année.

— C'est absurde, Viksna, répondit le pasteur. Cela existe, certes, mais ça s'appelle le paradis. L'Éden dont parle le livre de la Genèse. Deux récoltes par année… Des balivernes !

— C'est ce qu'ils disent, les Allemands qui viennent pour recruter les émigrants. Il paraît qu'ils n'ont plus assez de gens là-bas pour peupler le pays depuis qu'ils ont massacré tous les Indiens ; et les nègres préfèrent chanter plutôt que travailler les champs.

— Oublie ces sornettes, Viksna, et prie plutôt pour ton âme si tu veux un jour profiter des douceurs célestes. Il est écrit que nous gagnerons notre pain à la sueur de notre front et non pas avec des lubies colportées par des cochers. Il avait sans doute trop bu de vodka, ton Petijs.

— Il est vrai qu'il aime prendre un verre, comme tous les cochers. C'est aussi un rêveur, Petijs. Peut-être qu'il menace de partir en Amérique pour me soutirer quelques kopecks de plus, le malin.

— Avare comme tu es, Viksna, il pourrait aller en enfer avant que tu te laisses émouvoir.

— Je ne suis pas avare, mais économe, pasteur. Les temps sont durs... Je répondrai à Petijs de s'en aller, s'il le veut.

— Parce qu'il veut être cocher en Amérique ? C'est le monde à l'envers !

— Il a dit qu'il s'est déjà inscrit, pour s'en aller avec sa femme et ses enfants. Ces Allemands vont bientôt venir ici pour chercher d'autres candidats.

— Laisse-les venir, Viksna, ce ne sont que des balivernes, des racontars de cocher ivre. Ce n'est pas la première fois que courent de telles rumeurs. Ensuite, ils demandent l'argent pour le voyage et les rêves disparaissent en fumée.

En ressortant de chez le marchand, cette nouvelle extraordinaire ne servit au pasteur qu'à déplorer la crédulité vaniteuse de ses paroissiens. Si même un homme important comme Viksna, qui avait pignon sur rue et qui recevait des journaux de Riga, prêtait l'oreille à de telles exagérations, comment blâmer les autres pour leurs croyances animistes ? Mais Waldemar était de trop bonne humeur pour se laisser indisposer plus que quelques instants par ces vétilles. Ce jour-là, il n'avait de corvée chez aucun des paysans ; Martha était allée passer la journée chez sa mère, et le pasteur comptait jouir de sa solitude pour lire et fumer le tabac odorant qu'il venait d'acheter. Arrivé au presbytère, il avait déjà oublié la conversation avec le marchand.

Quelle ne fut pas sa surprise d'entendre d'abord les pleurs du petit Ruben dans son berceau, suivis du râle et de la toux de Martha, agenouillée dans la cuisine à vomir ses tripes. Décidément, cette journée n'était pas aussi anodine et innocente qu'elle en avait l'air. Après s'être assuré que sa femme n'était pas empoisonnée mais plutôt enceinte, Waldemar alla consoler le bébé en louant le nom du Seigneur. Cependant, les événements marquants de cette journée capitale ne faisaient que commencer.

Couché le soir dans son cagibi, fourbu, Waldemar tentait de mettre un peu d'ordre dans sa tête en réfléchissant à la série étonnante de signes prémonitoires qui s'étaient succédé suite aux révélations du marchand Viksna concernant l'Amérique. Oui, des révélations et non plus de simples rumeurs, car tant de choses étranges dans une même journée ne pouvaient signifier rien d'autre que l'appel d'une puissance supérieure. D'abord, les cloches du temple sonnant le tocsin comme des folles, pour avertir que l'étable du fermier Anton Landis était en feu. Pougala, l'idiot, s'y était glissé pour forniquer avec une vache et avait malencontreusement mis le feu à la paille en voulant allumer une cigarette. Heureusement, il n'y eut pas trop de dégâts puisque les gens accoururent avec des seaux d'eau en entendant les cris de Pougala. Ce dernier, suffoqué par la fumée, exhibait en sautillant ses parties honteuses et ses jambes maigres roussies par les flammes. C'était un signe évident d'un châtiment divin et un exemple pour tous les fornicateurs et onanistes impénitents. De pair avec la grossesse de Martha, qui mettait fin à ses supplices, comment le pasteur aurait-il pu ignorer le sens de ce message ?

Étroitement lié à ce début d'incendie, au point qu'on serait plus que naïf d'en parler comme d'une simple coïncidence, il y eut le scandale de l'arrière-boutique du marchand Viksna. Oui, Viksna, celui-là même qui avait transmis au pasteur les premiers éléments prophétiques sur l'Amérique. En effet, se croyant protégée par la commotion autour de l'étable d'Anton Landis, où le marchand Viksna était accouru par pure curiosité, Lilija, la fille de ce dernier, reçut la visite de Martins, le fils du forgeron Paulis. Ils se voyaient sans doute en cachette depuis longtemps, car ils n'en étaient plus aux confidences ni aux baisers chastes. De retour au magasin,

Viksna découvrit une scène qui faillit le terrasser d'horreur. Lilija, dans la force de ses vingt-cinq ans, couchée sur des sacs de farine, accueillait entre ses cuisses fournies le corps musclé du grand gaillard ; les fesses dures de ce dernier montaient et descendaient avec vigueur, comme le soufflet qui avivait le feu dans la forge de son père. Le marchand, paralysé, fut encore témoin de la poussée finale et du râle de l'orgasme, accompagné des gémissements de plaisir de sa fille unique qu'il destinait au célibat. Sorti enfin de sa stupeur et incapable de s'en prendre à ce costaud qui allait devenir son beau-fils par fait accompli, le marchand sortit en sanglotant et en sautillant sur place comme s'il avait aussi brûlé sa verge.

Attiré par les cris, le prévôt Ivar arriva sur les lieux de l'infamie. Les deux tourtereaux avouèrent sans pudeur leur méfait et déclarèrent au représentant de l'autorité impériale qu'ils souhaitaient se marier. Se marier immédiatement, avec ou sans le consentement du père de l'infortunée, car ils étaient tous les deux majeurs. Le forgeron Paulis, du haut de sa montagne de muscles, donna sa bénédiction à son fils tout en ajoutant qu'il souhaitait depuis longtemps que son gaillard fécondât la pauvre Lilija. Entourant Viksna de ses bras puissants, il le leva de terre et l'embrassa sur les deux joues, avant de le laisser tomber comme un simple sac de son.

Le prévôt promit de les marier le samedi suivant, si le pasteur voulait bien bénir leur union. Et pour enfoncer le clou dans le désarroi du marchand, il ajouta que la dot n'était pas seulement une coutume mais bien un devoir légal, surtout dans le cas d'une fiancée qui avait déjà l'âge pour être considérée vieille fille.

La journée n'avait pas encore livré toutes ses surprises. Au milieu de l'après-midi, un vent froid se mit à souffler très fort et des nuages sombres, venus de nulle part, surgirent dans le ciel. Un orage violent éclata alors, avec des éclairs et des coups de tonnerre tout à fait inhabituels pour la saison.

Comme s'il ne s'agissait pas d'un phénomène météorologique mais d'un rappel de Dieu, la forte pluie faillit inonder les ruelles sales du village de Lazispils ; puis, elle cessa de façon soudaine. Les nuages disparurent aussi vite qu'ils étaient venus, pour laisser de nouveau la place au soleil et à un joli arc-en-ciel qui pointait vers l'ouest. Les gens se réjouirent de cet arrosage généreux juste quand le grain était en train de germer. Waldemar, quant à lui, comprit le message de manière autrement plus profonde et promit de se pencher sur la question avec soin pendant ses méditations nocturnes.

Durant la pluie, Paulis et son fils Martins étaient à la taverne pour célébrer les fiançailles du samedi suivant. À cause de l'incendie et du scandale chez le marchand, ils avaient momentanément laissé leur forge sans surveillance. La forte pluie froide, poussée par les vents, éteignit de manière trop brusque les charbons, ce qui fit craquer les parois du four. C'était la première fois qu'une chose pareille arrivait en plus de cent ans dans cette famille de forgerons. Averti par sa femme Anna, le forgeron, accompagné de son fils, accourut pour tenter de contrôler le dégât. Le prévôt, qui était déjà passablement ivre, voulut les suivre, mais il glissa sur la boue et tomba la tête en avant. Il fallut appeler le pharmacien pour lui suturer une grosse plaie sur le front.

Pendant qu'ils s'occupaient de leur forge et que le docteur Sigailis soignait le prévôt, on entendit des cris venant du magasin. C'était le marchand qui rossait sa fille pour la punir de son ingratitude. Martins, déjà frustré à cause du four fêlé et excité par les verres de vodka qu'on lui avait offerts, s'en alla au secours de sa fiancée. Il s'en fallut de peu pour qu'il ne rossât à son tour son futur beau-père, mais sa première gifle assomma le maigrichon Viksna. Martins décida alors d'emmener aussitôt chez lui la pauvre Lilija, sans attendre la cérémonie du mariage. C'était un précédent parmi les autres de la journée, qui se justifiait dans les circonstances, car la mère du jeune homme veillerait à ce qu'ils ne se dévergondent plus avant la noce. Mais pour Waldemar, ce fut un signe de plus qui exigeait une interprétation moins triviale.

Le dernier événement extraordinaire de cette journée-là finit par mettre le pasteur sur la piste de la compréhension définitive de tous ces messages surnaturels. Martha, après avoir bien vomi, se rendit avec le petit Ruben chez sa mère pour lui annoncer la bonne nouvelle. Elle revint à l'heure du souper et transmit à son mari un message d'Alija :

— Maman t'attend chez elle cette nuit. Elle a dit que c'est très important, que tu dois être discret pour qu'on ne te voie pas aller là-bas. Mais elle t'attend.

« Non ! Pas déjà ! » pensa Waldemar en croyant que sa belle-mère l'appelait pour le consoler. Il était si content de passer désormais ses nuits seul dans son lit du cagibi et ne tenait pas du tout à retrouver de sitôt un corps de femme.

— Je ne pourrai pas y aller, répondit-il d'un air maussade.

— Il faut que tu y ailles, c'est très important. Il est arrivé quelque chose et elle a besoin de te parler.

— Quelque chose ? Quoi ? demanda-t-il surpris.

— J'ai promis de ne rien dire.

— Tu peux me le dire, Martha. Je suis ton mari. Entre époux, il ne doit pas y avoir de secrets.

— Non ! Je ne te le dirai pas. Avec maman, j'ai des secrets de femmes, et tu es un homme.

— Des secrets de femmes ou des secrets de sorcières ?

— Tu ne comprendras jamais rien aux femmes, Waldemar, répondit-elle avec une grimace méchante, en lui montrant ses dents. Mais il faut que tu ailles chez elle. Elle t'attend. C'est important. Elle te fera à souper là-bas. J'ai des nausées et je n'arriverai pas à faire à manger ce soir. Maman te nourrira en attendant que je me sente mieux.

Un tourbillon menaçant d'idées envahit l'esprit du pasteur, surtout après les événements insolites dont il avait été témoin durant la journée. Des questions embarrassantes aussi, car à maintes reprises il avait craint qu'Alija ne devînt enceinte. Le livre de l'Apocalypse ne laissait pas de doute à ce sujet: «Je m'approchai de la prophétesse. Elle conçut et enfanta un fils.» Waldemar savait pertinemment qu'Alija souhaitait encore enfanter, pour montrer à ses filles et à tout le village qu'elle était toujours une femme jeune et désirable. Et si elle pouvait laisser courir la rumeur que le pasteur était le père, elle ne s'en priverait pas.

«Les femmes, quelle peste Tu nous as infligée là, Seigneur! pensa-t-il en s'en allant. Tu nous fais payer cher le petit plaisir dérisoire entre leurs cuisses... Remarque, Seigneur, je ne m'en plains pas et je loue Tes desseins infinis. Je ne fais que constater que Tu es vraiment puissant et infiniment sage. C'était très bien pensé de Ta part d'avoir créé Ève à partir d'une côte d'Adam. Ainsi, nous les hommes ne pouvons jamais nous plaindre, car c'est chaque fois nous-mêmes qui décidons d'aller chercher leur compagnie, comme s'il s'agissait de retrouver notre unité primordiale. Très bien pensé de Ta part, Seigneur, cette liberté qui nous enfonce dans le marais de l'existence par nos propres œuvres. Tu es infiniment grand, Seigneur; le démon n'est qu'une piètre créature en comparaison avec Toi. S'il avait eu ne fût-ce qu'une miette de Ta sagesse, Seigneur, le démon aurait eu vite fait de surmonter l'entêtement de Job; il aurait suffi de coller une jeune épouse comme la mienne au vieux patriarche. Je crois que Job T'aurait alors maudit, Seigneur... Aie quand même un peu pitié de Ton humble serviteur, si jamais cela correspond à Ton bon plaisir. Les temps sont durs et ma tâche est ardue devant tant d'imperfections dans la nature des pécheurs que nous sommes.»

Alija habitait à plus de deux verstes du village, mais Waldemar allait lentement, comme pour ajourner les révélations qu'il redoutait d'entendre une fois là-bas. Il savait aussi qu'il lui serait difficile de repousser les avances de la sorcière si elle désirait le consoler. Ça faisait bien plus d'un mois qu'il n'avait pas couché avec elle.

« Quelle bêtise d'avoir préféré la fille à la mère, pensait-il en marchant. Si c'était à recommencer, je saurais laquelle choisir. Alija a une nature si douce... Bien épousée, dans un foyer chrétien, je suis persuadé qu'elle renoncerait à ses voies païennes rien que pour faire plaisir à son mari. Et j'aurais conquis une âme de plus pour la foi véritable. Tandis que cette Martha... C'est comme si j'avais invité le démon à faire vie commune avec moi. Quelle peste ! Je sais, Seigneur ! C'est la croix que j'ai choisie. Je ne m'en plains pas, je ne fais que constater ; et je loue la sagesse avec laquelle Tu as châtié ma vanité. Si c'est l'épreuve que Tu as choisie pour moi, louée soit Ta volonté. »

Alija le reçut avec le sourire et avec des manières pudiques. Le samovar était déjà allumé et elle servit le thé de façon cérémonieuse, comme si Waldemar était un visiteur distingué. Pas de trace d'un souper, mais il préféra ne rien dire et se contenta du thé et des brioches au miel qui l'accompagnaient.

— Qu'est-ce que tu as à me dire de si important, Alija ? demanda-t-il au bout d'un long silence.

— Rien de spécial, Waldemar. Je voulais seulement te féliciter d'avoir engrossé encore une fois ma fille. Je suis contente d'être grand-mère à nouveau, c'est tout.

— Ah...

— Je veux aussi te poser une question, mon gendre. Une question chrétienne.

— Une question chrétienne ? demanda-t-il surpris par ce ton nouveau.

— Oui, pasteur. Que ferais-tu si tu rencontrais un innocent qui est persécuté et qui cherche asile ?

— Je lui donnerais asile, naturellement. Pourquoi ?

— Même si les autorités du tsar l'accusent ?

— Oui, s'il est innocent... Pour nous, la charité chrétienne passe avant le respect pour l'empereur. Mais je le ferais avec discrétion pour ne pas attirer la colère du tsar sur ma paroisse.

— Bien, Waldemar. Je ne m'attendais à rien d'autre de ta part. J'ai ici, dans ma chambre, un innocent, un bagnard en fuite, et je veux que tu le protèges.

— Un bagnard ? Dans ta chambre ? fit-il effrayé, car il s'attendait toujours à ce qu'elle l'invitât à passer dans sa chambre, et que ce serait à lui de jouer au bagnard.

— Oui, c'est bien ça. Allez, Ostwald, tu peux venir, cria-t-elle en direction de la chambre. Il n'y a pas de danger, le pasteur va te protéger.

À la grande surprise de Waldemar, la porte de la chambre s'ouvrit, et un homme très grand et osseux montra sa tête carrée. Avec ses cheveux coupés à ras le crâne, ses traits tirés et sa barbe mal soignée, il paraissait avoir un âge indéfini, entre trente et quarante ans. Ses vêtements étaient ceux des paysans pauvres, et les semelles de ses bottes éculées étaient attachées avec des ficelles. L'homme se baissa pour venir dans la salle et salua Waldemar d'une poignée de main solide, en inclinant un peu la tête.

— Ostwald, dit Alija, je te présente Waldemar Salis, notre nouveau pasteur. Waldemar, Ostwald est le jeune frère du forgeron Paulis. Il revient de loin, il marche depuis des mois. Il s'est échappé du bagne et il a besoin de notre protection. On l'avait condamné pour meurtre. Le voilà de retour.

— Meurtre ? demanda le pasteur.

— Oui, Waldemar, meurtre, répondit Alija. Mais Ostwald n'a jamais tué personne. Tout le monde sait qu'Ilija, l'ancien prévôt, a été tué par quelqu'un d'autre, pas par Ostwald. Mais c'est lui qu'on a arrêté à l'époque.

— Vous êtes innocent ? demanda Waldemar en le regardant dans les yeux.

— Oui, pasteur, répondit-il avec sa voix rauque, en remuant ses grosses mains. Je n'ai pas tué le prévôt. On m'a arrêté et condamné parce qu'on ne voulait pas accuser un Russe. Mais les autorités connaissaient très bien le nom de l'assassin.

— Alors, si vous êtes innocent, mon frère, soyez le bienvenu dans la paroisse. Mais il faudra vous cacher. Que comptez-vous faire ?

— D'abord, reprendre un peu mes forces ici, caché dans la forêt. Mon frère Paulis m'aidera. Ensuite, je compte m'en aller pour toujours.

— Aller où ?

— En Amérique, pasteur. Il faut que je parte en Amérique. Tant qu'à vivre en exil, je préfère choisir mon propre exil. Je ne pourrai jamais me cacher ici pour le restant de mes jours. Tôt ou tard, ils se rendront compte que je ne suis plus là-bas, en terre de bannissement, et ils viendront me chercher. Il faut que je m'en aille, sinon ce sera le malheur aussi pour la famille de mon frère.

•

Pendant le chemin du retour, l'esprit de Waldemar était troublé par un sentiment méprisable qui s'appelait la jalousie. Certes, il était soulagé d'aller retrouver son lit d'homme seul dans le cagibi, pour réfléchir sans être importuné par des présences charnelles insatiables. Mais ses sentiments envers sa belle-mère étaient trop ambivalents, noyés dans une affection qu'il n'était plus capable de nier. Il ne cessait donc de se représenter cet Ostwald, assez jeune et d'allure virile, sans femme peut-être depuis des années, en compagnie d'Alija, seuls à l'orée du marais. La sorcière n'allait pas se priver de le séduire pour tenter de se faire engrosser. D'un côté, cela avait du bon, car Waldemar resterait hors des soupçons d'une paternité honteuse. Mais les scènes de lascivité entre elle et le bagnard se déroulant dans son imagination étaient fort troublantes, surtout que ses nerfs étaient à fleur de peau après tous les événements de cette journée riche en révélations.

Il va sans dire que le pasteur ne réussit pas à fermer l'œil cette nuit-là. À l'abri dans son cagibi mais en pleine tourmente spirituelle, Waldemar s'efforçait d'établir des corrélations entre ce qui s'était passé, à la recherche d'un fil conducteur qui le mènerait au texte de Jean de Patmos. Pourtant, tout semblait au contraire pointer vers le livre de l'Exode et, au lieu de la fin des temps, c'était la terre promise qui se profilait à l'horizon. La journée avait commencé avec l'Amérique et elle avait fini avec l'Amérique, sans aucune trace de catastrophe ou annonce de sceaux rompus. La pluie avait fêlé le four du forgeron, certes, mais l'arc-en-ciel pointait vers l'ouest, comme s'il voulait montrer la direction contraire de l'exil de Caïn. Est-ce que cela signifiait qu'ils devaient partir de cette paroisse pour s'en aller en Amérique, à l'ouest de l'Éden, pour fonder une autre Jérusalem ? Et que dire des deux punitions, celle du marchand et celle du prévôt, justement en corrélation avec la pluie et le feu, des signes connus de la puissance divine ? La décision du jeune Martins de s'accoupler aussitôt avec Lilija pouvait très bien signifier une protestation de foi en l'avenir, en dépit du désir égoïste de Viksna, qui voulait rester en Livonie pour continuer sa mesquine passion du lucre. Tout cela avait un rapport avec l'Amérique, sans aucun doute, et avec la punition de l'idiot. Justement, Pougala n'était-il pas le représentant du vieux monde destiné à succomber à la luxure et à la folie ? D'ailleurs, pourquoi s'appelait-il Pougala, qui signifie « épouvantail » en langue russe et non pas *biedeklis*, comme on aurait dû dire en letton ? Voilà une énigme qui méritait encore bien d'autres réflexions. Mais l'arrivée d'un fils prodigue en la personne du bagnard Ostwald, miraculeusement échappé de Sibérie et en transit pour l'Amérique, n'exigeait aucune interprétation. Il ne s'agissait plus d'un signe, mais d'un signal évident de la direction que devaient prendre les pas du pasteur conduisant ses ouailles.

Malgré l'évidence qui se dégageait inexorablement des événements de la journée, Waldemar hésitait encore. Non pas que, dans un accès de vanité, il doutait pour défier les intentions qui s'annonçaient d'en haut. Non, il hésitait, fasciné comme l'homme devant un abîme et qui n'ose pas s'approcher du bord, car il appréhende ce qu'il y trouvera, ou les obligations auxquelles il devra alors faire face devant l'évidence de ce qui se dévoilera à ses yeux. Pour quelqu'un comme lui, bercé depuis sa tendre enfance par les images hyperboliques et cruelles de Jean de Patmos, le changement soudain de cap était une besogne trop pénible, presque douloureuse. C'était comme trahir les enseignements reçus de la bouche même de Jesaïas, son père, qu'il estimait être un réel prophète.

Ce fut alors que le dernier miracle s'accomplit, vers les trois heures, quand le soleil d'été commençait à se montrer à l'horizon. Terrassé par la fatigue, Waldemar s'abandonna à des rêveries vagues, et des images de son enfance errante vinrent poser un réel baume sur son esprit meurtri. Il se souvint avec plaisir de sa vie nomade, insouciante, en compagnie de son père, par les routes de l'Empire. Une vie presque de simples vagabondages, constituée de nouveaux paysages et de surprises à chaque tournant de la route. Leur seule préoccupation était de trouver de nouvelles directions et de nouvelles aventures pour continuer à louer l'œuvre de Dieu. Ils se contentaient de ce qu'ils recevaient des fidèles, en rétribution des paroles que son père prodiguait tel un aède ancien évoquant des merveilles. C'était cette vie d'errances et de richesses spirituelles que Waldemar chérissait le plus, et c'est elle qui l'avait conduit au séminaire pour devenir prêcheur à son tour. Il la compara alors à sa vie actuelle, prisonnier d'une paroisse misérable parmi des gens voués aux flammes éternelles, englouti dans une existence morne où le ventre des femmes l'aspirait comme les eaux glauques du marais. Le jeune Waldemar aventurier de jadis était aussi devenu un simple paysan parmi d'autres et il allait s'enfoncer de plus en plus dans cette vie fade, jusqu'à perdre ses espoirs d'une fin du monde dithyrambique et hallucinante. Pourquoi s'obstiner à rester enfoui dans cette contrée perdue de Livonie, si le vaste monde était rempli de pécheurs et d'âmes en peine qui réclamaient désespérément ses paroles inspirées ?

Il s'abandonna en imagination à la fièvre du voyage, et c'était comme si Jesaïas l'invitait en personne à reprendre la route pour le salut de son âme. Oui, la route, non plus vers la catastrophe mais vers la terre du lait et du miel. Cela n'était pas du tout en contradiction avec la fin des temps, bien au contraire, car le voyage en Amérique pouvait justement constituer le lien qui manquait encore pour préparer la deuxième venue du Messie. Pourquoi pas ? Il ne s'agissait pas d'un ajournement ou d'une manœuvre de diversion mais d'un acte courageux, celui d'entendre l'appel du gouffre. C'était le moment d'être chaud ou froid, et non pas tiède, pour ne pas être craché de la bouche du prophète de Patmos.

En dépit des rasades de vodka avec lesquelles le pasteur célébrait cette révélation, couché dans son cagibi, son esprit était de plus en plus clair, lumineux comme l'aube. Et pendant que la nuit de l'Apocalypse était écartée par la splendeur de l'Exode, Waldemar comprenait que cette aventure délicieuse allait être la solution de tous les maux qui l'affligeaient. Comme Moïse avait mené son peuple loin du joug du pharaon, Waldemar Salis mènerait sa paroisse en Amérique, loin du joug du tsar, de la langue russe et de la fausse foi.

Assommé par tant de bonheur, il s'endormit enfin, le sourire aux lèvres, après avoir avalé les dernières gouttes de sa cruche de vodka.

4

Après une nuit si riche en découvertes, le réveil du pasteur fut assez pénible. Il était midi, son ventre gargouillait et des montées d'acide dans sa gorge lui donnaient des nausées. Sa tête était comme prise dans les mâchoires d'un piège à ours et une douleur lancinante partait de sa nuque pour remonter sur son crâne et aller tambouriner à l'intérieur de ses orbites. Il avait une soif immense et ses membres ankylosés refusaient de bouger pour l'aider à se relever. Mais s'il était encore un peu ivre, il ne se sentait pas malheureux, loin de là. Au souvenir de tout ce qu'il avait vécu avant de tomber dans un sommeil profond, Waldemar ne put que constater la force assommante des visions envoyées par Dieu aux simples mortels. En apercevant la bouteille de vodka vide à côté du matelas, il eut un petit moment de doute sur l'origine de ces mêmes visions ; il ne se laissa cependant pas déranger par une simple vétille devant l'énormité de sa décision. Les voies du Seigneur étaient insondables et ce n'était pas lui qui viendrait gâcher ce moment sublime avec la vanité de tout expliquer par des causes terrestres. La vodka, son estomac vide de la veille et l'absence de Martha dans son lit n'avaient été que des vecteurs multiples ayant permis de le mettre dans des dispositions propices pour accueillir la révélation.

Il se leva en titubant et alla avaler plusieurs verres d'eau avant de procéder à ses ablutions. La maison était silencieuse, Martha et le bébé se trouvaient sans doute chez Alija ou chez Antonija. Waldemar ne s'étonna pas de l'absence de repas et décida de faire frire des œufs pour les manger avec les pommes de terre froides qu'il restait dans le garde-manger. Il évitait de penser à l'Amérique pour revenir à ce thème essentiel lorsque sa tête serait en mesure de mieux réfléchir. Il fallait aussi qu'il relise le livre de l'Exode, à la recherche de messages cachés, avant de connaître l'opinion d'Alexandr et celle du pharmacien. C'est que l'Amérique était encore un concept fort vague, sur lequel le pasteur ne s'était jamais penché. Waldemar était bien plus au courant de la géographie du Moyen-Orient de l'Antiquité, d'où il croyait jusqu'à hier que viendrait son salut. L'instituteur et le docteur Sigailis sauraient sans doute le renseigner davantage, et la trame du voyage de Moïse pourrait alors se déployer dans l'actualité de manière plus claire. Et si tout cela s'avérait sans fondement, il aviserait ensuite quant à la signification métaphysique de cette ruse du malin. Pour le moment, il s'agissait de s'informer, de suspendre son jugement et de garder un secret absolu autour de ses nouvelles découvertes.

Waldemar fit avertir le paysan pour qui il aurait dû travailler cette journée-là de son indisposition et décida de rester à la maison en attendant que ses idées fussent plus claires. Il consacra le restant de l'après-midi à étudier le livre de l'Exode. Comme la plupart des prêcheurs luthériens, il était très versé dans le Nouveau Testament, les livres prophétiques et surtout les Psaumes. Il avait déjà lu le Pentateuque, naturellement, mais il y avait bien longtemps et sans grande passion. L'histoire du peuple juif présentée dans ces textes n'avait de sens pour sa religion que comme toile de fond préparant la venue du Christ. Sinon, c'était uniquement l'histoire d'un peuple païen très immoral et responsable de la crucifixion de Jésus. Martin Luther avait d'ailleurs des mots fort méprisants à l'égard des Juifs en général, les qualifiant même de créatures du démon. C'était une opinion que Waldemar Salis ne saurait écarter à la légère. Il aborda ainsi cette nouvelle lecture avec un esprit critique, à la recherche de signes qui l'aideraient à comprendre la situation présente de sa paroisse, sans trop s'attarder aux aspects folkloriques contenus dans le texte. Mais même une lecture rapide révélait des ressemblances trop frappantes avec sa condition. Il est vrai que le tsar ne les opprimait pas comme le faisait le pharaon, et que les prodiges de Yahvé contre les Égyptiens dépassaient en cruauté tout ce que les Lettons pouvaient désirer contre les Russes. En fin de compte, c'était une histoire indécente de fourberies nationalistes, qui donnait pleinement raison à Luther quand il pestait contre les Juifs. Par contre, l'idée de partir à la conquête d'une contrée fabuleuse, où ruisselaient le lait et le miel, était bien séduisante. Ils pourraient alors parler le letton pour toujours, pratiquer leur religion sans être menacés par les orthodoxes, et les paysans ne seraient plus dans cet état de servage et de misère qu'ils avaient toujours connu. La figure de Moïse surtout lui monta à la tête, et Waldemar rêvassa de longs moments, en comparant cet exode appréhendé avec les vagabondages qu'il avait tant aimés dans sa jeunesse. C'était une aventure sérieuse, et non pas le marasme où il s'enfonçait à Lazispils. Le fait que Moïse avait répudié sans aucune raison sa femme Çippora pour partir en voyage n'échappa pas à son attention, et il garda cette idée au fond de sa mémoire pour des considérations futures. Il s'avoua que, dans une entreprise d'une telle magnitude, beaucoup de choses malheureuses pouvaient survenir, selon la volonté divine. Ensuite, en se laissant guider distraitement par le seul plaisir de la lecture, il glissa vers le Lévitique sans s'en rendre compte. Il éprouva alors un dégoût profond envers les préceptes juifs tout à fait étrangers à ses croyances. Cela n'avait rien à voir avec l'Amérique et il décida de ne pas en tenir compte pour ne pas être pris pour un fou par ses paroissiens. Quelques phrases, dont la suivante, faillirent même gâcher sa bonne humeur : « Aucun de vous ne s'approchera de sa proche parente pour en découvrir la nudité. » Il retourna alors au livre de l'Exode, décidé à y puiser seulement des inspirations pour l'aventure, sans jamais tomber dans le fanatisme.

Ces histoires de persécutions lui rappelèrent le forçat Ostwald, à qui il avait, un peu à la légère, promis protection. Le pasteur se dit qu'il pourrait le bénir, prier pour lui ou même tenter d'intercéder en sa faveur auprès du prévôt, si jamais il se faisait arrêter à nouveau. Mais la seule chance de salut qu'il envisageait pour lui était de rester bien caché chez Alija ou quelque part dans les marais. Il se demanda alors pourquoi Alija avait trouvé important de lui communiquer la présence de cet Ostwald dans la paroisse. Serait-ce pour le rendre jaloux ? Si tel était le cas, la sorcière avait atteint son but. Waldemar se promit de ne pas laisser transparaître ses sentiments et de se tenir tranquille dans son coin en attendant d'autres révélations.

Le soir, Martha revint avec le bébé. Elle lui dit qu'elle était toujours dégoûtée de la nourriture et qu'il devait aller souper à l'école, chez son ami Alexandr. De toute évidence, trop préoccupée par sa nouvelle grossesse, elle n'avait rien remarqué de la nuit pénible passée par son mari.

•

Alexandr Volkine, en tant que seul autre fonctionnaire de la paroisse, avait déjà été informé par le prévôt de la venue d'une commission pour choisir des candidats à l'émigration. Ivar était au courant de cette nouvelle depuis quelques semaines, mais il avait préféré ne pas la rendre publique dans l'espoir de soutirer des bénéfices personnels de l'entreprise.

— C'est une question délicate, dit Alexandr au pasteur pendant qu'ils jouaient aux échecs après le souper. Ivar Kumis est aussi responsable de plusieurs terres louées à des familles d'ici. S'il se produit un exode de masse, il en sortirait perdant. Comme c'est lui qui doit délivrer les documents de voyage, je crois qu'il compte se faire graisser la patte par les fonctionnaires de cette commission. Ce sont des Allemands agissant pour le compte des Américains. Et Ivar voudra aussi acheter à des prix ridicules le bétail et les autres avoirs de ceux qui choisiront de partir.

— C'est donc vrai, ils cherchent des immigrants ?

— Il paraît... Le plus étonnant, c'est que cette fois ils payent le voyage jusque là-bas. Et ils offrent des terres gratuitement aux familles capables de les cultiver.

— Un vrai miracle ! s'écria Waldemar.

— Non, pasteur, ton Dieu n'a rien à voir avec cette combine. Ne te réjouis pas aussi vite. Jusqu'à présent, les Américains acceptaient les immigrants mais ne leur offraient jamais d'aide. Cette fois, ils payent le voyage. Il y a quelque chose qui cloche, tu ne trouves pas ?

— Pourquoi faut-il que tu sois toujours pessimiste, Sacha ? Il n'y a peut-être rien qui cloche. Et si Dieu avait enfin entendu nos prières, comme il l'avait fait du temps de Moïse ?

— Pauvre Waldemar ! Tu es un rêveur, mais enlève cette idée de Moïse de ton esprit. Ou serais-tu décidé à conduire tes paroissiens en terre promise ? Reviens sur cette terre-ci et réfléchis. Les Américains n'ont jamais payé qui que ce soit pour aller chez eux. Bien sûr, ceux qui y sont allés ne semblent pas avoir regretté leur décision, ou du moins ils font comme les morts, ils ne reviennent pas pour nous raconter ce qu'ils ont vu. Pourquoi les Américains ont-ils soudain changé de politique ? Est-ce que les terres là-bas sont bonnes ? Seraient-elles dans une région si dangereuse que même leurs propres paysans refusent de s'y établir ? Je n'ai jamais été témoin d'un miracle, Waldemar. Toi non plus, malgré tes désirs les plus chers et tes prières. Alors, mieux vaut attendre de connaître les conditions avant tout, tu ne trouves pas ? Contrôle-toi et ne proclame pas l'exode dans tes prêches pour ne pas conduire ton troupeau à la catastrophe.

— Catastrophe... Tu crois vraiment, Sacha ?

—Je ne crois rien, beau-frère. J'attends de voir. Ivar semble vouloir ta collaboration dans cette affaire et il va en discuter avec toi dès qu'il aura des informations plus précises. Bientôt, en tout cas. D'après ce que j'ai compris, la commission sera ici la semaine prochaine. Je ne sais pas si Ivar est au courant ou s'il exagère, mais il m'a dit que ces Allemands ont déjà un bateau affrété à Hambourg pour le premier chargement de familles d'ici.

— Pourquoi d'ici, si tu ne crois pas au miracle ?

—Je me pose cette même question, Waldemar. Comment se fait-il qu'ils n'arrivent pas à remplir leurs quotas en Pologne, en Prusse ou en Allemagne, si c'est pour aller dans un pays de cocagne ? Là-bas aussi, les paysans souffrent et ils sauteraient sur une telle occasion. Si... C'est le « si » qui me préoccupe. Après tout, ton Dieu ferait aussi des miracles pour les autres gens, n'est-ce pas ? Alors, attends de voir.

Après un long silence, Waldemar insista :

— Toi, Sacha, tu accepterais de partir d'ici, d'émigrer en Amérique ?

— Si les conditions ne sont pas mauvaises, oui. Je partirais volontiers pour que mon fils ne soit pas un serf ou un paysan ignorant.

— Tu travaillerais la terre ?

— Oui, s'il le faut. Mais on a toujours besoin d'un instituteur, où que ce soit. D'un pasteur aussi, Waldemar. Ce serait bien de pouvoir partir ensemble pour que nos épouses ne se sentent pas seules.

— Et Alija ?

— Si elle le désire, pourquoi ne partirait-elle pas aussi ? Elle est encore jeune, ce ne serait pas difficile pour elle de trouver un mari là-bas. Alija est une femme qui a beaucoup de ressources et elle est capable de travailler comme un homme lorsqu'elle s'y met. Je crois qu'elle accompagnerait volontiers sa famille. Que veux-tu qu'elle fasse, seule, si nous partons ?

— Tu parles comme si c'était déjà fait, Sacha. Je sens que cette perspective te réjouit.

— Je parle au conditionnel, Waldemar. Donc, retiens-toi de te réjouir aussi avant de connaître le fond de l'affaire. Et n'oublie pas de sonder le prévôt sur les conditions qu'il compte imposer pour délivrer les passeports. Là aussi, il peut y avoir un piège. Peut-être qu'il cherchera à extorquer de l'argent à ceux qui désireront abandonner les terres louées. Tout cela est encore nébuleux.

Malgré ces mises en garde, Waldemar avait déjà pris sa décision et il se sentait envahi par la fièvre du voyage. La mention de la ville de Hambourg l'excita plus encore, car il avait toujours rêvé d'y retourner. Et la perspective d'un long voyage en bateau commençait déjà à effacer dans son esprit tous les risques que ses paroissiens pourraient encourir. Ce n'était pas lui, Waldemar Salis, qui se jetterait du bateau comme Jonas pour fuir un commandement de Dieu. Mais il préféra ne pas s'étendre sur ce sujet pour ne pas risquer d'être infecté par le scepticisme de l'instituteur. Un scepticisme qu'il considérait fort déplacé dans des circonstances aussi lumineuses et qui pourrait contaminer d'autres paroissiens peu aventureux. Car, après tout, si seuls le pasteur et quelques rares fermiers acceptaient de s'inscrire, peut-être que les Américains n'y trouveraient pas leur compte et suspendraient leur offre.

Après une autre partie d'échecs de courte durée, Alexandr ne put contenir sa surprise :

— Cette affaire de l'Amérique te bouleverse trop, pasteur. Tu joues très mal, ça coupe le plaisir de jouer avec toi.

— C'est ma tête qui me fait souffrir, répondit-il en guise d'excuse. J'ai très mal dormi la nuit dernière. Des soucis…

— Des soucis ? Toi, un homme choisi par Dieu pour aller directement au paradis ? Quelle sorte de soucis ?

— Tu peux te moquer, Sacha, cela ne me touche pas. En fait, j'ai un problème précis. Est-ce que tu as déjà entendu parler d'un dénommé Ostwald, un frère du forgeron Paulis ?

— Ah ! C'est ça qui te préoccupe ? Ne t'en fais pas, Waldemar. Il n'a rien d'un criminel, au contraire. Je suis aussi au courant de son arrivée ; il sera en sécurité jusqu'à ce qu'on le fasse passer en Lituanie ou en Pologne.

— Il m'a dit vouloir aller en Amérique.

— Oui... Qui sait si nous ne pourrons pas lui arranger aussi un passeport pour partir ? Ça tomberait bien. Je suis certain que si les conditions sont acceptables, Paulis et sa famille seront du voyage. Sinon, Ostwald au moins pourra s'échapper d'ici. Pour le moment, il est hors de danger. Alija connaît les marais mieux que personne et elle est en relation avec un bûcheron qui peut le cacher si besoin est.

— Alija m'a demandé de le protéger. Protéger comment ?

— Non, elle voulait seulement que tu saches qu'elle l'héberge en ce moment. Pour ne pas que tu penses qu'elle se dévergonde avec n'importe qui de passage. Elle tient à ton opinion de pasteur, Waldemar.

•

Malgré l'effervescence dans sa tête et une bonne humeur primesautière dont les gens ignoraient la cause, Waldemar réussit presque à garder le silence sur ses intentions. Il ne mentionna pas le voyage lors des noces hâtives de Martins et de Lilija, qui se tinrent d'ailleurs dans la plus stricte intimité et sans la présence du père de la mariée. Mais dans son prêche du dimanche, qu'il consacra à la fuite de l'Égypte par le peuple de Dieu, sans mentionner ni le mot « émigration » ni le mot « Amérique », il se livra malgré tout à une exhortation passionnée à la recherche d'une terre promise pour tous les gens qui aimaient la langue lettone et la doctrine luthérienne. Il s'attarda particulièrement à la figure de Moïse, en l'affublant du titre de pasteur et, au lieu de parler des israélites, il utilisa à diverses reprises le mot « paroissiens ». Avec le souci du détail, pour enjoliver son histoire, il inventa un menuisier, un instituteur, un forgeron ainsi que leurs familles accompagnant le peuple dans leur fuite. Et comme s'il cherchait d'avance à rassurer les natures veules, il signala que le texte de la Bible avait peut-être exagéré les difficultés de l'exode pour mettre l'accent sur l'intensité de la protection divine. Il ajouta aussi que les quarante années pouvaient en fait signifier quarante jours seulement, et que la traversée de la mer Rouge avait plutôt été réalisée à bord de grands et confortables bateaux pourvus par Yahvé.

Ivar Kumis le convoqua dès le lundi et le reçut seul à seul dans son salon pour discuter, selon ses propres mots, d'une affaire de la plus haute importance. Waldemar était si heureux qu'il ne ressentit pas la répugnance coutumière éprouvée à la vue de toutes les icônes qui tapissaient les murs du prévôt. Le pasteur trouvait cette manifestation d'idolâtrie tout à fait déplacée dans sa paroisse, même si Ivar et sa femme étaient justifiés d'étaler ainsi leur foi orthodoxe. Après tout, il n'y avait pas d'église dans la paroisse et ils avaient besoin de ces images primitives pour prier. Waldemar trouva, au contraire, qu'être reçu en présence de ces icônes d'un barbarisme certain pouvait rappeler les audiences que Moïse et Aaron avaient eues dans le palais du pharaon. Mais à l'opposé de qui s'était passé autrefois, le prévôt ne semblait pas du tout désireux d'empêcher le départ du peuple élu vers la terre promise. Il souhaitait même la collaboration du pasteur pour tenter de convaincre le plus grand nombre de paroissiens de s'inscrire auprès de la commission d'émigration.

Ivar lui expliqua d'abord la nature de cette commission et il insista sur la chance que les gens de la paroisse avaient de pouvoir partir en Amérique justement à la veille de changements administratifs critiques pour tous les habitants de Livonie. En effet, selon lui, plusieurs des propriétaires terriens établis dans la capitale impériale avaient manifesté l'intention de reprendre en main leurs terres à Lazispils et dans les environs.

— Vous n'ignorez sans doute pas ce qui s'est passé à Saint-Pétersbourg en janvier dernier, ajouta le prévôt. Ce que les bolcheviks et le restant de la canaille socialiste appellent le « Dimanche rouge ».

— Dimanche rouge, en janvier ? Non, je n'en ai pas entendu parler. Mon fils Ruben, qui a l'honneur de vous avoir comme parrain, est né en janvier.

— Quelle terrible coïncidence, pasteur ! s'exclama le prévôt. Le 9 janvier dernier, l'armée du tsar a dû faire feu sur la foule de socialistes et d'anarchistes qui voulaient prendre d'assaut le palais impérial. Des centaines de morts et des milliers d'arrestations.

— Je ne savais pas... répondit Waldemar très étonné. Cette tragédie n'est pas un bon augure pour l'avenir de mon enfant.

— En effet, pasteur, c'est un très mauvais augure que de naître dans un mois si triste pour l'Empire. Et ce dimanche-là a sonné le début des insurrections des marins un peu partout dans les ports de l'Empire. Sans compter les insurrections à Riga le 13 janvier : des dizaines de morts et des centaines de blessés. Cela n'annonce rien de bon pour vous, de langue lettone. On dit aussi que les socialistes préparent une grève générale pour le mois d'octobre. Tout va de travers dans notre sainte Russie. Après l'assassinat du ministre de l'Intérieur, le regretté chevalier von Plehve, le gouvernement a décidé de sévir, surtout dans les contrées frontalières de la nation. À commencer par ici, en Livonie et en Courlande. Ce sera dorénavant la politique de russification intensive, avec la reprise de contrôle sur les terres arables pour achever une fois pour toutes ce qu'on aurait dû achever en 1881.

— Cela ressemble à la fin du monde dont parlent les Écritures, Ivar, répondit Waldemar visiblement excité par ce qu'il venait d'entendre.

— Non, pas la fin du monde, pasteur, mais la solidification du pouvoir impérial contre la peste rouge. Aussi, contre les velléités séparatistes de tous les éléments incapables de ressentir de la gratitude pour la protection que le tsar leur accorde. Les temps s'annoncent mauvais pour les ethnies minoritaires et il vaudrait mieux que vous cherchiez refuge sous d'autres cieux. L'offre qui vous est faite est très généreuse, et c'est une offre finale. De toute manière, nos meilleurs fermiers devront bientôt abandonner leurs parcelles, ajouta-t-il. Pour vous qui êtes de langue lettone, cette commission tombe ainsi au moment idéal. Moi-même, qui suis un Russe, si je n'étais pas si âgé et si je n'avais pas mon titre de fonctionnaire, je sauterais sur cette occasion de m'établir à mon compte en Amérique.

— Est-ce qu'ils assument vraiment les frais du voyage ? demanda Waldemar.

— Oui, ils payent tout et ils offrent des terres vierges gratuitement aux familles. Des terres et des outils pour la travailler. Naturellement, les candidats à ce cadeau du ciel devront partir avec peu de bagages, juste l'indispensable pour le voyage. Les bêtes, les meubles et les outils lourds resteront ici. Mais, rassurez-vous pasteur, ils seront établis là-bas dans une contrée au climat très doux, où ils n'auront jamais besoin de vêtements d'hiver. Il paraît qu'ils ne connaissent pas la neige là-bas, et que les cultivateurs obtiennent deux récoltes par année.

— Deux récoltes ? s'exclama Waldemar.

— Oui, c'est ce qu'on m'a dit, répondit le prévôt en roulant les yeux. S'il n'y a jamais de gel, c'est qu'il n'y a pas d'hiver, forcément. Alors les semailles poussent en tout temps.

— Incroyable…

— Voilà, pasteur. Je m'attends à ce que vous soyez le porte-parole de cette bonne nouvelle. Il va sans dire que la commission cherche des familles courageuses et n'ayant pas peur de travailler. Donc, la préférence sera donnée à nos familles les plus prospères, celles ayant déjà démontré par leurs gains une disposition laborieuse. Les Tapklis, les Gulijins et tous les autres paresseux qui font honte à notre paroisse ne seront pas du voyage, bien sûr. Mais des gens comme Max Jostins, comme Anton Landis ou comme Janis Schultz passeront avant les autres. Il faudra chercher à les convaincre que cela vaut la peine, pasteur, en dépit du fait qu'ils laisseront derrière eux le fruit d'années de travail acharné. Je serai en mesure de leur acheter les biens qu'ils ne pourront pas emporter et je tenterai d'être juste. Mais qu'ils ne comptent pas sur une fortune, car je ne suis pas un homme riche. Les temps sont durs. Ce sera uniquement pour les dédommager un peu. L'important sera de les convaincre que c'est une chance unique, la seule qu'ils auront jamais de devenir des propriétaires terriens. Et en Amérique ! C'est à prendre ou à laisser.

— Je souhaite les accompagner en tant que pasteur.

— Mais bien sûr, Waldemar Salis.

— Avec toute ma famille, y compris Alexandr Volkine, l'instituteur.

— Cela va sans dire, si c'est leur souhait. Je vous inscris en premier, comptez sur moi. Mais il faut que le groupe de voyageurs soit de qualité pour le succès de l'entreprise. Je compte donc sur vous pour convaincre les meilleurs éléments, sinon ce sera un échec. Rappelez-leur que les terres d'ici vont bientôt être réquisitionnées et que s'ils ne partent pas, il faudra se contenter de simples salaires à l'avenir. La russification est un processus irréversible, pasteur, vous ne pourrez pas vous y opposer.

— Le départ… C'est pour quand ?

— Le départ est prévu juste après que les récoltes d'octobre auront été engrangées. Je sais que ce sera pénible de tout laisser en arrière, ajouta le prévôt avec une mine de tristesse. Mais assurez vos paroissiens qu'ils seront sur des terres à eux pour fêter la Nativité. Et comme il n'y a pas d'hiver là-bas, s'ils travaillent bien, ils récolteront à Pâques. N'est-ce pas merveilleux ? Les gens de la commission m'assurent que les émigrants recevront des vivres du gouvernement américain jusqu'à leurs premières récoltes. Ils tiennent à ce qu'ils s'établissent là-bas pour cultiver ces terres et peupler la région. Il faut donc les aider à prospérer.

— Dites, Ivar, cela a l'air d'être trop beau pour être vrai, fit Waldemar en se souvenant des doutes d'Alexandr. Pourquoi tant de largesses et si vite ?

— Hélas ! répondit le prévôt avec un soupir. C'est un pays jeune, l'Amérique, avec beaucoup d'espace et trop peu d'hommes pour le mettre en valeur. Cela nous semble surprenant mais c'est la pure vérité. Rappelez-vous que les gens qui partent là-bas ne cherchent jamais à revenir ici. Quand ils nous écrivent, c'est pour raconter des prodiges qui nous laissent bouche bée. Autrefois, ils obligeaient les nègres à travailler les terres incultes. Mais avec l'abolition de l'esclavage, tout a changé. Et vous conviendrez avec moi qu'ils ont raison de vouloir donner les terres en jachère à des Blancs et à des chrétiens courageux, plutôt qu'à des nègres paresseux. Ils cherchent des fermiers et des artisans d'expérience pour assurer le progrès de leur pays.

— Les gens seront libres, dites-vous ? Libres aussi de parler notre langue ?

— Bien sûr ! L'Amérique a été colonisée par des Anglais, des Allemands et des Suédois. On parle toutes sortes de langues là-bas, suivant la région où l'on s'établit. Vous et les fermiers d'ici allez fonder une région nouvelle où l'on parlera le letton, c'est tout. Ils ne font pas les mêmes distinctions qu'on fait ici. Leur monnaie, c'est le thaler allemand, qu'ils appellent aussi le dollar dans certaines villes. Même les nègres parlent l'anglais ou le suédois.

— Même les nègres… C'est surprenant. Et les Indiens ? Ne sont-ils pas dangereux ?

— Plus maintenant. Il n'y a plus d'Indiens, d'où l'abondance de terres fertiles abandonnées. Ils cherchent vraiment à peupler leur pays, ces Américains.

— Comment se fera le voyage ?

— Ceux qui auront été choisis pour cette première vague partiront d'ici pour aller à Riga prendre le train. Ils gagneront Hambourg, où ils s'embarqueront pour l'Amérique. Un très long voyage.

— New York… fit le pasteur. J'en rêve déjà, Ivar.

— Non, pas New York. Le bateau partira vers un port plus au sud. Il fait trop froid à New York, selon ce qu'on m'a dit.

— Comment s'appelle cette destination ?

— Laissez-moi voir. Je l'ai écrit ici quelque part. Voilà, tenez : c'est la ville de Santos, un peu plus au sud. Cela veut dire « saints » en anglais, comme « die Heiligen » en allemand. L'Amérique est immense, pasteur. La ville de Santos est située plus au sud, comme la ville de Minsk est au sud de la Livonie. Il paraît que New York est déjà trop encombrée de colons et ils veulent maintenant peupler le sud de l'Amérique.

— Santos… Je n'ai jamais entendu parler de cette ville.

— Il paraît que c'est un grand port. C'est de là que vient le café qu'ils boivent à Berlin. Bientôt vous serez tous habitués à boire du café plutôt que du thé, comme les gens riches en Allemagne.

— Santos… Cela me plaît, Ivar. Comptez sur moi et commencez à préparer nos passeports.

— Alexandr Volkine a promis de m'aider à établir les documents pour tous les voyageurs. Il a une belle écriture d'instituteur.

•

Toujours aussi nihiliste et sceptique, après avoir longuement étudié son atlas, Alexandr tenta en vain d'instiller une goutte d'amertume dans l'enthousiasme de son beau-frère :

— Mais ce n'est pas l'Amérique, Waldemar ! s'exclama-t-il après avoir trouvé le port de Santos dans la carte de l'hémisphère sud.

En lui montrant l'endroit dans son atlas, Alexandr paraissait de plus en plus déçu :

— C'est au Brésil qu'ils veulent nous envoyer, Waldemar, pas en Amérique. Regarde, c'est à l'autre bout du monde.

— C'est au sud de l'Amérique, Sacha.

— Non, c'est en Amérique du Sud, pasteur, ce n'est pas la même chose. C'est beaucoup plus loin de New York que tu peux imaginer. Ça prendra bien plus qu'un mois en bateau.

— Quarante jours ? demanda Waldemar en haussant les sourcils.

— Je n'en sais rien. Mais c'est très loin. Et c'est un endroit de jungles, de bêtes sauvages et d'Indiens, pasteur. Ça n'a rien à voir avec l'Amérique. Je comprends enfin pourquoi ils payent le voyage. Personne ne voudrait jamais aller là-bas pour travailler comme des esclaves dans des forêts tropicales. Je ne sais même pas quelle langue ils parlent au Brésil. Peut-être l'espagnol.

— Nous parlerons le letton, c'est tout. Et une fois devenus des fermiers riches, nous mettrons les nègres à travailler pour nous.

— Oui, le letton, Waldemar… Nous le parlerons entre nous la nuit, pour nous rassurer contre la peur du bruit des fauves dans la forêt.

— Il n'y a pas d'hiver là-bas, Sacha. Deux récoltes par année, m'a assuré le prévôt. Et les terres semblent très fertiles, abandonnées depuis toujours.

— Il a peut-être raison, il n'y a pas d'hiver au Brésil mais il y fait une chaleur terrible. C'est en plein dans les tropiques, il doit pleuvoir beaucoup. Des bêtes sauvages, des singes, des serpents, des moustiques et des araignées… Je ne crois pas que tu auras beaucoup de succès en tentant de convaincre les femmes d'y aller.

— Je commencerai par les maris, sans faire mention des exemples défaitistes que tu viens de mentionner. Je leur parlerai aussi des nombreuses occasions de pratiquer la chasse là-bas, comme de vrais seigneurs. Les épouses devront suivre, forcément. Je te demande au moins de te taire pour ne pas tout gâcher. Sinon, ils risquent d'annuler le voyage ou de l'offrir seulement aux Polonais. Moi, en tout cas, je suis décidé à partir vers cette terre bénie de Dieu. Je ne te savais pas si craintif devant l'aventure, Sacha. C'est la chance de notre vie de sortir d'ici, pour voyager et voir un peu le monde avant de mourir. Nos fils ne seront pas des serfs mais des propriétaires terriens. Et s'il fait chaud, pourquoi pas ? Tu m'as toujours dit qu'avec ta poitrine faible, tu ferais mieux de vivre dans une contrée chaude. Alors voilà la chance que Dieu t'offre en dépit de ton nihilisme. Pourquoi hésites-tu ? N'es-tu pas malheureux ici en tentant d'inculquer quelque chose dans la tête dure de ces enfants ? L'aventure, Alexandr. Nous partons à l'aventure et tu hésites… Je ne te comprends pas.

— C'est vrai ce que tu dis, Waldemar, répondit l'instituteur au bout d'un moment de silence. Ce serait toute une aventure. Mais j'hésite parce que je crains que ce ne soit un piège. Une fois attrapés là-bas, sans moyen de retour, nous serions cuits si cela tourne mal.

— Quel piège ? Ils payent le voyage, ils nous donnent des terres et des outils de travail, et il n'y a pas d'hiver. En plus, il pleut beaucoup, comme tu l'avoues volontiers. Si c'était un désert… Ces gens-là ne vont tout de même pas nous enchaîner comme des esclaves. Ils cherchent seulement à peupler un pays immense, avec une terre féconde. Ils ont besoin de cultivateurs pour produire à manger. Et si c'est plein de forêts, tant mieux. Nous abattrons des arbres et nous construirons de belles maisons. Il paraît qu'il y a beaucoup d'Allemands et de Scandinaves, d'Anglais aussi. Ce sont des chrétiens comme nous ; ils vont nous accueillir à bras ouverts. Tandis qu'ici… Si cette nouvelle de la reprise des terres s'avère vraie, ce sera l'enfer pour nos gens. Peut-être même la famine à court terme.

— Les gens hésiteront à abandonner le bétail et les maisons au prévôt. Tu sais bien qu'il ne leur payera pas grand-chose.

— S'ils redeviennent de simples salariés à l'emploi des propriétaires, ce sont eux qui devront payer un loyer pour leurs maisons et pour les pâturages. Ils seront perdants de toute manière. Autant nous en aller d'ici au plus vite pour tenter notre chance en Amérique.

— Ce n'est pas ce qu'on appelle l'Amérique, Waldemar, je t'ai déjà expliqué.

— Je te prie de garder ces explications pour toi à l'avenir, Sacha. Je t'interdis de gâcher une opportunité pareille avec ton pessimisme. Ce sont des vétilles, tu le sais bien. C'est l'Amérique du Sud. Bon, c'est alors au sud de l'Amérique, peut-être un peu plus au sud que la ville de Minsk l'est d'ici. Et après ? Nous n'y allons pas à la nage mais en bateau. Pense au plaisir de ce voyage, beau-frère, voir du pays, être au chaud… Il doit y avoir des oranges là-bas, tant qu'on en voudra. Ici, les riches s'offrent une orange confite à Noël, jamais une vraie orange. Des dattes, des figues, des vignes, des oliviers. Tu lis sur ces merveilles dans la Bible et tu n'as pas moyen d'imaginer ce que cela veut dire pour vrai. Et quand la chance t'ouvre la porte à ces prodiges, tu hésites… Il est écrit, Alexandr, que Dieu crachera de sa bouche les natures tièdes, craintives, celles qui ne sont ni chaudes ni froides. Allez, un peu de courage, Sacha. Nous allons nous amuser comme des gamins en vacances.

— Tu me demandes de mentir à nos gens, pasteur.

— Non, pas de mentir ! Je te demande de te taire pour ne pas infecter nos gens avec ton pessimisme de nihiliste poitrinaire. La vie peut être belle, je te le garantis. Pourquoi te confiner dans tes vieilles habitudes de sceptique au lieu de gonfler la poitrine et d'avancer en souriant ? Moi, le pasteur de mes ouailles, je t'invite à me suivre, à laisser en arrière ce vieux monde, à partir à l'aventure. Ce que le tsar et les barons préparent pour nous, ici en Livonie, sera terrible. Tandis que là-bas, c'est peut-être la terre où ruissellent le miel et le lait.

— Cette terre n'existe pas, Waldemar. Je veux bien me taire devant les autres, mais je refuse d'entendre tes sottises lorsque nous sommes chez moi.

— D'accord, Sacha, tu te tairas. Surtout, pas un mot sur les bestioles devant les femmes. Tu sais comment les créatures sont sensibles à ces choses qui rampent. Pas un mot non plus sur les serpents. Rappelle-toi le mal que le serpent a fait à Ève… Et dis-toi bien que toutes tes idées réfractaires peuvent venir uniquement de ta peur du voyage. Mais je serai là pour te redonner du courage, beau-frère. Il paraît que le départ sera vers la fin octobre, ce qui veut dire que ton fils naîtra juste avant que nous nous embarquions pour l'Amérique, ou même dans le bateau. N'est-ce pas merveilleux ? Ivar compte beaucoup sur toi et sur ta belle écriture pour faire nos passeports. Je lui ai déjà donné mon accord pour nous tous, y compris pour Alija.

— Justement, Waldemar, je crains pour Antonija. Un long voyage de cette nature à la fin de sa grossesse ou avec un nouveau-né. Je suis tenté, mais je ne sais pas comment cela se passerait pour elle et pour l'enfant.

— Il n'y aura pas de problème, Sacha. Si elle accouche dans le bateau, il y aura un vrai médecin à son chevet. Tandis qu'ici, elle devra se contenter de sa mère seulement. Et si c'est une fois arrivée à Santos, il y aura même un hôpital pour l'aider si elle se trouve mal. C'est ici qu'accoucher d'un enfant sain constitue un miracle. Allez, courage, Sacha. Nous partons à l'aventure.

•

Ce ne fut pas facile de convaincre les fermiers d'abandonner leurs terres. Waldemar employa cependant son autorité et sa verve de pasteur non pas pour vanter l'Amérique

— ce n'était pas nécessaire, tous connaissaient cette destination fabuleuse —, mais pour brosser un tableau très noir de ce que les propriétaires et la police du tsar comptaient faire bientôt en Livonie. Reprenant ses thèmes apocalyptiques préférés, il leur affirma qu'il savait de source sûre que la fin de leurs fermes avait déjà été décidée en haut lieu. Aussi, que les pogroms seraient désormais étendus aux populations de langue lettone, car l'Okhrana, la police secrète du tsar, avait déjà arrêté des bolcheviks à Riga. Le prévôt vint alors à sa rescousse avec la nouvelle que les impôts et les redevances venaient d'être augmentés pour l'année suivante par décret impérial. Les fermiers, déjà surtaxés, devinrent très moroses, et les conversations à la taverne prirent parfois des tournures séditieuses.

Le plus grand atout pour convaincre les gens fut cependant la décision du menuisier et celle du forgeron de s'inscrire comme candidats à l'émigration. Les deux artisans étaient des membres importants de la paroisse et parmi les plus riches.

— Je voudrais bien rester ici pour continuer à fabriquer des cercueils, répondit Janis Schultz pour expliquer sa décision. Mais quand on aura repris vos terres, vous serez si pauvres que vous n'aurez même plus les moyens de payer le fossoyeur. Là-bas, même si les gens meurent moins souvent qu'ici, ils auront de l'argent pour acheter de beaux cercueils sculptés, en bois nobles et non pas en planches de pin. C'est par amour pour mon métier que je veux aller en Amérique.

— Oui, c'est facile pour toi, menuisier, répliqua un paysan de mauvaise humeur. Tes outils, tu les emmèneras avec toi. Mais ma charrue, mes bœufs, comment ferai-je là-bas sans eux ?

— Le gouvernement les pourvoira, répliqua Waldemar avec assurance. Tout comme Yahvé a pourvu le chevreau pour prendre la place d'Isaac, mes frères. Ils nous aideront à nous établir pour cultiver les terres abandonnées par les nègres.

Ils nous fourniront des charrues de la meilleure qualité, américaines, et aussi des scies, des haches et tout ce qu'il faut pour bâtir une ville à nous. Je pars sans aucune crainte, pour fonder là-bas une vraie communauté de langue lettone.

Paulis et ses deux grands garçons semblaient si contents à la perspective d'émigrer en Amérique qu'ils ne s'en faisaient plus avec le four fêlé de la forge. Pour eux aussi, le transport de leurs outils de travail n'était pas un problème. Une fois bien installés dans leur nouveau pays, ils construiraient une autre forge pour de très grands travaux de ferronnerie, et ils abandonneraient la confection des simples fers à cheval ou des essieux de carrosses. L'aîné, Martins, maintenant un homme marié, labourant allègrement sa Lilija pour l'engrosser le plus vite possible, était aussi plein de plans pour aider son père à agrandir l'atelier. Sans trop savoir d'où il avait sorti cette idée, il vantait à qui voulait l'entendre les belles clôtures en fer forgé qu'il disait exister partout en Amérique. Il trouvait essentiel d'apprendre cette nouvelle technique, car elle était, à son avis, l'avenir de son métier de forgeron. Ses plans étaient devenus encore plus grandioses depuis que le prévôt lui avait promis de mettre de la pression sur le marchand Viksna pour l'obliger à verser la dot de sa femme en vue du départ en Amérique.

Mais la partie n'était pas encore gagnée. Viksna et le tavernier Gundars voyaient d'un très mauvais œil cette effervescence au sujet de l'émigration. Cela signifiait pour eux la perte de leurs meilleurs clients et l'appauvrissement général du village. Ils essayaient tant bien que mal de poser des questions inopportunes sur les dangers d'un tel voyage en terre inconnue ou d'une traversée périlleuse en bateau à l'approche de l'hiver. Et dans l'espoir d'empêcher cet exode qui aurait pour effet de réduire sensiblement leurs profits, les deux commerçants cherchèrent à s'informer davantage sur cette entreprise. Ce fut Viksna, le premier, qui dévoila à grands cris ce qu'il appela la supercherie. Le cocher Petijs, déjà inscrit pour partir, lui avait expliqué qu'ils allaient bel et bien en Amérique, mais dans une partie très au sud, qui s'appelait le Brésil. D'après ce qu'on lui avait dit, c'était un pays merveilleux, rempli de forêts et de fleurs, où les anciens serfs étaient tous devenus des musiciens parce que les fêtes là-bas duraient l'année entière. D'où le besoin d'une main-d'œuvre nordique pour relancer l'agriculture dans les campagnes abandonnées.

Riches de cette information insolite, il leur fut plus facile de mettre le doute dans la tête des gens. En effet, ce n'était pas cette Amérique à laquelle tout le monde songeait depuis des générations, et les discussions reprirent de plus belle. Même le prévôt parut surpris en apprenant que le port de Santos ne se trouvait pas en Amérique mais bien dans un pays sauvage qui s'appelait le Brésil. Le concept d'Amérique devenait soudainement nébuleux et entouré d'une aura de mystère et de suspicion. Comment se faisait-il que les Allemands de la commission d'émigration avaient parlé de l'Amérique et non pas du Brésil ?

5

Il était facile de discréditer les propos méprisants du marchand Viksna au sujet de ce pays fabuleux qu'était le Brésil. Les gens se souvenaient que le jeune Martins avait ravi sa fille et que toute la famille des forgerons désirait ardemment émigrer. Ces excellents artisans étaient de bons travailleurs et ils feraient fortune n'importe où. Les opinions du tavernier non plus n'auraient pesé lourd dans aucune décision, car c'était un homme rancunier, lié par une étrange faiblesse à Maroussia, sa mégère d'épouse. Qui plus est, il avait peur de perdre les trois pensionnaires qui recevaient des hommes dans sa taverne. Elles aussi pourraient vouloir s'en aller de la paroisse, surtout après la déclaration du prévôt selon laquelle les hommes mariés auraient préséance sur les célibataires pour l'obtention de terres incultes en Amérique. Comme il y avait peu de filles nubiles prêtes à accepter le mariage en un tour de main, ces trois-là, toutes putes qu'elles étaient, devenaient soudainement des morceaux de choix pour divers prétendants. Les hommes se ficheraient peut-être d'épouser une fille publique pour obtenir une terre, quitte à l'abandonner dans la nature une fois là-bas, ni vu ni connu. Le vrai problème n'était pas Viksna ou Gundars ; le vrai problème était le Brésil.

Dans toute la paroisse, seuls l'instituteur et le pharmacien semblaient avoir entendu parler de cet endroit exotique appelé le Brésil. Le pays était représenté dans le vieil atlas d'Alexandr sous la forme d'une grosse tache de couleur verte et de forme plus ou moins triangulaire, comme s'il s'était mis en tête de ressembler à l'ensemble de l'Amérique du Sud pour narguer ses petits voisins. Les quatre villes de cet énorme pays signalées sur la carte géographique étaient toutes inconnues. Et rien n'indiquait qu'elles n'étaient pas les seules agglomérations urbaines dans une mer de forêts tropicales et de fleuves menaçants. L'instituteur croyait qu'on y parlait l'espagnol. Aussi, qu'il y faisait chaud et qu'il pleuvait souvent, ce qui semblait soutenir l'extravagante prétention du prévôt au sujet des deux récoltes annuelles. Le docteur Sigailis paraissait un peu plus renseigné. Il affirmait qu'il s'agissait d'un pays chrétien malgré sa vaste population noire d'origine africaine, et qu'on y cultivait surtout le café, le tabac et la canne à sucre. Il n'était pas certain que les céréales nordiques poussent là-bas, mais il croyait savoir de source sûre que la base de leur alimentation était le maïs et les racines. La viande et les poissons ne devaient pas manquer non plus, à cause de la chasse et de la pêche des espèces sauvages. En tant que pharmacien, ce qu'il trouvait le plus intéressant étaient la variété et l'abondance des fleurs et des herbes curatives, autant que celles des oiseaux et des papillons. Dans sa jeunesse, il avait voyagé au Cameroun allemand — qui se situait à peu près sur la même latitude que le Brésil — et il se souvenait encore de son émerveillement de naturaliste en parcourant les forêts tropicales et les savanes en compagnie d'autres explorateurs. Au sujet des maladies de ces contrées lointaines, il préféra ne pas trop s'avancer, se limitant à évoquer vaguement la malaria et la lèpre ; mais il était certain que les affections des pays froids, comme le mal français, le rhumatisme et la tuberculose, y étaient inconnues. Le docteur Sigailis ignorait cependant si les peuplades brésiliennes étaient sauvages et révoltées comme celles que les troupes impériales allemandes devaient combattre en Afrique.

Ivar, le prévôt, qualifiait de séditieux ces racontars au sujet de la destination américaine que la commission d'émigration avait choisie pour les habitants de la paroisse. Selon lui, c'étaient de simples mensonges pour faire peur à la population et éviter un départ massif. Il soupçonnait même que les cercles nationalistes de Riga pouvaient être derrière ces calomnies, dans le but de freiner le départ des Lettons qui contrerait la politique de russification des frontières de l'Empire. Mais, surtout, il craignait de perdre les retombées fabuleuses de cette entreprise si trop peu de candidats intéressants se présentaient pour partir. Jouant de son autorité, il réussit à faire taire le commerçant et le tavernier, mais le mal était déjà fait.

Voyant le danger qui menaçait ses plus chers projets d'aventure et d'exode, Waldemar décida de prendre le taureau par les cornes. Avec la complicité du prévôt, il alla rencontrer les membres allemands de la commission d'émigration qui séjournaient encore dans une paroisse voisine de Lazispils. Là-bas, il s'entretint avec eux et se renseigna à fond sur ce fameux Brésil, tout en réservant d'avance une place dans le premier bateau en partance de Hambourg pour lui et toute sa famille, ainsi que pour au moins dix autres familles de son village. Il les informa aussi de la déception que cette histoire de Brésil avait causée chez ses paroissiens, et les pria de décrire cette contrée américaine avec les plus belles paroles possibles lorsqu'ils seraient à Lazispils.

Dès son retour, Waldemar alla retrouver Alija dans l'espoir de la convaincre d'accepter de partir au Brésil. Curieusement, il n'eut aucune difficulté à obtenir son accord. Alija était très contente de cette opportunité de s'en aller de Livonie, car ce qu'elle voyait dans les cartes et dans d'autres artifices divinatoires n'annonçait rien de bon pour l'avenir de la paroisse. Peut-être que le bagnard lui avait déjà vanté les mérites de l'Amérique. Pour elle, en tout cas, l'Amérique ou le Brésil, c'était du pareil au même, l'important était de partir. Par ses réponses, elle surprit Waldemar en lui dévoilant une âme aventureuse qu'il ne soupçonnait pas. Cela lui fit à la fois chaud au cœur et le laissa mélancolique.

« Quel imbécile ! pensa-t-il une fois de plus avec amertume. Pourquoi ai-je fait la bêtise de préférer la fille à la mère ? Mais, qui sait ? Ce n'est peut-être pas trop tard. Un voyage comme celui qui s'annonce peut s'accompagner de tant d'imprévus qu'il serait vaniteux de ma part de tout vouloir prévoir. »

Rassuré de savoir qu'Alija allait convaincre ses filles de partir sans trop faire les mijaurées, Waldemar alla s'entretenir avec Alexandr de ce qu'il avait appris au sujet du Brésil. Mais, là encore, il n'eut pas besoin de trop exagérer pour convaincre son beau-frère. Les nouvelles qu'Alexandr recevait de la capitale étaient de plus en plus alarmantes en dépit du fait que le tsar semblait accepter l'idée d'une Douma, une sorte de parlement, ouvrant ainsi une petite brèche dans son pouvoir absolu. La répression des partis politiques clandestins était féroce en ce moment, tant en Russie qu'en Pologne et dans les gouvernements du sud de l'Empire. Les rues de Riga étaient patrouillées par des régiments de cosaques, et les pogroms dans les ghettos juifs se succédaient avec l'appui de la police. C'était comme si la cour impériale se débattait en suffoquant, dans une sorte de longue et meurtrière agonie. Les voyageurs venant de Varsovie rapportaient des nouvelles étonnantes sur le grossissement des rangs de la fraction bolchevique et, de plus en plus, le spectre d'une révolution sanglante se dressait à l'horizon.

— Ivar m'a parlé du Dimanche rouge en janvier, à la veille de la naissance de mon fils, dit Waldemar avec inquiétude.

— Oui, les cosaques ont fait feu sur la foule de manifestants à Saint-Pétersbourg. Mais de grâce, pasteur, ne te laisse pas impressionner, cela n'a rien à voir avec ton fils. Qu'est-ce qu'il t'a appris encore au sujet de l'émigration ?

— Je ne sais pas grand-chose de plus que ce que nous savions déjà sur les conditions du voyage, dit Waldemar. Mais il semble certain que ce Brésil est un pays béni de Dieu, avec une végétation luxuriante et un climat d'une grande douceur. Le besoin de main-d'œuvre étrangère est vraiment motivé par la libération des nègres et par la nécessité de créer une classe rurale constituée de Blancs et de chrétiens. J'approuve cela de tout mon cœur, Sacha. Il paraît aussi qu'ils veulent occuper le plus vite possible les abords de leurs frontières avec de nouveaux Brésiliens pour éviter que les pays voisins ne se les approprient. Ces terres sont d'une telle fertilité qu'il est impossible de ne pas les convoiter. Comme ils n'ont pas assez d'habitants, ils viennent chercher les Blancs ici pour augmenter le nombre de Brésiliens.

— Cela me semble encore un peu suspect, répondit Alexandr d'un air pensif. Nous ne sommes pas habitués à recevoir des cadeaux de la sorte. Il y a beaucoup de Blancs dans toute l'Europe, Waldemar.

— Mais ils cherchent des émigrants partout, Sacha, pas seulement ici. Ils veulent des millions de nouveaux Brésiliens. Les gens partent de l'Allemagne, de la Pologne et même de l'Italie, figure-toi. Les bateaux pour là-bas partent pleins d'émigrants. Il faut sauter sur cette occasion avant que les meilleures places soient prises. Ton pessimisme me désole, Sacha. Tu es si téméraire quand tu joues aux échecs, tu prends tant de risques, mais tu te montres timoré dans la vie réelle. Pourquoi ?

— Parce que je ne risque pas la vie ou le bonheur des autres en jouant aux échecs, pasteur. Mais je suis tenté de partir ; très tenté même, je l'avoue. Pour l'aventure, justement, car je ne crois pas que ce Brésil soit béni de Dieu comme tu le prétends.

— Pourquoi ne le serait-il pas ?

— Parce que je ne crois pas qu'il y ait un Dieu, pasteur. Et j'en connais assez sur les hommes pour savoir qu'ils ne sont pas des agneaux. Attendons l'arrivée de cette commission, peut-être que je me laisserai convaincre. De plus, je ne sais pas comment Antonija réagira à une telle proposition.

— J'ai parlé à Alija. Elle est décidée à nous suivre. Elle convaincra ses filles et tout se passera bien, Sacha. J'ai déjà retenu nos places pour le départ de Hambourg. Pense au beau voyage maritime, beau-frère, avec les vents et le sel de la mer sur nos visages comme si nous étions des richards en vacances.

Le pasteur s'attela ensuite à la tâche de renseigner adéquatement ses paroissiens, pour mettre un terme définitif aux mensonges visant à dénigrer cet endroit paradisiaque appelé Brésil. Et il le fit avec une telle verve, avec tant d'inspiration, que même le rêve de la vraie Amérique pâlissait devant ses paroles. Il ne se contenta d'ailleurs pas de vanter les mérites du Brésil, mais s'efforça aussi de mettre les gens en garde contre la tentation de partir un jour vers l'Amérique du Nord. D'après ce qu'il avait appris, cette Amérique-là était infestée d'Indiens non pacifiés, de truands et d'aventuriers de toutes sortes, de joueurs et de prostituées ; c'était un pays noyé dans l'alcool, où même les rares citoyens de bonne réputation devaient se promener toujours armés. Il leur parla de la grande misère qui y régnait, des vastes régions désertiques et des ghettos de nègres révoltés. Waldemar leur rappela que l'Amérique était un pays belliqueux, qui sortait à peine d'une guerre civile sanglante et était déjà à nouveau en guerre contre l'Espagne, contre Cuba, contre les Philippines et contre l'Empire chinois.

— Ce n'est pas étonnant, mes frères, que ceux qui partent en Amérique du Nord ne donnent plus de nouvelles, dit-il un soir à la taverne, d'un ton de profonde préoccupation. Avec toutes ces guerres affreuses entreprises par les Américains, les pauvres immigrants sont peut-être simplement devenus chair à canon. On croit que tout va bien là-bas par pure ignorance. C'est peut-être comme la mort, dont on ignore tout parce que personne ne revient jamais à la vie pour en témoigner. Sans compter qu'il est défendu de parler une autre langue que l'anglais en Amérique. Oui, défendu par la loi. Je suis ravi que la commission d'émigration ait pu enfin nous trouver une destination compatible avec notre nature pacifique, laborieuse et respectueuse des lois.

Comment il avait pu apprendre tout ceci en si peu de temps, cela resta un mystère, duquel il ne souffla mot. Et ce n'était pas tout. Waldemar semblait être devenu soudainement un grand spécialiste du Brésil et des choses brésiliennes. Selon lui, c'était un pays vierge, très peu souillé par la convoitise des hommes, le pays qui ressemblait le plus au Jardin des Délices dont parlait la Bible. C'était un endroit gigantesque, plus grand encore que l'empire de Russie, mais presque vide d'habitants, et c'était la raison pour laquelle ils cherchaient des familles chrétiennes. Les forêts aux arbres centenaires s'étendaient à perte de vue. Rien qu'à l'aide d'une hache, un bon travailleur pouvait s'enrichir en peu de temps en devenant bûcheron. Et ces forêts n'appartenaient à personne. Les terres y étaient infiniment fertiles, car l'humus de ces forêts ancestrales s'accumulait sur le sol depuis le début des temps sans avoir été tourmenté par aucune charrue. Le gouvernement leur donnerait autant de terres qu'ils seraient capables d'en déboiser et d'en cultiver, et cela continuerait ainsi pour les générations futures. Dans ce pays appelé Brésil, les gouvernants et l'ensemble des habitants s'étaient concertés pour créer une nation constituée uniquement de propriétaires. Et le pasteur vantait aussi, avec des mots savants, la douceur du jus de la canne à sucre, ainsi que les bienfaits d'un vin local produit avec ce même jus paradisiaque. Il comparait d'ailleurs cette saveur à celle des dattes dont parlaient les Saintes Écritures. Dans ses paroles, le pain fait avec de la farine de maïs — céréale qui poussait au Brésil à l'état sauvage — était mille fois plus tendre et nourrissant que celui fait à partir de seigle.

— Nous allons tous devoir nous habituer à manger un pain blanc, légèrement jaunâtre, mes frères, comme celui qu'on mange à la cour du tsar. Ce sera peut-être difficile de dire adieu à notre cher pain gris des moujiks, lourd et gluant. Mais que faire d'autre, si nous voulons vivre libres, n'est-ce pas ? C'est comme pour le café, que nous devrons apprendre à boire tous les matins, comme le font les Allemands et les Français riches. On m'assure cependant qu'il y a là-bas une sorte de thé miraculeux, qui pousse dans certains arbres et dans toutes les forêts. Il suffit de cueillir ses feuilles, de les laisser sécher au soleil et de les infuser pour obtenir un thé de la meilleure qualité, que les Brésiliens boivent avec beaucoup de sucre, un sucre blanc comme la neige.

Les gens écoutaient le pasteur, bouche bée devant ces prodiges étrangers que Waldemar savait décrire avec sa verve de prédicateur et non sans un certain histrionisme au goût des paysans.

— Il fait chaud, c'est vrai, insistait-il avec une mimique de tristesse. Pas aussi chaud que dans un désert mais comme il fait ici pendant l'été, et l'année durant. Les deux ou trois récoltes annuelles ne seront peut-être pas assez pour effacer notre chagrin de ne plus avoir de gel ou de neige. C'est dommage, mais c'est le prix que nous devrons payer, mes frères. Par contre, là-bas, ils utilisent le bois de chauffage seulement pour faire la cuisine, puisqu'il ne fait jamais assez froid pour qu'on ait besoin de chauffer la maison. Ils dorment tous avec leurs fenêtres ouvertes pour, le matin, se réveiller avec la mélodie douce des chants de milliers d'oiseaux.

Dans son prêche du dimanche, oubliant l'Amérique, Waldemar leur parla d'un ton sévère de la Russie et de l'oppression que le tsar exerçait contre les Lettons, du socialisme athée et du nihilisme lanceur de machines infernales. Il évoqua les pogroms, les révoltes des marins et les luttes fratricides qu'on appréhendait, avec des citations de Jean de Patmos à l'appui. À la fin seulement, il lâcha sa question sibylline :

— Mes frères, ne serait-ce pas le temps de ramasser nos avoirs et nos familles pour aller chercher des horizons plus paisibles ?

Même s'ils ne croyaient pas à tout ce qu'il disait, les gens se délectaient de sa manière emphatique de raconter, d'inventer des histoires merveilleuses, et ils en redemandaient.

— Il y aura certainement quelques petites difficultés, mes amis, continuait-il à la taverne ou dans ses visites à domicile. Toute cette fertilité de la terre là-bas exige des soins auxquels nous devrons nous habituer. Selon ce qu'on m'a appris, si on abat un arbre sans arracher aussitôt la souche du sol, en quelques jours à peine il recommencera à produire des pousses ; en peu de temps, il faudra l'abattre à nouveau. Aussi, lorsqu'on fait des clôtures avec les branches de bois, il faut les enfoncer en terre dans le sens opposé de leur croissance originale. C'est que le sol est si riche et moelleux d'humidité qu'il fait bourgeonner même des morceaux de bois qu'on croyait secs depuis longtemps. Curieux, n'est-ce pas ? Mais je crois qu'on s'y fera en peu de temps. Au moins, dans ces terres généreuses, le grain de nos semailles ne se perdra pas autant qu'ici dans notre sol sablonneux. Et nous n'aurons pas besoin de déplacer fréquemment notre bétail des pâturages ; l'herbe aussi pousse là-bas à une vitesse vertigineuse. Je ne me souviens plus du nom des fruits délicieux qui existent en abondance et à l'état sauvage au Brésil. Quant à la chasse et à la pêche, mes frères, ils ne seront pas le privilège des propriétaires terriens et des nobles, comme ici. Les Brésiliens ont la passion de la chasse et les forêts sont ouvertes à tous ceux qui partagent cette passion. Pour ce qui est de la pêche, ils n'en font pas grand cas, car c'est si facile d'attraper de gros poissons que cela devient presque ennuyant.

À propos de la langue et de la religion, ce Brésil avait aussi tout de bon. Comme le lui avait signalé l'instituteur, Waldemar croyait que là-bas les gens parlaient l'espagnol ou un autre dialecte local de peu d'importance. Voilà pourquoi chacun était encouragé à parler la langue de son choix et à pratiquer n'importe quelle variante de la doctrine chrétienne. Chaque nouvelle communauté d'immigrants choisissait la façon dont elle voulait sa ville, et on retrouvait déjà des villes allemandes, d'autres anglaises ou suédoises, où même les nègres avaient docilement adopté l'idiome des nouveaux arrivants. C'était donc le moment de relever le défi et d'aller fonder des villes lettones, dirigées par des Lettons de souche. Le tsar pouvait russifier tout ce qu'il désirait, leur culture fleurirait au Brésil comme les tiges de bois qu'on enfonçait dans le sol fécond.

— Tentez seulement de vous imaginer cela, mes amis, renchérissait-il. Il n'y a pas de roi ni de cour impériale là-bas. C'est une démocratie. Dans la pratique, cela veut dire que tous les citoyens sont sur un pied d'égalité devant la loi. C'est tout à fait comme en Amérique du Nord, sans la perversion de Sodome et Gomorrhe propre à ce que vous appelez la vraie Amérique.

En l'écoutant, les gens se félicitaient de l'intelligence de leur pasteur, capable d'assimiler tant d'informations en quelques jours à peine. Et quelle imagination, pour être en mesure de tout comprendre si vite et de manière si intéressante. Certains des paroissiens se posaient tout de même des questions gênantes sur les paroles de Waldemar. Est-ce qu'il mentait ou se laissait-il uniquement guider par son excitation mentale, nourrie aux mamelles des textes sacrés ? Impossible à dire. Et il ne servait à rien de le lui demander, au risque de gâcher son inspiration qui les divertissait tant.

Tout en s'adressant à l'imaginaire de ses paroissiens dans ces quelques jours précédant l'arrivée de la commission, Waldemar n'oubliait pas pour autant les soucis les plus terre à terre de ses ouailles. Après s'être assuré que Paulis, le forgeron, et que Schultz, le menuisier, étaient aussi intéressés que lui à partir, il commença le recrutement d'autres familles prospères avec des arguments de poids. Ainsi, chez Anton Landis, il eut une longue conversation avec le fermier et son épouse Rachel. Plutôt que de discourir sur les beautés naturelles du Brésil, il leur rappela que c'était un pays d'immigrants venus d'endroits voisins de la Livonie, sans doute tous de confession luthérienne. Mais comme il arrive souvent dans ces conditions, il y avait là beaucoup de jeunes hommes pleins de sève et dans la force de l'âge, incapables de se trouver une épouse convenable.

— Ils ne vont tout de même pas choisir une négresse ou une Indienne comme épouse, cela va de soi, ajouta-t-il en regardant Anton et Rachel dans les yeux. Alors une belle jeune demoiselle comme votre fille Salme, malgré le défaut que le bon Dieu ne fut en mesure d'empêcher le démon de lui infliger, saura trouver un époux dont vous serez fiers. Elle trouvera preneur en débarquant du bateau, forcément.

— Vous croyez vraiment, pasteur ? demanda Rachel, les larmes aux yeux.

— Bien sûr ! Salme fera une épouse merveilleuse. Que je sache, les Scandinaves et les Anglais n'attachent pas la même importance que nous ou que les Allemands à un simple pied bot. Sans compter qu'en peu de temps, vous serez assez riches pour la doter de manière à faire l'envie de beaucoup de familles. Tandis qu'ici, avec tous nos préjugés, la pauvrette restera vieille fille, sans avoir expérimenté les charmes de la maternité. Ce n'est sans doute pas ce que vous souhaitez pour la jeune Salme, n'est-ce pas ?

Avec la famille du fermier Max Jostins, Waldemar préféra s'adresser d'abord en privé au jeune Willems, le fils aîné bossu, joueur de balalaïka. Son argument pour convaincre le jeune homme fut le même que celui utilisé chez les Landis. Et il n'oublia pas non plus de mentionner en passant la jolie Salme, qui désirait ardemment trouver un mari, le plus vite possible. Or, dans un voyage comme celui que le pasteur s'apprêtait à entreprendre pour conduire son troupeau, beaucoup de miracles allaient se succéder, naturellement. Et un gaillard costaud comme Willems, à la voix romantique, ne saurait rester bien longtemps sans compagnie féminine.

Ensuite, il expliqua aux parents du jeune Willems pourquoi lui, le pasteur de la paroisse, avait choisi de partir dans le premier contingent d'émigrants :

— Détrompez-vous, je ne vous quitte pas. Au contraire, je penserai à vous tous qui serez ici, sans avoir eu le courage de m'accompagner. Mais en tant que pasteur, je me dois de guider les premiers voyageurs. Nous serons les pionniers de cette entreprise colossale qui va fonder une grande ville lettone sous les cieux bienveillants de l'hémisphère sud. Ensuite, nous allons vous écrire pour vous faire part de nos succès et, forcément, vous allez vouloir nous rejoindre là-bas. Même si les premiers arrivés occuperont les meilleures terres, ce qui restera pour les retardataires compensera peut-être ce que vous laisserez ici comme possessions matérielles. Le prévôt ne donnera pas beaucoup pour les avoirs de ceux qui partiront après les autres, car il aura déjà assez avec les propriétés des premiers voyageurs. Mais nous aurons déjà construit là-bas une paroisse si prospère qu'elle attirera malgré tout les plus hésitants de nos concitoyens. Ce n'est qu'une question de temps. Voilà pourquoi moi et d'autres gens qui comptent à Lazispils, nous voulons absolument être parmi les premiers à partir.

— Anton, notre plus jeune est encore un bébé, répliqua Nora, l'épouse de Max Jostins. Comment faire un tel voyage avec un si jeune enfant ?

— Rassurez-vous, Nora, répondit-il en riant. Mon Ruben est encore plus jeune que votre petit Anton, et je ne m'en fais pas pour lui. Antonija, ma belle-sœur, accouchera en chemin ou arrivée là-bas.

— L'instituteur s'en va aussi ? demanda Max Jostins avec surprise.

— Bien sûr ! répondit Waldemar. Toute ma famille sera du premier voyage. Nous ne voulons pas courir le risque de rester ici avec tant de mauvaises nouvelles qui nous parviennent de la capitale impériale. Les terres seront bientôt reprises par les barons et vous deviendrez de simples salariés, obligés de parler le russe avec les hobereaux qu'ils enverront pour tout administrer. Non, mes amis, c'est une occasion à ne pas manquer. Ils nous laissent partir maintenant parce qu'ils veulent reprendre les terres cultivées. Mais ensuite, quand vous serez les bras qui travaillent pour eux, est-ce qu'ils vous laisseront encore partir ? Souvenez-vous de ce que raconte la Bible sur la captivité des israélites en Égypte. Ceux qui ont eu peur d'accompagner Moïse dans l'exode sont restés esclaves du pharaon et on n'a jamais entendu parler de leur descendance. La même chose pourrait très bien se passer ici avec ceux qui n'auront pas la force de caractère de partir dans le premier contingent. En s'accrochant par pure avarice au petit bien que vous avez maintenant, vous risquez de perdre beaucoup dans un avenir plein de larmes.

•

L'arrivée de la commission d'émigration n'apporta pas d'arguments supplémentaires pour convaincre la majorité des gens du bien-fondé de partir en Amérique. Au contraire, les conditions décrites dans l'annonce que le prévôt fit afficher un peu partout n'étaient pas très encourageantes. Chaque personne en partance, y compris les enfants, avait droit à seulement une valise ou un ballot, de la taille qu'ils seraient en mesure de porter. Donc, les gens ne pourraient pas emporter grand-chose avec eux, ce qui déchira particulièrement le cœur des femmes. Les membres de la commission, deux fonctionnaires allemands très hautains qui logeaient chez le prévôt, n'étaient pas très bavards sur le détail de la vie au Brésil ni sur les conditions du voyage. C'était comme si l'occasion de s'établir là-bas était un grand cadeau qu'on faisait aux gens de la paroisse. Le prévôt et le pasteur se faisaient leurs porte-parole pour vanter l'offre de partir. Et plus Waldemar donnait libre cours à son imagination bouillonnante, plus il attirait la méfiance des candidats potentiels. Ivar non plus n'aidait pas à les convaincre de s'inscrire pour le voyage ; il refusait de préciser ce qu'il allait payer pour les récoltes engrangées avant d'avoir estimé leur valeur. Or, on connaîtrait l'importance des récoltes à la veille du départ seulement, lorsque ceux qui s'embarqueraient se seraient déjà départis de tout ce qu'ils n'auraient pu emporter. Cette absence de garanties augmentait l'hésitation et la méfiance des candidats. Chez ceux qui s'étaient déjà décidés à partir, l'ambiance familiale était très douloureuse. Dès que les femmes commencèrent à établir l'inventaire de leur linge de table et de leur literie gardée précieusement au fond des coffres, d'âcres disputes éclatèrent entre les époux. Il serait impossible de tout emporter en Amérique et elles n'étaient pas capables de laisser derrière elles le moindre chiffon transmis de mère en fille depuis des générations. Sans compter les casseroles, le samovar, la vaisselle et tous les ustensiles de cuisine, ainsi qu'une multitude de petits objets qui s'avéraient soudainement très chers aux yeux de leur propriétaire du simple fait qu'ils devraient être abandonnés. En dépit des renseignements sur le climat brésilien, il leur était très douloureux d'abandonner les bottes de feutre et les lourds manteaux d'hiver, qui avaient toujours signifié la survie par temps froids.

Chaque ménagère se souvint alors des trésors qu'elle avait admirés en silence chez les voisines, et cette profusion de désirs déchaînés s'écoula dans la paroisse tel un torrent de convoitise. Celles qui ne seraient pas du voyage se voyaient déjà se vautrer allègrement et à bon marché dans les richesses des partantes. Cela provoqua immédiatement une ambiance malsaine de méfiance et d'envie malgré les appels à la raison des maris. L'Amérique avait beau être fabuleuse, elle était lointaine et difficile à imaginer. Tandis qu'une simple blouse de calicot brodée, un lainage bariolé ou une large nappe de lin qu'on savait exister chez une voisine dont le mari rêvait de partir, avait soudain une réalité trop fascinante dans le domaine du possible palpable, au point de tarauder comme une démangeaison l'esprit des envieuses. On voyait alors des amies tentant de se convaincre mutuellement d'émigrer, chacune dans l'espoir de s'approprier le butin de l'autre. Certaines femmes cherchaient à vanter la chance de celles dont les maris étaient enclins à être du voyage, mais en se trouvant des excuses pour ne pas partir à leur tour ou en se plaignant même de leur malheur de ne jamais pouvoir vivre dans cette Amérique de rêves. L'hypocrisie et le mauvais œil planaient comme une ombre malfaisante sur la paroisse.

Ce fut, curieusement, cette attitude mesquine qui contribua le plus à compromettre le succès du départ en masse des habitants de Lazispils. Dans plusieurs cas, des chefs de famille qui s'étaient déjà inscrits auprès de la commission durent revenir penauds chez le prévôt pour demander que leur nom soit rayé de la liste des voyageurs. Ainsi, beaucoup de gens à qui la perspective de l'aventure avait ouvert des fenêtres de liberté dans leurs existences mornes souffrirent ensuite en silence de ne pas s'en aller, et ils maudirent le pasteur Waldemar Salis pour ses descriptions inspirées de cet exode bienfaisant. Leurs terres, leur maison et leur bétail leur paraissaient alors avoir perdu de l'importance devant l'amère résignation à laquelle ils se voyaient condamnés. Et ils prenaient pour la première fois de leur vie conscience de leur servitude par simple manque de courage ou de fantaisie.

« Maudite Amérique ! » entendait-on maintenant blasphémer à voix basse dans la taverne, pendant que ceux disposés à partir paraissaient rajeunir et ne s'en faisaient plus avec leurs soucis quotidiens. La paroisse paraissait divisée en deux groupes, certains se croyant dans le groupe des élus et les autres dans celui des condamnés. Et chacun souhaitait alors de grands malheurs à ceux qui avaient fait le choix opposé, pour ainsi justifier leur décision de rester ou de s'en aller.

Au moment du départ de la commission vers d'autres paroisses, seules neuf familles s'étaient inscrites pour émigrer de Lazispils. Celles de Waldemar et de l'instituteur, naturellement, suivies par celles de Paulis Kanz, de Janis Schultz, d'Anton Landis et de Max Jostins. Un autre fermier, Tiko Kardis, dont les terres étaient très loin du village, se joignit aussi au groupe, accompagné du bûcheron Markus Bopolis. Il y eut une inscription de dernière minute, celle d'un dénommé Boris Kanteris, que personne ne connaissait, mais qui semblait être une vague connaissance du forgeron Paulis. En tout, trente-deux âmes, incluant les enfants.

Il y eut beaucoup de personnes déçues, des jeunes hommes pour la plupart, qui avaient été infectés par le démon de l'aventure mais qui se sentaient obligés de rester pour ne pas faire souffrir leurs parents. Cela provoqua quelques rancunes familiales durables, et des épouses ne manquèrent pas d'être rossées à l'occasion par des maris devenus amers et assidus de la taverne. Le plus ébranlé de tous paraissait être le marchand Viksna, qui perdrait à jamais sa fille Lilija, avec laquelle il s'était plus ou moins réconcilié. Il dépérissait à vue d'œil et délaissait son commerce comme s'il avait aussi perdu le goût du lucre. Le tavernier Gundars paraissait assez maussade lui aussi, malgré le fait qu'aucune de ses pensionnaires n'ait été invitée à partir. À l'inverse, le prévôt Ivar Kumis ne cachait pas sa satisfaction devant les bonnes affaires qu'il venait de réaliser. Il s'appropria la forge et la maison de Paulis, et il était en pourparlers avec les autres pour acheter leurs biens. Il était déjà l'homme le plus puissant de la paroisse ; il allait peut-être devenir l'un des hommes les plus puissants du gouvernement de Livonie.

•

Un soir, pendant qu'ils jouaient aux échecs, Waldemar avoua à son beau-frère qu'il souffrait d'impatience, qu'il trouvait le temps long et que le jour du départ lui semblait trop lointain.

— C'est drôle, Sacha, à quel point tout ici me paraît sans intérêt depuis que je sais que je m'en irai pour toujours. Même mes paroissiens me laissent un peu indifférent et je m'ennuie en préparant mes prêches du dimanche. Mon seul plaisir serait de leur parler du voyage ; mais je n'ose pas le faire. Je sais qu'ils resteront pour la plupart ici, engloutis dans leur vie fade de toujours. J'éprouve un sentiment d'impuissance en pensant à eux, comme si mon travail d'éveiller les esprits était inutile devant leur passivité. Si cela ne dépendait que de moi, je m'en irais immédiatement pour ne plus avoir à jouer ce jeu hypocrite.

— Tu es frustré, pasteur... répondit Alexandr avec son sourire énigmatique. Ton enthousiasme pour les convaincre n'a pas fonctionné comme tu le souhaitais. Il y a longtemps, j'ai entendu des propos semblables aux tiens de la bouche d'un agitateur socialiste qui cherchait en vain à éveiller les ouvriers d'une usine, dans la banlieue de Moscou. Des siècles de servage ont émoussé leur imagination et les ont enracinés dans la terre et dans la peur de l'inconnu.

— Oui, des tièdes... fit Waldemar avec un soupir. J'ai aussi la nette impression d'avoir perdu le contact étroit que j'avais autrefois avec beaucoup d'entre eux.

— Tu te trompes, Waldemar. Le contact étroit était dans ta tête, pas dans la réalité. Ils t'ont toujours perçu comme un étranger, comme quelqu'un venu d'ailleurs et simplement de passage. Tu as beau travailler la terre en leur compagnie, ils se méfient de toi. Avant tout, parce qu'ils n'ont jamais entendu parler d'un pasteur ou d'un pope agissant ainsi, travaillant comme eux. Ils peuvent te respecter mais ils ne t'aiment pas. Ils ne peuvent aimer que leurs supérieurs, leurs patrons, ceux qu'ils peuvent admirer comme de grands seigneurs. Et puis, ton enthousiasme à vanter le voyage a semé beaucoup d'amertume, tu le sais bien. Il y en a qui croient que tu as tout comploté avec le prévôt.

— Des calomnies, tu le sais bien, Sacha. Ce voyage est la première et la dernière bonne chose qui peut arriver dans leurs vies misérables.

— Oui, je sais… Mais maintenant, ils perçoivent aussi ton départ comme un abandon. Ils attendent l'arrivée de ton remplaçant comme tu attends le Messie. C'est leur seule consolation pour la perte de l'Amérique. Pourvu que le prochain pasteur soit un type rigide, sectaire et très hautain pour ramener un peu de paix dans leurs cœurs flétris.

— Toi aussi, tu les abandonnes.

— Ce n'est pas la même chose, Waldemar. Ils n'ont pas beaucoup de respect pour l'instruction et ils s'en fichent si l'école fonctionne ou non. Je suis certain que beaucoup de femmes regrettent davantage le départ d'Alija et de ses filles que le mien ou le tien. C'est plus difficile de retrouver une sorcière qu'un instituteur. Et elles tiennent aux charmes, aux incantations et au secret des cartes pour pouvoir rêver. Sans compter qu'elles perdent leur sage-femme. Penses-tu qu'elles feront encore confiance aux remèdes du docteur Sigailis lorsqu'il n'aura plus les herbes cueillies par la sorcière ? Même lui est malheureux, le pauvre vieux. J'avais l'impression qu'il allait prier Ivar de le laisser s'inscrire malgré son âge. Te souviens-tu comme ses yeux brillaient lorsqu'il racontait ses souvenirs d'Afrique ? Il m'a fait promettre de lui écrire depuis le Brésil, en décrivant la nature, surtout les oiseaux et les papillons. Ça lui rappellera sa jeunesse…

— Oui, la jeunesse… fit Waldemar en soupirant. Je me sens soudainement plus jeune, plein d'énergie à la perspective de ce voyage. Tout me semble plus simple, comme un ciel bleu après une tempête. C'est ça le possible et l'extravagante angoisse du possible dont parle le penseur danois, le possible qui change le souci des choses frivoles pour le souci grave de l'aventure spirituelle. Je remarque que toi aussi, Sacha, tu as l'air moins maussade. Et que tu tousses moins. Est-ce que je me trompe, beau-frère ?

— Non, pasteur, tu ne te trompes pas. Ma tête est de plus en plus survoltée depuis que tu as pris pour nous tous la décision de nous expatrier.

— Je n'ai forcé personne !

— Non, tu as utilisé des moyens plus subtils. Je me demande comment tu as fait pour convaincre Alija.

— Elle était déjà convaincue, Sacha. Je ne crois pas à tous ses sortilèges mais je n'oublie jamais qu'elle est avant tout une sorcière, une créature du malin. Ces créatures se transmettent des secrets de génération en génération, et il n'est pas exclu qu'elles possèdent vraiment des dons de clairvoyance. Je n'ai pas eu besoin de la convaincre, elle savait déjà ce qui était bon pour la famille.

— Oui… En tout cas, je me porte bien et je suis certain que le climat de ce pays lointain me fera du bien. Mon seul souci est de savoir comment se passera l'accouchement d'Antonija.

— Tout se passera bien, Sacha. Alija sera avec nous et elle sait s'occuper de ces choses. Quant à Martha, je ne me fais aucun souci, si ce n'est de la retrouver ensuite à nouveau en chaleur, pendant que nous serons occupés à bâtir notre nouvelle ville là-bas.

— Notre ville… Crois-tu que nous aurons vraiment une ville à nous, Waldemar ?

— Pourquoi pas ? Je songe déjà au nom qu'on lui donnera. « Nouvelle Lazispils », si ce sont surtout les gens d'ici qui la fondent. S'il y a d'autres Lettons dans les environs, ce sera « Nouvelle Livonie » ou « Lettonie du Sud ». Tu imagines, Sacha ? Un jour, quand nous serons vieux, c'est peut-être vers ici que pointera notre nostalgie, vers cette terre ingrate que nous abandonnerons le cœur en fête. Et comme le vieux Sigailis, nous demanderons aux voyageurs de nous envoyer des nouvelles de Lazispils pour nous sentir à nouveau rajeunir. L'être humain est tout de même paradoxal.

— Tu es un rêveur impénitent, Waldemar. J'espère seulement que tout se passera bien, sans grandes tragédies, car ton audace frise la témérité. Et nous ne serons pas seuls dans cette aventure.

— Tu as raison, nous ne serons pas seuls. Quelqu'un de très puissant et miséricordieux guidera nos pas, comme Il l'a déjà fait avec Moïse. Quant aux tragédies, souviens-toi des paroles de Job devant l'infortune et tu te rendras compte que l'aventure d'une vie est une vétille devant l'éternité : « Je suis né nu et je mourrai nu. Dieu donne et Il reprend. Loué soit le nom du Seigneur. »

— Après toi le chaos, si je te comprends bien. Tu es un vrai amateur de catastrophes. Non, Waldemar, dans ton cas le mot exact n'est pas « témérité », ajouta Alexandr avec le sourire. Entre nous, tu es franchement fou, pasteur. Si tu n'étais pas un doux rêveur à l'âme vagabonde, je crois que tu serais un dangereux scélérat. De grâce, reste avec la Bible ; ne change jamais de livre pour ne pas te retrouver un jour en prison.

Waldemar se contenta de boire son thé et d'allumer sa pipe pour mieux profiter de son triomphe. Ce n'était pas la peine de se courroucer contre les paroles nihilistes de ce bon Alexandr, car ce beau-frère était peut-être l'un des élus qui s'ignorait encore avant le grand voyage. Il se rendrait à l'évidence au moment venu et louerait à son tour le nom du Seigneur. Waldemar était trop satisfait de sa dernière trouvaille, laquelle mettait un terme définitif à une situation d'apparente confusion. Il se réjouissait dans son for intérieur des voies insondables de son Créateur, dont les meules moulaient lentement, mais très fin. Il avait enfin trouvé la clé lui permettant de joindre cet exode qui rappelait celui de Moïse et sa chère apocalypse de toujours, cet exode qui pointait quand même vers la fin des temps. Car, après tout, à quoi bon fonder une nouvelle Jérusalem au fin fond de l'Amérique du Sud, si c'était pour attendre encore d'autres millénaires avant le jugement final ? Dès sa tendre enfance, Jesaïas lui avait vanté surtout le texte de Jean de Patmos et non pas les vieilleries du Pentateuque. Et voilà que la nuit dernière, lisant tout seul dans son cagibi, il était tombé sur un passage qui résolvait l'énigme. C'était bel et bien toujours de l'apocalypse dont il était question à ce moment-là de la vie de sa paroisse. Au chapitre 12, verset 14 du récit eschatologique, il était dit que la femme « couronnée du soleil de la lune et des étoiles », c'est-à-dire l'église issue de la parole divine, trouvait refuge dans des régions sauvages pour se mettre à l'abri du dragon et du serpent. Et elle y restait cachée, bien nourrie, pendant des milliers de jours en attendant le retour de son fils, l'Agneau de Dieu.

À quoi bon tenter d'expliquer cela à ce sceptique d'Alexandr ? Il suffirait de suivre cette révélation et de conduire ses fidèles vers les régions sauvages de ce Brésil. Tout le reste se dévoilerait exactement tel que c'était écrit en des lettres de feu et de sang dans le livre de la Révélation. Waldemar remercia encore Dieu d'avoir agi avec autant de sagesse et de ruse dans un moment si délicat, en faisant d'abord miroiter la Sodome américaine pour attirer la convoitise des tièdes. Il changea aussitôt la destination pour la rigueur des forêts brésiliennes et, du même coup, sépara les élus des condamnés. Comment ne pas s'émerveiller ? Et le pasteur eut une pensée mélancolique pour son propre père, comme Moïse désincarné avant d'avoir pu pénétrer sur la terre promise qu'était le Brésil. Mais il savait que Jesaïas serait aussi du voyage, ne fût-ce que dans l'esprit exalté de son fils.

6

Le temps passa, trop lentement au goût du pasteur et trop vite au goût de ceux qui appréhendaient le moment du départ. Cette année-là, la nature se montra généreuse avec la chaleur et les pluies, et les récoltes s'annonçaient très bonnes. Les fibres de lin séchaient depuis longtemps et les gens s'attendaient à des revenus exceptionnels. Ces nouvelles réjouissantes rendaient pensifs ceux qui avaient choisi d'émigrer et réconfortaient les autres.

Un certain calme social et politique était revenu au pays, car les gens attendaient des miracles de démocratie de cette Douma que le tsar avait accepté d'instituer à l'automne. Selon Alexandr cependant, cette euphorie était illusoire. Il recevait constamment des informations clandestines sur la répression qui s'abattait partout dans l'Empire, en particulier dans les gouvernements non russophones. Mais à Lazispils, la vie paraissait bien paisible et le prévôt se montrait plus conciliant qu'à l'habitude dans l'espoir d'encaisser sa part de profits sur les biens des familles qui s'en allaient. Tout en sachant qu'ils allaient retirer peu de la vente des récoltes, les gens travaillaient fort et avec plaisir.

Dans les isbas des familles qui s'apprêtaient à s'expatrier, les soirées étaient souvent consacrées à faire et à défaire les bagages pour tenter d'y inclure ce qui leur semblait le plus précieux. On essayait de constituer d'énormes ballots avec des draps de lit, pour ensuite se rendre compte qu'ils ne contenaient pas tout et qu'ils étaient presque impossibles à soulever. Cela désolait les femmes et avivait beaucoup de querelles dans les ménages. Chaque fois que le choix le plus minutieux de ce qu'on souhaitait emporter était fini, il était déchirant de devoir tout recommencer pour écarter les objets qui étaient de trop. Aussi, après avoir réussi tant bien que mal à se conformer à l'espace disponible dans les ballots, par une sorte de sortilège, on se mettait à regretter et à tout vouloir chambarder à nouveau. C'est qu'une fois la nappe ou les draps les plus chéris empaquetés et disparus de la vue, ceux qui n'avaient pas été choisis paraissaient gagner un attrait irrésistible et des qualités qu'ils n'avaient pas démontrés auparavant. Ainsi, le petit édredon, le fichu coloré ou la robe qu'on ne portait jamais, même le linge pour le futur et peu probable enfant redevenaient indispensables. Leur présence était obsédante au point d'exiger la réouverture des ballots pour d'autres comparaisons et d'autres douloureuses décisions, accompagnées de larmes. De rancunes aussi, car les femmes qui ne partiraient pas marchandaient fort ce qu'elles convoitaient chez les autres, leur offrant des prix ridicules à la vue des ballots déjà ficelés. Un climat malsain de haine et d'hypocrisie s'installait entre les voisins, aggravé par le fait que vendeurs et acheteurs étaient obligés de se rencontrer tous les jours pour encore d'autres négociations.

Chez le forgeron et chez le menuisier, les disputes et les pleurs étaient fréquents parce que la place de choix dans les bagages serait occupée par leurs lourds outils de travail. Aussi, comme les deux artisans étaient des gens prospères, leurs épouses, Anna et Julijs, avaient accumulé une telle quantité de linge au fil de leur vie qu'elles étaient incapables de choisir entre ce qu'il fallait emporter et ce qui allait devoir être laissé. En outre, Janis Schultz n'allait pas se séparer de son concertina ni de son violon. Willems Jostins non plus n'abandonnerait pour rien au monde sa balalaïka, son seul espoir d'arriver un jour à se trouver une amoureuse. Et les disputes entre Alija et ses deux filles empoisonnaient littéralement la vie du pasteur et celle de l'instituteur.

Le marchand Viksna dépérissait et négligeait son commerce, mais refusait toujours de donner la dot de sa fille Lilija.

— Je préfère mourir ou mettre le feu à ma boutique que de donner quoi que ce soit à cette ingrate, répondait-il au prévôt.

— Mais vous y êtes obligé par la loi, répliquait Ivar.

— Si j'y suis obligé, je lui donnerai la dot après Noël, quand j'aurai fait le bilan comptable de mon commerce.

— Ils seront déjà partis, vous le savez bien.

— Tant pis. Je garderai l'argent pour quand elle reviendra de ce voyage chez les nègres, cette misérable, et qu'elle demandera pardon à genoux à son malheureux papa.

Même l'intervention du pasteur, avec ses exhortations contre l'avarice, n'eut aucun effet sur le marchand.

— Vous, pasteur, est-ce que la sorcière vous a versé une dot quand vous avez épousé sa fille ? demanda Viksna en pleurnichant.

— C'était différent, Viksna. Alija est pauvre et je suis pasteur ; je n'ai pas besoin d'une dot pour commencer ma famille. Mais vous êtes riche et votre fille aura besoin d'argent pour le voyage.

— Elle a un mari maintenant. Qu'il la fasse vivre !

Le seul personnage complètement heureux de ces événements était Pougala, l'idiot. Soudain, sans qu'il comprît jamais la cause de sa fortune, il se vit offrir des vêtements usagés et des couvertures par diverses personnes qui l'avaient jusqu'alors chassé avec mépris. Cela débuta par pure charité chrétienne, pour ensuite servir à alimenter des vengeances et des rancunes assez disgracieuses. Voici comment cela se passa :

Un beau jour, insultée par une voisine qui lui avait offert seulement quelques kopecks pour des rideaux qu'elle souhaitait vendre, Rachel Landis répondit que c'était trop peu. Elle ajouta qu'à ce prix-là, elle préférait les offrir à l'idiot pour qu'il se couvrît pendant l'hiver, comme elle l'avait déjà fait avec un vieux manteau. Désirant ardemment les rideaux, et sachant que sa propriétaire ne pourrait pas les emporter avec elle en Amérique, la voisine répliqua que s'il en était ainsi, Rachel pouvait bien les donner à Pougala. Et pour marquer encore son mépris, elle ajouta que les rideaux étaient en effet bons à couvrir le misérable, et non pas les fenêtres de son isba. Rachel, blanche de colère, arracha les rideaux des mains de sa voisine, les déchira et sortit en courant pour les donner au pauvre Pougala. Ensuite, sans doute colportée par les commères, l'histoire fit le tour de la paroisse et se répéta avec quelques variantes chez d'autres familles.

C'est trop cher cet édredon effiloché, ou cette capuche de lièvre râpée, ou ces bottes de feutre trouées... On commença alors à qualifier l'objet qu'on désirait acheter, mais pour lequel on ne voulait pas payer un prix honnête, de « chose bonne pour Pougala ». Et dans bien des cas, par dépit ou par vengeance, les propriétaires offraient en effet l'objet convoité à Pougala, en ayant soin de le déchirer ou de le rendre inutilisable pour éviter que l'idiot ne l'échangeât contre un verre de vodka. En peu de temps, l'idiot se promenait dans le village arborant des vêtements féminins et des tissus dépareillés sur sa maigre personne, tout à fait comme un épouvantail trop rembourré et en haillons. Et il riait de son rire maladif, en faisant des pas de danse.

Ce ne fut pas tout. Au cours de ces pourparlers tendus entre femmes, beaucoup de verres à thé et d'assiettes furent fracassés sur le sol par leurs propriétaires exaltées, à la grande déception de celles qui voulaient les avoir. La généralisation de ces comportements contribua cependant à rendre peu à peu les négociations plus équitables, même si personne ne paya jamais un prix honnête pour quoi que ce fût des dépouilles de ceux qui avaient choisi d'émigrer.

Le seul qui réussit à faire une très bonne affaire dans ce flot de convoitise fut Janis Schultz, le menuisier. Aidé par son fils Karlis, un garçon très habile avec les ciseaux et les gouges, Janis travaillait depuis quelque temps déjà à la fabrication de deux cercueils en chêne massif. Il disait que c'était pour son propre enterrement et celui de Julijs, son épouse. C'étaient de très beaux cercueils, décorés de bas-reliefs en forme de feuilles, avec des appliques de bois ajourées tout autour, qui n'étaient pas sans rappeler les boiseries de la grande demeure du prévôt Ivar. Les gens s'arrêtaient devant son atelier pour admirer les deux belles pièces que le menuisier s'apprêtait déjà à vernir. Même si, d'un commun accord, les autres paroissiens trouvaient extravagant de travailler autant pour de simples cercueils, au fond de leur cœur, il y avait une pointe d'envie, chacun s'imaginant couché dans l'une de ces merveilles et suivi par tous les villageois envieux, en direction du cimetière. Janis avait déjà refusé une offre discrète du marchand pour l'achat de ces cercueils, du temps où ce dernier tenait encore sa Lilija captive de son autorité paternelle. En dépit du fait qu'ils ne pourraient jamais emporter ces lourds cercueils en Amérique, Janis et Karlis continuaient de les fignoler, pendant que Julijs s'occupait d'achever la couture du rembourrage en lin sur lequel reposeraient les corps.

La première personne à évoquer le sort des cercueils au moment du départ fut Gundars, le tavernier. Il le fit à sa manière, fuyant et hypocrite, trahissant cependant un intérêt certain. Janis était sûr que la consigne venait de Maroussia, sa femme, car Gundars était un homme passif et sans aucune sensibilité devant les belles choses. Et Maroussia voulait toujours se donner des airs de grande dame, cherchant parfois à imiter Tatiana Kumisa, l'épouse du prévôt. Qui plus est, bien avant de commencer à fabriquer les cercueils, le menuisier avait entendu le tavernier évoquer le souhait de sa femme, celui d'avoir un enterrement qui ferait pâlir d'envie toutes les femmes qui la méprisaient à cause de ses pensionnaires impudiques.

— Je vais les vendre à un client qui m'a déjà fait une bonne offre, répondit Janis. J'en ferai d'autres là-bas, en Amérique, avec des bois nobles, pour moi et pour Julijs.

— Peut-on connaître le nom du client ? demanda Gundars, incapable de cacher sa curiosité.

— Pas encore. Nous sommes en pourparlers. S'il ne m'offre pas un prix loyal, je les brûlerai avant de partir.

— Vous les brûlerez ? Ce serait dommage. Ils sont si beaux.

— Oui, Gundars, je suis décidé à les brûler si je n'arrive pas à les vendre. N'oubliez pas que je les destinais à mon épouse et à moi. Seul un bon prix me convaincra de laisser à d'autres défunts l'honneur d'y séjourner pour l'éternité. Je suis un artiste, tavernier, et un ouvrage de cette qualité ne se laisse pas marchander. Ce sont des cercueils uniques dans toute la Livonie. D'ici à mon départ, j'aurai le temps de sculpter aussi les croix tombales qui compléteront l'ensemble de manière magnifique. Ceux ou celles qui s'y feront enterrer, gisant si noblement, seront l'objet de l'admiration de toute la paroisse.

— C'est pour Ivar et pour Tatiana que vous les faites, ces cercueils ?

— Je ne peux rien vous dire pour le moment, car j'attends aussi d'autres offres. Le prix que je demande est un prix honnête, pas un prix élevé.

La nouvelle se répandit assez vite et Janis reçut d'abord une offre d'achat ferme de l'épouse du prévôt. Il répondit de la même façon qu'au tavernier. Ensuite, Gundars se proposa aussi comme acheteur. Ce dernier prétexta, pour appuyer son offre, que lui et Maroussia étaient de confession réformée, comme Janis, tandis qu'Ivar et sa femme étaient des orthodoxes qui pollueraient son œuvre d'art. Les enchères montèrent discrètement mais de façon certaine, jusqu'à atteindre un prix que le menuisier trouva convenable. Le prévôt et le tavernier avouèrent ne pas pouvoir aller plus loin, car l'achat de deux cercueils était une dépense trop grande et que, au fond, c'était uniquement un caprice de leurs épouses. En tant qu'hommes, ils n'accordaient pas beaucoup d'importance à leurs propres funérailles, en tout cas pas au point de s'endetter, même pour des cercueils magnifiques.

Janis offrit alors une solution fort satisfaisante pour toutes les parties, ce qui lui permit d'augmenter encore de quelques roubles le profit final de la vente.

— Si c'est surtout pour vos épouses, dit-il, au lieu d'en acheter deux, pourquoi vous n'en achetez pas chacun un ? Il vous en coûtera la moitié et vous pourrez encore ajouter une dizaine de roubles à votre offre. Tatiana et Maroussia seront satisfaites et reconnaissantes pour ce cadeau que vous faites à elles seules. Les cercueils sont sculptés différemment, vous savez bien. Il suffira d'ajouter une croix orthodoxe pour votre épouse, Ivar.

Waldemar loua la sagesse du menuisier, tout en déplorant la vanité des deux épouses, qui s'occupaient de leur enveloppe terrestre plutôt que du salut de leur âme immortelle.

— J'espère que votre père n'est pas amer, Karlis, dit le pasteur lors d'une soirée d'échecs chez Alexandr.

— Pas du tout, pasteur, répondit le jeune homme. Mon père est très satisfait de l'issue de son projet. Il avait depuis longtemps conçu l'idée de fabriquer ces cercueils, d'abord pour s'amuser et pour m'apprendre la taille des bas-reliefs. Mon père est un artiste et il savait que les gens d'ici sont trop bornés pour concevoir de belles choses sans les avoir au préalable aperçues. D'où son idée d'éveiller leur désir en les laissant admirer son œuvre. Il est fatigué de faire les cercueils habituels, en planches de pin. Papa savait qu'il allait réussir à les vendre et même à en faire d'autres semblables à l'avenir.

— Il les a donc faits pour éduquer les gens ? demanda Alexandr en éclatant de rire.

— Oui, répondit Karlis. Pour leur montrer que les belles choses existent.

Plus tard dans la même soirée, après le départ de Karlis, l'instituteur voulut taquiner le pasteur.

— Ton Amérique a semé une belle confusion dans l'esprit de tous les paroissiens, Waldemar. Je ne me souviens pas d'avoir été témoin d'une agitation pareille, de tant de sentiments contradictoires en même temps.

— Pourquoi dis-tu ça, Sacha ? Tu n'es pas content de partir ?

— Oui, je suis content. Même très content, presque survolté, au point de passer des nuits blanches en imaginant ce voyage. L'aventure s'est emparée de ma vie et elle me rend presque aussi irresponsable que toi, beau-frère. Mais je plains le sort des gens. Ils ne semblent pas être aussi préparés pour l'aventure que nous.

— Ne t'inquiète pas pour eux, Sacha. Cette agitation chez les bonnes femmes est une preuve certaine que nous avons choisi la meilleure voie à suivre. Leur vie était trop morne, sans perspectives nouvelles ; leur avenir, si elles restaient ici, serait la simple répétition des jours passés, sans plus. Soudain, la révélation que cela peut être autrement leur tombe dessus comme un pavé dans la mare, ou comme les cercueils de Janis Schultz. Les israélites doutaient aussi au moment de s'en aller de l'Égypte. C'est la faiblesse des hommes, ça va leur passer à mesure qu'ils gagneront en courage. Le possible est entré dans leur existence, Sacha, et ce gouffre fait peur au début. À Hambourg, j'ai lu pour la première fois les écrits du penseur danois ; je me réjouis de passer par là dans notre exode vers l'Amérique. Le possible, Sacha, voilà l'unique avenir.

— Explique-moi une fois pour toutes ce possible dont tu parles comme d'un dogme, Waldemar.

— C'est si simple que c'en est ridicule. Pourtant, c'est grandiose quand on y pense. Avant la venue du Christ, les Juifs vivaient comme des moutons, en répétant les mêmes paroles anciennes par pure crainte devant le changement. Ils parlaient du Messie mais ils faisaient tout pour que ce Messie ne se pointât jamais chez eux. Le Christ arrive et chambarde leur vie avec un message distinct. Voilà le possible. C'est le fait de montrer que les choses peuvent être autrement que ce qu'on a toujours cru. Que l'avenir dépend de nous, qu'il faut rêver, que la vie est une aventure et que chacun de nous est seul devant son Créateur. Nous répondrons de nos œuvres et non pas de notre soumission ou de notre patience.

— Pourtant, pasteur, ton Dieu exige obéissance et louanges, tout à fait comme le tsar.

— Pas le mien, Alexandr. Pas le mien ni celui de feu mon père, le révérend Jesaïas — que Dieu ait son âme ! Le Dieu dont parle Jean de Patmos est un dieu de combat et de courage. Un dieu d'aventures qui n'a rien à voir avec le Yahvé des Juifs.

— Tu l'étires pas mal ton Dieu, Waldemar. Tu n'as pas peur de le casser un jour ? Selon toi, pourquoi faut-il alors partir d'ici plutôt que de rester et de nous battre pour nos droits, lutter pour ta langue ? Ou tenter d'éliminer le monde ancien en éliminant le tsar ?

— Tu as peur de partir, Sacha, répondit-il avec un sourire. C'est normal, beau-frère. Le possible est un gouffre qui donne le vertige. Voudrais-tu rester ici, dans ce lieu étroit où rien ne se passe, pour rebâtir une nouvelle Jérusalem ? Moi aussi, j'en ai été tenté, figure-toi, et moi aussi, j'ai peur devant l'inconnu. Mais ce n'est plus possible après que nous avons contemplé le gouffre et qu'il nous a rendu notre regard sous la forme d'un avenir plein de mystères et d'aventures. Dorénavant, seul le voyage compte pour tout le monde ici, tant pour ceux qui partent que pour ceux qui auront peur de partir. Il est écrit que nous devons peupler la terre en courant à l'aventure, Sacha. Caïn, ce malheureux, est l'ancêtre de tous les visionnaires, un errant parcourant la terre. Les autres fils d'Adam et d'Ève ont été des paysans ou des villageois sans imagination. Quant à nous… Pense aux querelles des femmes en ce moment et tu me donneras raison. On leur offre une vie nouvelle, excitante et pleine de liberté. Mais elles sont trop attachées aux chiffons et aux casseroles qu'elles devront laisser en arrière, et elles sont incapables de s'émerveiller. Moi, pour aller en Amérique, je n'ai besoin que d'un baluchon.

— Parce que Martha portera ton fils, elle s'occupera de ses langes et de sa nourriture.

— J'ai pensé à un gros baluchon, Alexandr. Ne déforme pas mes propos. Je ne ferai pas comme Moïse, qui a abandonné sa femme et ses enfants au moment de partir en voyage.

— C'est facile pour toi de le dire, Waldemar. Tu vis dans le monde irréel de ta Bible, tu es un étranger partout. Quelqu'un qui n'est jamais parti ne peut pas savoir ce que c'est de s'arracher du sol maternel, de ses maigres possessions, de ses habitudes ou de sa langue. Même de sa nourriture. Voilà pourquoi il ne faut pas le juger avec autant de sévérité, pasteur. Tu es content quand Martha te met quelque chose à manger sur une assiette propre, quand elle verse ton thé dans ton verre de toujours, n'est-ce pas ? Elles sont les gardiennes du foyer, tandis que nous y sommes de passage. Alors, au moment de tout abandonner, forcément, elles souffrent plus que nous. Cela n'est pas écrit dans ta Bible parce que les femmes n'ont jamais perdu leur temps à écrire des sottises. Elles avaient trop à faire ailleurs. À propos, est-ce que ton penseur danois avait une épouse ?

— Je ne sais pas... répondit Waldemar surpris et un peu confus. Je ne crois pas. Je pense que Kierkegaard est resté célibataire, comme j'aurais dû le faire aussi.

— Je suis certain qu'il n'a pas émigré, non plus.

— Non... Il n'a jamais émigré. Il était trop affairé à réaliser sa destinée pour penser à partir de Copenhague vers l'Amérique, je suppose.

— Alors, beau-frère, dis-toi bien qu'il est peut-être plus facile d'éprouver de l'angoisse devant un dieu absent que d'avoir la frousse devant un voyage en terres inconnues. Et ton Brésil n'a rien à voir avec l'Amérique.

•

Ce que Waldemar ne savait pas et qu'il était loin de soupçonner, c'est que sa belle-mère, la sorcière, était la plus courageuse de tous ceux qui avaient choisi de partir. Lui, le pasteur, avait une fin du monde spectaculaire qui l'attirait là-bas. Les paysans pouvaient rêver de terres à eux, immenses et produisant deux récoltes annuellement. Dans leur esprit, cela compenserait sans doute ce qu'ils abandonnaient à Lazispils, et ils se promettaient de faire taire les sanglots de leurs épouses en leur rachetant beaucoup de belles choses dès qu'ils seraient riches. Ce n'étaient encore que des rêves, mais cela aidait à couper les liens et à partir à l'aventure. Le seul risque qu'ils couraient était l'échec, un échec difficile à imaginer du fait qu'ils ignoraient tout de l'entreprise dans laquelle ils se lançaient. Quant à Alija, la sorcière, elle perdait son monde et son identité d'un seul coup. Elle était la seule personne qui partait vraiment aveuglément et sans espoir de pouvoir jamais s'enrichir. Comment s'enrichir si tout ce qui avait de la valeur à ses yeux restait à jamais enfoui dans son souvenir ? Alija était une créature des bois et des marais, l'héritière d'une tradition ancestrale, transmise de génération en génération par des voix féminines, et qu'elle aurait dû transmettre à ses filles. Comment allait-elle faire sans les plantes ou les oiseaux desquels elle tirait son art, sans les esprits qu'elle pouvait invoquer pour venir en aide à ses semblables ? Surtout, que feraitelle lorsque les étoiles de la nuit lui seraient complètement étrangères, voire hostiles, dans un monde sans le cycle familier de ses saisons ? Sa plus grande terreur était de vivre pour toujours dans un monde sans neige et sans gel.

Alija ne confia ses sentiments à personne. Mais dès le début, elle questionna discrètement Alexandr et le docteur

Sigailis au sujet de cet endroit appelé Brésil. Elle apprit alors qu'il s'agissait d'un endroit si différent de tout ce qu'elle connaissait qu'elle en resta incrédule.

— Sans neige ? Sans hiver ? Comment est-ce possible, pharmacien ? demanda-t-elle avec surprise.

— Les saisons dépendent du Soleil, Alija, répondit le docteur Sigailis une nuit, derrière la remise de son jardin, en tentant de la palper malgré qu'elle ne semblât pas disposée aux caresses. Et le Soleil là-bas, au Brésil, est dans une position différente de celle qu'il a ici.

— Mais vous dites que c'est le même soleil, vieux.

— Oui, c'est le même, mais sa lumière est différente.

— Ce n'est pas tout à fait le même, alors. Pourquoi mentez-vous ?

— Je ne mens pas, Alija ; c'est difficile à expliquer. Mais c'est le même soleil. Sauf qu'il passe d'une autre façon là-bas, et il chauffe alors le Brésil toujours de la même manière, l'année durant. Il ne se penche pas à l'horizon comme il le fait ici en hiver. Donc, il ne fait jamais assez froid pour geler l'eau ou la pluie. Si vous aviez accepté autrefois mon offre de vous apprendre à lire et à écrire, vous seriez aujourd'hui capable de tout comprendre. Mais vous avez été trop têtue, ma chérie. Pourquoi vous vous obstinez à vouloir partir avec vos filles ? Vous ne serez pas heureuse là-bas. Et je resterai ici comme un veuf, sans vos visites, sans vos herbes et sans vos conseils. Waldemar est un illuminé, laissez-le partir seul avec l'instituteur. Ce que vous avez appris à vos filles ne leur servira à rien là-bas. Même les esprits des forêts seront différents de ceux d'ici, ils ne vous écouteront jamais. Ils riront de la pauvre Alija lorsqu'elle tentera de les invoquer. Et elle regrettera alors amèrement son vieil ami Sigailis, qui lui demandait si peu de choses pour être heureux. Avez-vous pensé que même vos tisanes et vos philtres seront impossibles à faire au Brésil ? Il faudra aussi oublier la délicieuse kacha que vous faites cuire comme une fée, car il n'y a pas de sarrasin là-bas.

Adieu le kvas et la vodka, ma chérie, et même le thé ; vous n'aurez que du café amer, dans lequel il vous sera impossible de lire ce que nous réserve l'avenir. En fait, je n'ai aucune idée de ce qu'ils mangent là-bas, les sauvages. Sans compter que vous allez être en contact avec des peuplades dangereuses. Une jolie blondine à la peau trop blanche comme vous, sans un homme pour la protéger, va passer un mauvais moment si elle tombe entre les griffes des nègres. Je vous en prie, ma chérie, restez ici.

— Cessez de me peloter, vieux, et répondez à mes questions. C'est important. Vous mentez comme le pasteur. Dites : ça ne servira à rien d'emporter un peu d'eau d'ici ? Elle ne gèlera pas une fois là-bas ?

— Non, Alija, ça ne servira à rien. Vous voyez comme c'est terrible ? Vous ne verrez plus jamais un seul morceau de glace, un seul flocon de neige. Je vous plains, car je sais combien vous aimez glisser sur la glace des marais avec vos sabots. Plus jamais. Et comme là-bas le monde est à l'envers de celuici, vous vous verrez toujours la tête en bas dans l'image des miroirs. Et votre peau deviendra peu à peu basanée comme celle des musulmans des gouvernements du sud de l'Empire. Et vous n'arriverez plus à guérir les maladies ni à chasser le mal de dents, les saignements, ni même à soigner les morsures de chien. Adieu aussi les potions pour les maris, adieu les prédictions sur les gens qui vont mourir. Tout vous échappera une fois au Brésil, dans ce monde à l'envers où il fait une chaleur terrible à Noël et où les gens frissonnent à la Saint-Jean. Vous êtes folle de vous laisser entraîner dans ces lubies du pasteur. J'ai besoin de vous, Alija.

— La Lune... Est-ce qu'elle est aussi différente de notre Lune ?

— Forcément, ma chère. C'est une lune chaude, figurez-vous.

Après s'être ainsi informée du mieux qu'elle pouvait, Alija ne tarda pas à prendre sa décision. Elle irait dans ce Brésil et elle n'aurait pas peur de tenter de tout réapprendre là-bas, en compagnie de ses filles. Mais, surtout, elle voulait le pasteur pour elle, elle le voulait bien serré entre ses cuisses, cet homme qu'elle ne cessait de désirer. Tant pis s'il était l'époux de Martha. La petite pisseuse ne saurait jamais satisfaire un homme comme lui, et il viendrait vers Alija parce que lui aussi était ensorcelé.

C'est alors que commença pour la sorcière un long travail qui dura jusqu'au moment de partir. Accompagnée de ses filles, Alija se mit à la tâche de cueillir le plus possible de ces herbes, racines et champignons qui constituaient le noyau de son pouvoir. Elle emmènerait en Amérique ces choses sacrées qui lui serviraient jusqu'à ce qu'elle soit en mesure de bien connaître les esprits de là-bas. Elle ramassait aussi des petits cailloux, des échantillons des terres bordant les marais, des nids d'oiseaux, et elle n'oublia pas de bien empaqueter sa collection de griffes et de dents d'animaux sauvages que sa propre grand-mère lui avait léguée.

Ces longues journées passées à arpenter sa chère forêt et ses mystérieux marais furent aussi des occasions pour dire adieu à ce qui lui était le plus cher. Elle se rendit à l'endroit secret où elle avait enterré de ses propres mains sa mère et sa grand-mère. Et elle leur demanda pardon de s'en aller si loin, elle leur demanda conseil et leur bénédiction, tout comme elle les pria très fort de faire venir Waldemar dans son isba pour qu'il lui parlât de l'Amérique.

Il vint, en effet, plus enthousiaste que jamais : devant la perspective du voyage, il se laissa consoler avec un grand appétit, sans cesser de faire l'apologie des prodiges qu'ils trouveraient dans le nouveau monde. « Un homme plein de sève comme lui et avec la tête dans les nuages a besoin d'une femme comme moi, se dit-elle satisfaite et fatiguée. Tant pis s'il féconde mes filles au lieu de me féconder moi. »

•

Tant les gens qui allaient partir que ceux qui resteraient éprouvaient la même difficulté que la sorcière pour se représenter le Brésil. Ils se faisaient une image de l'Amérique du Nord comme étant une Livonie très riche, où tout était possible et où les terres étaient infiniment vastes. Mais là s'arrêtait leur imagination, dans une sorte de Livonie et de Courlande qui seraient meilleures. Mais, meilleures comment ? Ils ne savaient pas le préciser. C'était tout de même un monde familier, dont on entendait parler depuis longtemps et où les gens s'en allaient pour chercher fortune. Ce Brésil, au contraire, était d'abord beaucoup plus distant, si loin qu'ils n'avaient pas pu apprendre avec précision combien de jours et de nuits ils passeraient dans le bateau. Chacun avait retenu la mention de choses assez inquiétantes qui n'existaient que là-bas, à commencer par la multitude de nègres, dont ils n'arrivaient pas à se faire la moindre idée. Musiciens ou pas, personne ne pouvait dire s'ils étaient aussi sauvages ou belliqueux que les ennemis du Kaiser en Afrique occidentale. Le docteur Sigailis avait malencontreusement laissé entendre que beaucoup de ces nègres se promenaient presque nus à cause de la chaleur et de leur ignorance concernant les usages de la pudeur et de la décence. Ou de l'impossibilité de se trouver des vêtements dans la brousse, le pharmacien ne savait pas au juste. Peut-être qu'il exagérait un peu pour se faire valoir aux yeux des gens, mais il avait affirmé devant tous les clients de la taverne que les femmes africaines ne couvraient jamais leurs seins et que même les jeunes filles n'éprouvaient aucune gêne à s'exhiber de la sorte devant des hommes inconnus. Voilà qui était extrêmement bizarre, avec des implications morales difficiles à analyser, et qui excitait dans tous les sens l'imagination ou la crainte des gens de la paroisse. Par ailleurs, il y avait aussi les bêtes féroces et les forêts très denses, peuplées de singes, d'insectes et d'oiseaux multicolores, ainsi que de serpents. D'énormes serpents, des crocodiles, des scorpions et des araignées poilues.

Pourquoi le pharmacien répandait ainsi toutes ces rumeurs inquiétantes à mesure qu'approchait la date du départ ? Il répondait que peu à peu sa mémoire s'était mise en marche et qu'au fur et à mesure qu'il y pensait, il se souvenait d'autres détails de ses randonnées africaines. Et que l'Afrique devait ressembler comme deux gouttes d'eau à ce Brésil où ils allaient bientôt se perdre.

Les gens, incapables de se représenter concrètement un endroit si insolite, se limitaient à donner libre cours à leur imagination, en exagérant jusqu'au grotesque les concepts familiers de forêt, de marais, d'insecte ou de couleuvre. Si plusieurs d'entre eux se montraient soit sceptiques, soit curieux de rencontrer ces merveilles, d'autres cultivaient une peur intense et souffraient de cauchemars la nuit. Ceux qui allaient partir gardaient le silence sur ces choses exotiques, en évitant de les aborder pour ne pas perdre courage et tout laisser tomber à la dernière minute. Ceux qui allaient rester commentaient à voix basse, en se réjouissant de ne pas abandonner leur Lazispils familière et protectrice comme ces aventuriers qui allaient mettre en péril leur femme et leurs enfants. Plus ils fantasmaient sur la lubricité des sauvages et le pouvoir des serpents, plus la confusion grandissait dans leurs esprits, ouvrant même des brèches à des pensées inavouables.

Et inutile de chercher le réconfort auprès du pasteur. De plus en plus fébrile, Waldemar s'abandonnait à son enthousiasme fulgurant, aussi bien dans ses conversations que dans ses prêches. Il ne reculait devant aucune hyperbole pour faire l'apologie de cette destination formidable où ils allaient trouver le salut. Cela excitait davantage les esprits et les craintes, en repoussant ce qui serait leur nouveau pays de plus en plus vers le registre du fantastique. Quelques paroissiens étaient d'ailleurs persuadés que le pasteur Waldemar Salis devenait sinon complètement fou, du moins un peu dérangé de la cervelle, et ils se réjouissaient en silence de la venue prochaine de son remplaçant. Il y en avait même qui attribuaient cette transformation soudaine, d'un homme si doux et pensif en une espèce de visionnaire, à des sorts ou à des breuvages sinistres concoctés par sa sorcière de belle-mère. Certaines femmes qui regrettaient la décision d'émigrer prise par leurs époux n'écartaient pas l'idée que tout cela, absolument tout ce qui leur arrivait, pouvait avoir une origine démoniaque.

•

Le jour du départ approchait quand, un soir, Antonija ressentit les premières douleurs. Selon les calculs d'Alija, c'était encore avant le temps. Mais Antonija savait sans doute mieux que quiconque ce qu'il en était ; en compagnie de Martha, elle accourut chez sa mère, en ordonnant à son mari de ne pas sortir de l'école avant d'avoir reçu des nouvelles de l'accouchement. Waldemar alla tenir compagnie à Alexandr, et les deux époux n'eurent d'autre choix que de passer la nuit éveillés à tenter de jouer aux échecs.

— Je sais ce que tu dois ressentir, Sacha, lui dit Waldemar en tirant sur sa pipe. Quand c'était le tour de Martha, j'ai passé la journée entière assis sur la neige devant l'isba de notre belle-mère. Mais il ne faut pas que tu te chagrines, ce sont des histoires de femmes et Alija est une experte en choses féminines. Luther a dit…

— Arrête, Waldemar ! Épargne-moi ton Luther en ce moment. Il avait beau pontifier sur le mariage, c'est sa Katharina qui accouchait de ses enfants. Je me fais du souci, c'est normal. Si proche de notre départ… S'il y a des complications, qu'est-ce que nous allons faire ?

— Il n'y aura pas de complications, Sacha. Antonija est faite comme Martha, avec un bassin magnifique ; tout ce qu'il faut pour accoucher sans problème. Alija s'occupera d'elle. Allez, je nous sers encore du thé et nous jouerons pour chasser tes mauvaises pensées.

La nuit fut longue. La tête d'Alexandr était remplie d'images d'une Antonija livide, criant à l'aide. Celle du pasteur était occupée par la pensée que ce serait bientôt le tour de Martha, qu'elle accoucherait peut-être dans le bateau et qu'ensuite, elle retomberait dans la lascivité pour être engrossée à nouveau. Cela l'éloignerait d'Alija. Et si sa belle-mère trouvait un homme à son goût là-bas, au Brésil ? Waldemar savait qu'elle était une femme avec de grands appétits charnels, et tout ce qu'il avait lui-même imaginé au sujet de cette terre promise allait dans le sens d'un endroit propice aux péchés de la chair. Dans ses propres fantaisies, dont il avait ensuite honte, il s'était vu à son tour en train de contempler la nudité des négresses avec une curiosité qui n'avait rien d'innocent. Surtout qu'il n'avait jamais vu une négresse de sa vie. Dans la noirceur, entre les cuisses de la sorcière, il avait à quelques reprises tenté de s'imaginer qu'il forniquait avec une de ces créatures sauvages et impies, rien que par curiosité ethnologique. Et ces exercices intellectuels l'avaient bien bouleversé. Comment réagiront ses paroissiens devant les mœurs bizarres de ce Brésil si lui-même, un homme de foi, se sentait étrangement attiré par ces abîmes de luxure ? Dans une telle situation, par un enchaînement normal d'idées, Waldemar revit aussi en pensée une journée lointaine où le corps d'Alija s'était curieusement métamorphosé pour ressembler à celui d'Antonija. Et il eut un grain d'appréhension face à cette naissance ayant alors lieu à l'orée des marais. C'était absurde, il le savait, mais si le bébé ressemblait davantage au beau-frère qu'à l'époux ? « Ah ! La fornication… pensa-t-il. Que de soucis cela entraîne ! Pourquoi le Seigneur a-t-Il jugé bon d'accabler les hommes d'un tel châtiment ? N'aurait-il pas été plus élégant de nous faire comme les fleurs, inséminés par les abeilles, entourés de parfums et d'une beauté innocente ? Tes voies sont insondables, Seigneur, et je loue humblement ton nom. »

Le matin, Martha vint les chercher avec la bonne nouvelle. Tout s'était bien passé et Antonija avait mis au monde une robuste petite fille. Elles allaient l'appeler Alija Marija. C'était décidé, pas question de lui donner un autre nom ridicule comme celui que Waldemar avait choisi pour le petit Ruben.

— Une fille, c'est notre affaire à nous, ajouta Martha avec une mine sévère, pour couper court à toute protestation. Moi aussi, je veux que ce soit une fille, celle que je porte dans mon ventre. Sinon, Waldemar, tu me feras une fille la prochaine fois. Il ne faut pas qu'Antonija puisse se vanter d'être la seule qui a une fille, d'accord ?

— Oui, Martha, tant de filles que tu voudras. Mais allons vite les retrouver. Sacha est impatient de connaître son enfant.

— Allez-y seuls, répondit-elle d'un ton sec. Je suis trop fatiguée et Ruben se fait lourd. Il faut que je rentre prier pour que ce soit une fille cette fois. Sinon, je vais mourir d'envie.

Chemin faisant, Waldemar ne put se retenir :

— Je ne comprendrai jamais rien aux femmes, Sacha. Hier encore, elle était toute contente de son Ruben et elle narguait sa sœur. Maintenant, elle l'envie et veut à tout prix une fille. C'est un manque de respect envers Dieu, tu ne trouves pas ?

— Non, Waldemar, Martha est peut-être simplement fatiguée après la nuit qu'elle a passée. Et n'oublie pas que les sorcières sont une lignée féminine ; la naissance d'une fille est pour elles un motif de réjouissances supplémentaires. Les hommes comptent peu à leurs yeux, sinon pour les faire souffrir.

— Ou les féconder… Mais Alija n'est pas comme ça.

— Tu aimes ta belle-mère, pasteur, répondit-il en souriant. Elle t'aime aussi.

— C'est normal d'avoir de l'estime pour ses parents.

— Tu sais très bien ce que je veux dire, Waldemar. Vous vous aimez parce que tu es une sorte de sorcier à ta manière. Ça rapproche, forcément. Où la sorcière pouvait-elle trouver un confrère, sinon chez un pasteur ?

— Je t'interdis de blasphémer, Alexandr.

— Allez, beau-frère, ne te fâche pas. Ce soir, je t'invite chez moi pour célébrer la naissance de ma petite sorcière. Alija Marija... C'est un joli nom... Deux sorcières en fin de compte.

— La mère du Christ n'avait rien d'une sorcière. Un jour, Alexandr, tu répondras de ces paroles devant ton Créateur. Je me demande ce que tu auras à Lui dire pour ta défense.

— Tu te trompes, pasteur. Si ton Dieu sait tout, il doit s'ennuyer à mourir de nos petites imperfections. Y compris des tiennes, même si tu prétends parler en son nom. Sinon, il n'avait qu'à mieux s'appliquer en créant ses créatures. Tu ne trouves pas ?

Malgré la fatigue, Antonija avait très bonne mine. La petite Alija Marija était ravissante et elle ressemblait beaucoup à son cousin Ruben. Mais Alexandr ne trouva rien d'anormal à cela ; Martha aussi ressemblait à sa sœur comme deux gouttes d'eau en dépit de la rumeur qu'elles étaient de pères différents.

— Mes filles et ma petite-fille me ressemblent à moi, dit Alija, comme je ressemblais à ma mère et à ma grand-mère. Et c'est très bien ainsi. Nous n'aimons pas que les hommes viennent s'immiscer dans nos affaires de femmes. Maintenant que tu les as vues, Alexandr, va te reposer. Elles ont besoin d'être seules et d'avoir la paix pour dormir. Tu reviendras demain pour leur rendre visite.

Comme le pasteur faisait mine de s'en aller aussi, Alija insista pour le retenir :

— Reste, Waldemar. Ce n'est pas ta femme ni ta fille, ta présence dans la maison ne les dérangera pas. Je ferai du thé et tu me raconteras encore des choses sur l'Amérique.

Plus tard, couchés et satisfaits, Alija lui demanda en murmurant à son oreille :

— Ah ! Waldemar... Si tu voulais me faire une fille... Je serais si heureuse !

— Tu as déjà deux filles, ma chère, répondit-il en souriant.

— C'est pour peupler ton Amérique, Waldemar, avec d'autres Alijas et d'autres Marijas.

— Non, Alija, il ne faut pas. Le bon Dieu ne voudrait pas qu'on ensorcelle le beau pays qu'Il a choisi pour nous. Tu verras, une fois là-bas, tu cesseras de croire à tes lubies et tu embrasseras seulement la foi véritable. Je m'en porte garant, ma chère.

— Qui vivra verra, pasteur. Qui sait si ce n'est pas toi qui te mettras à faire des miracles ?

•

Une fois les récoltes engrangées, Ivar se montra très avare pour régler les comptes avec les fermiers qui partaient. Il prétextait que les barons de la capitale ne voulaient pas payer davantage cette année, car les récoltes avaient été bonnes dans tout l'Empire et que la surabondance avait fait chuter les prix. Il ajouta qu'en plus, l'agitation dans toute la Russie ne profitait pas au commerce. Il fallut accepter ce qu'il offrait pour le lin, pour le grain, aussi bien que pour les maisons, les meubles et le bétail. Que faire d'autre puisque lui seul disposait de capitaux suffisants pour couvrir une telle dépense ? Le poison du voyage et de l'aventure avait déjà gagné l'esprit des futurs émigrants ; même si plusieurs d'entre eux maudissaient le prévôt et les barons, l'attrait pour l'Amérique était désormais trop fascinant pour qu'ils cogitassent à renoncer.

Les chars envoyés pour le transport des voyageurs et de leurs bagages arrivèrent deux jours avant le départ. L'atmosphère dans le village était plutôt triste et tendue pendant que les gens rangeaient leurs ballots et qu'ils faisaient leurs derniers adieux. Il était temps qu'ils partent pour que la paroisse tente de panser ses blessures et ainsi retrouver un semblant de paix. Cette histoire d'Amérique avait tant bouleversé leurs vies que rien ne serait plus pareil à l'avenir.

Par ailleurs, il était aussi grand temps de partir de là, car même s'ils ignoraient tout de ce qui se passait en Russie, une véritable révolution était en train de se dérouler dans toute l'immensité de l'Empire en ce mois d'octobre 1905. Les grèves, les pillages et les tueries se succédaient un peu partout, tandis que les armées du tsar tentaient tant bien que mal de défendre le régime autocratique par la violence et la terreur.

Au dernier moment, entre les larmes et les fortes accolades, plusieurs ennemis de la veille se réconcilièrent. Les gens demandaient aux voyageurs de leur écrire une fois établis là-bas, car ils voudraient peut-être s'en aller aussi un jour. Gundars offrit à volonté de sa vodka frelatée pour que ceux qui s'en allaient gardent pour toujours le goût des bonnes choses de Lazispils. Il but aussi beaucoup, se laissant noyer par l'émotion, et ne remarqua pas que l'une de ses pensionnaires, Olga, la plus jeune et la plus jolie, n'était pas là pour dire adieu aux émigrants. Comme le docteur Sigailis, le tavernier était ivre et en sanglots quand la caravane des chars s'ébranla aux premières heures d'un matin d'automne, sous le croassement des choucas.

7

Entassés dans les chars parmi les lourds ballots et les paquets de dernière minute, ils s'en allaient tous avec un double sentiment d'appréhension et de fierté. Outre l'admiration qu'ils avaient lue dans le regard de ceux qui restaient à Lazispils, leur fierté venait aussi des documents de voyage qu'ils avaient reçus, respectueusement, de la main du prévôt. C'étaient de simples feuilles de papier timbré avec l'image de l'aigle impérial, sur lesquelles il était écrit en russe, et que la plupart d'entre eux étaient incapables de lire. Mais Alexandr, qui les avait remplies de sa belle écriture, leur assurait que c'étaient bien des documents les concernant personnellement. Et que les étranges tampons au verso étaient des visas de voyage pour aller d'abord à Hambourg, et de là s'embarquer pour le Brésil. Dans ces documents, il était aussi attesté qu'ils étaient des citoyens russes d'ethnie balte, sujets de sa majesté divine, le tsar impérial, et qu'ils partaient en émigration pour toujours et de leur propre volonté. Naturellement, la langue lettone n'y était pas mentionnée, car l'idiome de l'Empire était le russe et le letton était considéré comme une simple lubie de leurs esprits rétrogrades. Sauf pour Waldemar et Alexandr, c'était pour tous les autres la première fois de leur vie qu'ils avaient un tel document attestant leur présence au monde. Cela provoquait forcément un sentiment de fierté, comme s'ils devenaient plus réels du simple fait d'avoir ainsi été désignés par écrit.

Dans la caravane des chars, il ne manquait que le paysan Boris Kanteris, qu'on ne connaissait pas, mais qui se joindrait à eux le lendemain. Questionné à son sujet, le forgeron se limita à dire que c'était une vieille connaissance et qu'il habitait à deux paroisses de Lazispils.

Les chars, tirés par de robustes chevaux, n'allaient pas vite. Ils étaient trop chargés pour ces chemins cahoteux. Les jeunes gens, excités par cette balade qui les changeait du dur travail des champs, se mirent bientôt à sauter à terre pour marcher et courir en longeant la caravane. Au fur et à mesure que le soleil se levait, les esprits se détendirent et chacun des voyageurs commença vraiment à réaliser qu'il partait pour de bon à l'aventure. Les enfants firent la connaissance des deux fils du fermier Tiko Kardis et du jeune fils du bûcheron Bopolis. Ils se mirent assez vite à rire et à jouer ensemble comme s'ils se connaissaient depuis toujours. Les femmes se taquinaient entre elles, dans une sorte de nouvelle camaraderie juvénile, et elles se moquaient les unes des autres lorsqu'elles se plaignaient des douleurs aux fesses à cause des bancs durs et des secousses des chars. Les hommes bavardaient en fumant, dans une insouciance qu'ils n'avaient jamais connue auparavant, sans obligations et oisifs comme s'ils étaient des seigneurs en villégiature.

Plus que les autres, Waldemar avait de la difficulté à contrôler la fébrilité qui s'emparait de son corps et de son esprit. Il se sentait redevenir le gamin d'autrefois, s'en allant sur les routes avec son père, dans une continuelle errance, tels des forains, pour prêcher la bonne parole aux quatre vents. Ce sentiment de liberté absolue, au gré des chemins choisis par des desseins supérieurs, était enivrant. Waldemar se réjouissait de l'avoir aussi transmis à Alexandr et à d'autres membres de la caravane, qui paraissaient fort insouciants. Il était si content que des chants et des phrases bibliques s'échappaient par moments de sa bouche, sans aucun rapport avec ce qui se passait alentour. Quand son regard croisait celui de sa belle-mère, ses mimiques de satisfaction trahissaient presque des désirs inavouables. La vue de Martha et d'Antonija avec leurs enfants, s'en allant ainsi comme des gitanes, provoquait en lui une fierté qu'il ne pouvait pas s'empêcher de comparer à celle qu'avait dû ressentir Jacob, en chemin vers Béthel.

On leur avait dit de prévoir des vivres pour deux jours de voyage, le temps d'atteindre Riga où ils seraient pris en charge par les Allemands de la commission d'émigration. Mais chaque ménagère avait emporté des provisions pour bien plus longtemps que ça. On ne pouvait pas savoir ce qu'on rencontrerait en chemin ; et tant qu'à abandonner ce qu'elles avaient encore de salaisons, fromages, biscuits et confitures, autant tout emporter pour festoyer pendant le voyage. Cette indolence qu'ils ne connaissaient pas, le grand air et le paysage défilant devant leurs yeux ouvraient naturellement l'appétit. Dès que les premiers baluchons de provisions furent ouverts, chaque femme voulant montrer aux autres ce qu'elle avait comme victuailles, ils se mirent tous à manger allègrement, comme s'ils étaient en chemin vers une noce. Même le kvas et les bouteilles de vodka firent une discrète apparition. Après avoir bien mangé, le jeune Willems et Janis Schultz sortirent leurs instruments et la caravane poursuivit sa route au son du concertina, de la balalaïka et de plusieurs voix. Enthousiaste, Waldemar déclara à la ronde que, selon le sage Luther, le diable était un esprit triste, et que la musique le faisait fuir bien loin.

Ils prirent d'abord la direction nord par des chemins vicinaux, jusqu'à la grande route qui allait de Pleskau à Riga. À partir de là, ils allèrent un peu plus vite et avec moins d'inconfort. La première nuit, ils s'arrêtèrent dans une grange pour dormir sur la paille. Bien qu'en pleine saison des pluies, la nuit était froide et claire, comme si Dieu avait vraiment entendu les prières du pasteur pour leur donner du beau temps. Si les adultes paraissaient fatigués, les jeunes gens étaient toujours très excités et ne fermèrent pratiquement pas l'œil. Ils se réjouissaient de bavarder et de rêvasser autour d'un feu de camp pendant que les parents n'étaient pas à leurs côtés pour les surveiller. Cette expérience nouvelle de la liberté, plus que n'importe quoi d'autre, annonçait la rupture définitive avec tout ce qu'ils avaient connu jusqu'alors. Willems tirait des notes si romantiques de sa balalaïka, et chantait d'une voix de basse si chaude, tout doucement pour ne pas réveiller les parents, qu'ils avaient tous des frissons. Quelques mains se touchèrent alors spontanément pour la première fois, et plusieurs d'entre eux commencèrent à associer l'idée de l'Amérique avec des amourettes naissantes.

Le matin, il y eut une grande surprise et de joyeuses retrouvailles lorsque le paysan Boris Kanteris et son épouse arrivèrent, très fatigués après une longue marche. Car ce soi-disant inconnu n'était nul autre qu'Ostwald, le bagnard, le jeune frère du forgeron Paulis, qui avait gagné une nouvelle identité par les bons soins du prévôt Ivar. Et plus surprenant encore, celle qu'il présenta à la ronde comme Otilija Kanteris, sa femme, était la jeune Olga de la pension de Gundars. Même si les gens trouvaient cela presque immoral, personne n'allait le dire, car Ostwald avait eu amplement le temps de laisser pousser ses cheveux et de rembourrer de muscles son corps osseux du passé. Maintenant, c'était un géant plus costaud encore que le forgeron, et il semblait attaché à son Otilija. Cette dernière, vêtue modestement, comme une simple paysanne, avec des chaussures en écorce de bouleau et les cheveux noués sous son fichu, avait regagné une jeunesse et une innocence qu'on ne lui connaissait pas.

Waldemar les accueillit dans la joie. Il annonça à haute voix que c'étaient des fugitifs et des étrangers dans la terre du pharaon. Son élan de bonheur avait aussi été provoqué par cette révélation qui venait de lui enlever une grosse pierre du cœur : Ostwald aurait très bien pu rester avec Alija au lieu de choisir la petite Olga pour compagne. Il remercia humblement le Seigneur de ce don qui frôlait le miracle, car il savait à quel point sa diablesse de belle-mère était capable d'ensorceler un chrétien.

Paulis expliqua à Waldemar que la conduite du prévôt envers son jeune frère n'avait rien eu de miséricordieux, bien au contraire :

— J'ai dû céder ma forge et ma maison contre le document de voyage pour Ostwald et Olga. Ivar avait lui aussi intérêt à le voir disparaître à jamais de la paroisse en ces temps d'agitation sociale, car les gens se souviennent toujours de l'injustice dont mon frère a été victime. Et il craignait des rancunes de leur part, ou de subir le même sort que son prédécesseur. Son départ vers l'Amérique avec un nom d'emprunt arrange bien les choses pour tout le monde, et cette ordure d'Ivar s'est encore enrichi. C'est Gundars qui sort perdant de cette affaire, car il gardait la petite Olga bien protégée dans l'espoir de l'épouser quand Maroussia viendrait à mourir.

— Gundars espère survivre à sa femme ? demanda Waldemar surpris.

— C'est ce qu'il avoue en cachette lorsqu'il est très ivre, et que Maroussia n'est pas dans les parages. Je sais bien que cela peut paraître ridicule, mais le tavernier est un peu versé en chimie et Maroussia est passionnée de sa vodka. Qui sait ce qu'il concocte pour elle ? De toute manière, il est ami du prévôt, et si Maroussia vient à rendre l'âme un jour, personne ne posera de questions.

— Ivar est son ami et il a préparé en cachette un document pour Olga…

— Non, Ivar ne savait pas que c'était elle la femme de mon frère. Je lui ai dit qu'Ostwald avait trouvé une femme en Sibérie et qu'il voulait l'emmener en Amérique. Ils penseront que la petite Olga s'est simplement enfuie de la paroisse en profitant de la confusion de notre départ. Personne ne sait que mon frère avait connu Olga lorsqu'elle était encore une enfant, bien avant son arrestation et son bannissement.

— Dieu fait bien les choses, Paulis, répondit le pasteur en regardant le ciel. Parfois on croit qu'Il nous a abandonnés à un destin cruel et nous nous mettons à douter. Ensuite, quand nous avançons dans la vie, nous remarquons qu'Il avait en fait d'autres desseins pour nous. C'est qu'Il écrit droit même si ses sentences peuvent parfois nous paraître tordues.

— Pasteur, pasteur... fit Paulis en lui touchant les épaules avec ses mains puissantes. J'aurais aimé que Dieu venge un peu mieux les torts que subissent les pauvres gens, ici et maintenant, pour qu'on s'en réjouisse de temps en temps.

— Il les vengera, Paulis, soyez-en certain. L'enfer, ce n'est pas une petite affaire.

— Si je suis aussi en enfer, d'accord, répondit Paulis avec un sourire méchant. Je serais content de voir un type comme Ivar Kumis torturé par moi et quelques démons. Mais si jamais je vais au paradis, je perdrai tout de ce joyeux spectacle.

— Au contraire, Paulis, au contraire. Si vous êtes au paradis, vous jouirez du spectacle en tout confort, comme au théâtre et pour toujours. Tertullien, l'un des pères de l'Église catholique, qui jouissait de l'admiration de Luther, affirme dans ses écrits qu'un des plus grands plaisirs de la vie céleste des justes est la contemplation des tortures que subissent les damnés. En tant que forgeron, vous saurez apprécier les formidables flammes de l'enfer. Mais le plus intéressant, je crois, ce ne seront pas les châtiments du prévôt, qui est un petit pécheur sans importance. Les pires châtiments, les plus spectaculaires, sans doute, seront ceux subis par des types comme le tsar ou les papes de Rome. Vous serez ravi de ces visions ; en enfer, le démon n'a pas la crainte de Dieu et il peut donner libre cours à son imagination. Si cela vous intéresse, je vous lirai quelques passages très édifiants de Luther à ce sujet. C'est délicieux. Luther est un grand spécialiste du démon, pour l'avoir rencontré personnellement à plusieurs reprises.

— Et vous, pasteur, avez-vous déjà croisé le chemin du démon ? demanda Paulis avec un sourire ironique.

— Dieu m'en garde, Paulis ! Je ne suis qu'un simple pécheur, je ne saurais peut-être pas lui résister. Je loue le

Seigneur et je prie pour lui demander de me pardonner, c'est tout ce que je peux faire.

•

Ils repartirent avant l'aube et ils poursuivirent leur route cette deuxième journée, déjà plus habitués à l'idée du voyage. Ayant désormais la certitude qu'ils étaient bel et bien en chemin, Waldemar paraissait se calmer et commençait à s'intéresser davantage à ses paroissiens. Mais il les trouva de bonne humeur et pleins de courage ; les femmes, surtout, paraissaient se distraire beaucoup entre elles et avec les conversations chuchotées qu'elles avaient avec Alija. Loin de ses marais et de Lazispils, la sorcière avait gagné un ascendant certain sur ses voisines, et il était évident qu'elle aussi se divertissait. Martha, Antonija et les enfants avaient l'air de bien supporter les secousses de la route, du moins elles ne se plaignaient pas. La perspective d'arriver le soir à Riga laissait cependant la plupart des voyageurs un peu craintifs, car ils ne parvenaient pas à se représenter une grande ville.

À mesure qu'ils avançaient vers l'ouest, la campagne environnante était plus habitée, et les fermes étaient plus prospères que celles de leur paroisse. Même les forêts avaient l'air d'être mieux exploitées, sans l'aspect sauvage et broussailleux des sous-bois qu'ils connaissaient. Les marais aussi semblaient mieux drainés et formaient de vrais lacs, ce qui amena Alija à penser, avec tristesse, qu'ils allaient vraiment vers un autre monde. Les gens qu'ils croisaient en chemin les saluaient et leur posaient des questions discrètes, redevenant ensuite silencieux et sévères quand ils entendaient parler de l'Amérique. Les émigrants lisaient dans ces visages étrangers à la fois le désir de partir et la peur de s'en aller. Curieusement, cela les remplissait d'une fierté nouvelle, et ils répondaient alors avec des sourires, en minimisant les dangers de l'entreprise, comme si cela n'était qu'une simple balade pour les voyageurs aguerris qu'ils étaient devenus. Mais ensuite, dans leur for intérieur, ils devaient aussi lutter contre le doute et contre la nostalgie des isbas qu'ils avaient laissées derrière eux. À peine un jour de marche et cela commençait à ressembler à une éternité.

À midi, la caravane fit une halte dans le village de Sigulda, au bord de la rivière Gauja, à environ cinquante verstes de Riga. Sans tout à fait bivouaquer, les gens descendirent des chars pour se dégourdir les jambes et pour s'occuper des chevaux. Ils firent un feu pour chauffer la nourriture, et les femmes profitèrent de l'occasion pour laver les couches des bébés dans la rivière.

Attirés par ces voyageurs insolites, les villageois vinrent les voir et les questionner. C'étaient des gens visiblement bien plus nantis qu'eux, non seulement mieux habillés mais habillés différemment. Certains portaient des redingotes de draps de qualité et de belles bottes en cuir luisant. Pour la première fois, les émigrants ressentirent quelque chose de nouveau dans les regards qui se posaient sur eux. Ce n'était pas en priorité l'Amérique qui intéressait les gens de Sigulda, mais leur apparence misérable de romanichels, leurs vêtements d'un autre âge et leurs manières rudes. Les voyageurs remarquèrent les enfants bien soignés et tout proprets des familles locales, les femmes qui paraissaient des dames et les hommes qui les dévisageaient avec une pointe de pitié ou de méfiance. Mais ils ne surent que faire de cette sensation de honte et ils la subirent en silence, avec humilité, tout en se promettant de travailler fort en Amérique pour pouvoir un jour regarder les pauvres avec ces mêmes regards dont il était l'objet. Ils commençaient à s'apercevoir que ce à quoi ils s'étaient jusqu'alors référés par les concepts vagues de « Livonie » et de « Lettons » était bien plus vaste et complexe dans la vie réelle. Il fallait aussi tenir compte des différences radicales entre les riches et les pauvres, entre les paysans et les bourgeois, entre les gens instruits et les analphabètes qu'ils étaient.

Plus tard, à nouveau en chemin, Alexandr aborda cela avec le pasteur, en parlant à voix basse pour ne pas attirer l'attention de leurs compagnons :

— Notre caravane d'émigrants fait bien piètre figure ici, Waldemar. Je me demande comment ils vont nous regarder ce soir à Riga, et s'ils nous laisseront entrer dans la ville.

— Il n'y a pas de honte à être pauvre, Sacha. Chacun de nos hommes est capable d'abattre autant de besogne, sinon plus, que ces gens délicats. De toute manière, si les gens de Lazispils sont pauvres, la faute en revient un peu aux Lettons des villes qui ont abandonné leurs frères de la campagne aux bons soins du tsar. J'ai aussi remarqué leurs regards, mais je l'ai fait avec mépris. Nous allons vers l'aventure, tandis qu'ils resteront ici dans leur marasme, en se croyant meilleurs que nous. Par ailleurs, ce n'est pas mauvais pour nos gens de se sentir un peu humiliés. Ça leur donne un petit aperçu de ce que pouvaient ressentir les plus pauvres chez nous. Te souviens-tu comment ils chassaient l'infortuné Pougala et se moquaient de lui ? C'est à leur tour d'apprendre l'humilité.

— Tu es dur, pasteur…

— Non, je suis juste, Sacha. Nos gens travailleront avec plus d'enthousiasme en Amérique, tu verras. Et, après tout, déshabille en pensée les femmes de ce village et tu verras qu'elles sont semblables aux nôtres. La beauté est dans le corps et dans l'esprit, pas dans les parements avec lesquels nous cachons notre nudité. Habille notre belle-mère et pomponne-la comme une bourgeoise, elle aura aussi l'air d'une dame. Pourtant, ce sera encore la même Alija de toujours. Ça rabaissera un peu le caquet de nos femmes à l'avenir, quand elles se souviendront des femmes rencontrées à Sigulda et ce soir à Riga. Il faut qu'elles s'habituent, car à Hambourg nous aurons tous des airs de Pougala.

— Tu m'étonneras toujours, Waldemar, dit Alexandr avec un sourire. Je ne savais pas qu'un pasteur avait l'habitude de déshabiller les femmes du regard. Au fond, tu dois vraiment être le pécheur que tu prétends être quand tu veux convaincre les gens.

— C'était une façon de parler, Sacha. Une figure de style uniquement. Si tu savais combien les créatures du sexe me font peur depuis mon mariage, tu ne te moquerais pas ainsi à la légère de ton ami Waldemar.

•

Heureusement pour leur orgueil, ils arrivèrent à Riga lorsque la nuit était déjà tombée depuis longtemps. Il y avait peu de gens dans les rues et la lumière blafarde des réverbères était tout juste suffisante pour s'orienter dans les ruelles étroites envahies de brouillard. Des patrouilles militaires armées quadrillaient toute la ville pour tâcher de mettre fin aux tentatives de soulèvement des groupes de socialistes et d'ouvriers révoltés.

Au point de rendez-vous, ils retrouvèrent l'un des Allemands de la commission d'émigration, monsieur Petersen. Celui-ci, d'une mauvaise humeur évidente, commença par les blâmer pour leur arrivée très tardive. Waldemar le fit taire, en répliquant d'une voix agressive, le doigt dressé devant le visage de son interlocuteur, qu'il avait affaire à des chrétiens et non pas à du bétail, et qu'il ferait mieux de les conduire aussitôt vers un endroit convenable pour se reposer avant que ses gens ne se mettent en colère. Surpris par ces paroles brutales du pasteur prononcées dans un allemand tranchant, ainsi que par les regards des hommes de la troupe, le petit fonctionnaire grassouillet prit peur et demanda des excuses. Il les guida alors vers un grand bâtiment militaire désaffecté, où ils seraient logés.

— Votre train partira pour Hambourg dans trois jours seulement, dit-il au pasteur en chemin. Vous aurez le temps de vous reposer. Il y a une cuisine là-bas avec des vivres, et des toilettes avec eau courante. On vous livrera du pain et du lait le matin. Nous attendons encore quelques familles d'autres paroisses pour remplir les wagons que le gouvernement du Brésil a affrétés pour vous.

L'ancienne caserne était en effet un endroit convenable, même si une fois de plus ils allaient dormir par terre, sur de la paille. Mais les femmes pouvaient cuisiner et faire la lessive, et tout le monde pouvait se laver à volonté. Cette nuit-là, après un repas froid pris à la sauvette, trop fatigués, ils s'endormirent rapidement, non sans établir auparavant des tours de garde pour surveiller leurs ballots.

Le matin, de bonne heure, pendant que les femmes faisaient à manger, les hommes déchargèrent leurs bagages. Ensuite ils flânèrent, oisifs, comme si c'était dimanche. Ils ne savaient que faire de tout ce temps libre qui leur tombait dessus, mais ils n'osaient pas sortir de la caserne pour explorer le voisinage. Par les fenêtres, ils regardaient la grande ville se réveiller, les rues se remplir de véhicules, dont quelques-uns très bizarres, bruyants et dégageant une fumée malodorante. Tout cela était dépaysant au point de les paralyser d'inhibition.

Le pain et le lait leur arrivèrent comme prévu et en bonne quantité. Mais là encore, c'étaient un pain et un lait qui ne goûtaient pas comme chez eux à la campagne. L'eau du robinet aussi paraissait distincte, tout comme l'air d'ailleurs, et le bruit qu'ils entendaient venant de la rue.

Quand le monsieur Petersen de la veille arriva avec ses employés pour récupérer les équipages, il se montra beaucoup plus gentil et respectueux. Il s'assura même qu'il ne manquait rien aux femmes et aux enfants. Alexandr fit remarquer au pasteur, d'un ton taquin, que ses paroles colériques avaient bien servi pour remettre le fonctionnaire à sa place. Il ajouta qu'il avait été agréablement surpris de voir son beau-frère, d'habitude plein de mansuétude, être capable de se fâcher contre un autre chrétien.

— Ne te moque pas de moi, Sacha, répondit Waldemar, visiblement flatté. Le doux berger doit être capable d'exprimer sa juste colère pour défendre son troupeau contre les loups. Luther n'avait aucune honte à faire éclater son courroux contre ses ennemis. Après tout, ce petit fonctionnaire est sans doute en train de faire comme Ivar, gagner de l'argent sur notre dos. Il nous doit au moins un peu de courtoisie. Mais tu exagères ; mes paroles n'étaient pas seules pour obtenir leur effet. Elles s'accompagnaient des présences robustes de Paulis, de son frère et d'autres de nos compagnons. Aussi, il y a présentement ici un climat de révolte, et nous devons ressembler à des nihilistes. Cela aide à faire entendre raison aux orgueilleux. S'ils nous méprisent, alors mieux vaut qu'ils nous craignent aussi. Il faut s'endurcir lorsqu'on a choisi la voie des errants qui parcourent la terre. Allez, oublions ça et sortons un peu d'ici pour aérer nos esprits. Je veux te montrer Riga comme je l'ai connue dans mon temps de séminariste. Viens, invitons aussi les autres pour la promenade, ça va nous faire du bien.

L'invitation du pasteur n'eut pas beaucoup de succès auprès des gens. Les femmes refusèrent net de sortir, sans aucune explication, tandis que la plupart des hommes se dirent fatigués, soucieux de surveiller les bagages ou trop craintifs de dépenser leur argent. Seuls Paulis, Ostwald et le jeune Karlis acceptèrent de les accompagner.

— Nos gens ont honte de se montrer à la lumière du jour, remarqua Alexandr. Notre condition devient trop évidente ici en ville. Nos femmes ne supporteraient pas le regard que les bourgeois poseraient sur elles.

— Tant que nous restons dans cette banlieue ouvrière, ça ira, répondit Waldemar. Les gens de ce quartier sont bien plus misérables que nous. Ils s'habillent en citadins mais cela est trompeur. Ne vous laissez pas impressionner par leurs regards, mes amis. Remarquez plutôt leur visage et vous verrez qu'ils mangent moins bien que nous.

— En Russie et en Sibérie, c'était la même chose, dit Ostwald. Les ouvriers et les bourgeois méprisaient autant les paysans. Surtout les ouvriers… Je n'ai jamais compris pourquoi. Comme ici, ils avaient la même langue et la même religion que nous. Mais leur mépris était proche de la haine.

— Comme nous méprisons les Juifs, sans trop savoir pourquoi, dit Alexandr.

— Ce n'est pas la même chose ! fit le pasteur d'un air indigné.

— Pourquoi n'est-ce pas la même chose, beau-frère ? Chacun méprise celui qui a l'air différent ou celui qui est plus pauvre. Que je sache, leur Dieu est le père de ton Christ et l'amant de la Vierge Marie.

— Ne blasphème pas, Alexandr ! s'écria Waldemar, pendant que les trois autres s'esclaffaient de rire. Tu mélanges tout. Le Christ est notre sauveur justement contre la colère du Dieu des Juifs. Tout le monde sait ça depuis Luther.

— Et c'est moi que tu accuses de tout confondre, cher beau-frère ? Allez, cessons de nous disputer pour ne pas attirer l'attention des gendarmes. Les temps sont durs ici et ils peuvent se méfier, nous prendre pour des agitateurs. Si on t'arrête, Waldemar, et si tu te mets à prêcher dans ta cellule, ils t'enverront tout droit en Sibérie. N'est-ce pas, Ostwald ?

— Oui, répondit le géant en regardant le pasteur avec tendresse. Les temps sont durs, Waldemar. Mieux vaut ne pas se faire remarquer par ces soldats qui patrouillent un peu partout. Nous ne savons pas encore ce que valent ces papiers que le prévôt nous a donnés.

Leur longue promenade fut bonne pour se dégourdir les jambes après les deux jours de route, mais elle ne leur permit pas de voir grand-chose de la ville. Il tombait un crachin glacial et le brouillard cachait les détails des belles maisons bourgeoises qu'ils croisaient en chemin. Sans se l'avouer, Waldemar aussi se sentait un peu dépaysé devant tant de gens bien habillés et au pas pressé, devant le trafic intense et tant d'équipages luxueux qui leur coupaient la route. Il préféra rester en périphérie de la ville et alla leur montrer la rivière Daugava à l'extrémité du port uniquement, ce qui semblait convenir à ses compagnons. Mais ils s'arrêtaient longuement devant les vitrines des magasins, étonnés à la fois par les marchandises exposées et par leurs prix exorbitants. Chacun d'entre eux commençait à peine à mesurer l'étendue de leur pauvreté. Ils s'attablèrent malgré tout dans une grande brasserie pour goûter la bière, se contentant chacun d'une simple chope pour ne pas trop dépenser. Ce n'était pas une bière si différente de celle que Gundars vendait dans sa taverne, mais elle était bien plus chère. Ils retournèrent à la caserne à l'heure du repas, en se disant que les femmes allaient préparer de meilleures choses que ce qu'offraient les restaurants.

Quand les compagnons ont demandé leurs impressions sur Riga, ils n'ont su répondre autrement que par des phrases vagues : « C'est grand, mais les habitants ont l'air de vivre entassés. C'est aussi très sale dans les ruelles étroites, et ça sent mauvais. On respire moins bien que chez nous. Les prix sont prohibitifs pour des gens comme nous. Les soldats russes sont partout et nous regardaient avec suspicion à cause de nos habits de la campagne. Il paraît qu'il y a des révoltes et de l'agitation dans tout l'Empire. La Daugava est belle, certes, mais elle serait bien plus belle par une journée claire d'été. De toute manière, nous aurons l'occasion de voir beaucoup d'eau, des semaines durant, avant d'arriver en Amérique. Quant aux pauvres, il paraît qu'ils sont encore plus pauvres que nous et qu'ils n'ont pas assez à manger. Beaucoup de grandes maisons sont très belles vues du dehors, mais peut-être qu'elles sont moins belles dedans. Le trafic est épouvantable, les rues sont trop encombrées et les gens se bousculent. C'est aussi très dangereux, car les tramways vont à une grande vitesse et ils ne font pas attention aux passants qui marchent dans les rues. »

Seuls Waldemar et Alexandr ressortirent le lendemain pour aller visiter la cathédrale de Riga, ce monument de la foi réformée. Mais ce fut une visite bien décevante pour le pasteur, car en l'absence du doyen et du surintendant, ils furent très mal reçus par un simple diacre. Au contraire de ce qu'il pensait, Waldemar se rendit alors compte que l'apparence jouait un rôle primordial chez les protestants de la grande ville. Le diacre, visiblement dégoûté par l'allure et par les vêtements des deux visiteurs, leur refusa l'entrée dans les salles privées des pasteurs. D'un ton cassant, il leur ordonna de rester uniquement dans l'église, s'ils désiraient prier, et de ne voler aucun psautier en partant. Waldemar était si révolté, protestant qu'il était un vrai pasteur ordonné, qu'il faillit perdre le contrôle et s'en prendre physiquement au diacre. Heureusement, Alexandr le raisonna et le tira hors de la cathédrale avant qu'il ne fasse un esclandre et attire l'attention de la police.

— Il est temps qu'on parte de ce monde pourri, Sacha, dit Waldemar tout dépité alors qu'ils retournaient à la caserne. Même l'église de Luther se corrompt dans cette atmosphère délétère de richesses et de frivolité. D'agitation socialiste et athée aussi. On se méprise même entre Lettons... Le châtiment divin va être impitoyable, Sacha, je n'ose même pas l'imaginer. Mais je t'en prie, beau-frère, garde le silence sur ce qui vient de se passer. D'accord ? Je me sens déjà suffisamment humilié.

Quatre familles lettones venant d'autres paroisses arrivèrent pendant la soirée pour se joindre à eux. Monsieur Petersen les avertit de se préparer puisque leur contingent était maintenant complet, et que leur départ se ferait le lendemain soir. Des chars à bancs viendraient les chercher en fin d'après-midi pour les emmener à la gare.

•

Le train pour Hambourg était un long convoi de wagons de passagers et de marchandises. Des porteurs entassèrent les bagages dans un fourgon et les voyageurs prirent tous place dans un wagon de troisième classe, étroitement surveillés par des soldats armés. Ils seraient accompagnés par monsieur Petersen, lequel allait s'occuper de toutes les formalités administratives et leur procurer des repas. Toutefois, le fonctionnaire voyageait en première classe et il viendrait les rejoindre seulement quand le train s'arrêterait à Varsovie.

Leur wagon était dans un piètre état, avec des banquettes en bois peu confortables et une mauvaise odeur d'oignons pourris et de tabac refroidi. Les fenêtres aux vitres sales ne fermaient pas bien et laissaient passer le vent froid de la nuit. Mais les voyageurs ne trouvaient rien à redire, tant ils étaient à la fois impressionnés et craintifs à la perspective de ce voyage en train. Rien que la vue de la locomotive fumante au bout du quai avait déjà provoqué des murmures d'étonnement, pendant que le forgeron Paulis tentait tant bien que mal d'expliquer à la ronde le fonctionnement des machines à vapeur :

— Une locomotive, c'est tout à fait comme la batteuse à vapeur des fermiers riches, en plus grand. La batteuse tourne et bat les épis pour séparer le grain ; la locomotive tourne aussi, mais pour avancer et tirer les wagons.

Cela avait l'apparence d'une explication rationnelle et bien satisfaisante, même si le fonctionnement interne de ce genre de machines restait entièrement mystérieux. Et ce mystère était fort inquiétant pour beaucoup d'entre eux. Quand le convoi se mit en branle, plusieurs des voyageurs retinrent leur souffle, en se demandant ce qui allait arriver et pourquoi le monde à l'extérieur des fenêtres se mettait à fuir en arrière devant leurs yeux. Des femmes se mirent à prier et à pleurer. À la faible clarté qui entrait par les fenêtres, Waldemar vit Alija faire le signe de croix orthodoxe, d'abord sur sa poitrine et ensuite sur le ventre de Martha. Le pasteur décida donc d'intervenir pour les calmer et les rassurer. Il insista sur le fait très connu que les chemins de fer étaient une invention divine, pour faciliter le déplacement des créatures, et non pas démoniaque comme le souffle de la locomotive pouvait le suggérer. Il ajouta que c'était une invention bonne et sans danger, et il leur demanda de ne pas s'étonner quand ils entendraient le sifflement que la locomotive allait émettre à diverses reprises durant le voyage. Il leur apprit aussi qu'ils pouvaient se servir sans crainte du minuscule cabinet de toilettes, car ce n'était qu'un trou donnant sur la voie ferrée. Enfin, il leur dit que de l'eau chaude pour le thé leur serait servie tôt le matin, avant l'arrivée à Varsovie.

Le wagon n'était ni chauffé ni éclairé, et la nuit était froide et humide. Mais le rythme des roues sur les rails et le balancement discret du wagon eurent l'effet bénéfique de détendre les gens. Bientôt, emmitouflés du mieux qu'ils le pouvaient, plusieurs d'entre eux somnolaient, accotés sur leur voisin de banquette. D'autres fumaient en silence ou s'entretenaient à voix basse, pendant que le train avançait dans une noirceur presque absolue.

Ce fut une nuit étrange pour la plupart d'entre eux. Dans un sommeil léger, entrecoupé de cauchemars et de réveils abrupts, ils étaient parfois bousculés par les rares courageux qui osaient se rendre aux toilettes en s'éclairant avec des allumettes. Ici et là, des soupirs, des ronflements et d'autres sons humains n'étaient pas en mesure de cacher le bruit rythmique du convoi avançant sur les rails, du grincement des roues lors des longues courbes ou le sifflement mélancolique de la locomotive. Il y eut des arrêts dans des gares inconnues, comme Schaulen, Wilna, Grodno, Bialystok, mais les voyageurs du wagon de troisième classe ne perçurent que des quais vides, des lumières pâles ou quelques affiches exotiques.

Le matin, ankylosés mais contents de se réveiller et de constater que rien de mal ne leur était arrivé, ils accueillirent dans la joie les bouilloires d'eau chaude et le thé fort apportés par un employé du train. Les femmes sortirent les verres, les biscuits et les pots de confiture, et les gens célébrèrent cette autre étape qui venait d'être franchie dans leur aventure. La campagne défilant par la fenêtre n'était pas encore très distincte de celle qu'ils avaient abandonnée quelques jours auparavant, même si l'agent en uniforme affirma qu'ils se trouvaient maintenant dans le gouvernement autonome de Pologne.

Treize heures après être montés dans le train, ils arrivèrent à Varsovie. La laideur des banlieues sales et décrépites que le train parcourait à basse vitesse, en poussant maints sifflements, leur fit une très mauvaise impression. Cela semblait confirmer tous les préjugés qu'on avait depuis toujours colportés en Russie sur cette Pologne misérable et catholique.

— Ce ne sera qu'un court arrêt, leur annonça le pasteur pour répondre à leurs inquiétudes. Nous ne sortirons pas de la gare. Il faut seulement changer de train. Ils s'occuperont de transférer nos bagages dans l'autre convoi, ne vous en faites pas. Monsieur Petersen nous retrouvera sur le quai de la gare et nous aurons un petit-déjeuner en attendant notre train pour Hambourg.

La gare était bondée de gens d'allure étrangère, dont beaucoup de mendiants et de Juifs dans des accoutrements bizarres. Des soldats russes aussi, et des curés papistes avec leurs soutanes menaçantes. Ils entendaient un charabia de langues inconnues, les gens semblaient pressés et méfiants, voire agressifs, et l'ambiance générale était celle d'une grande confusion. La quantité de voies ferrées et de convois n'était pas rassurante, et les émigrants cherchaient péniblement à s'agglutiner entre eux par peur de se perdre dans la foule ou de disparaître à jamais dans un train qui n'était pas le bon.

Monsieur Petersen les regroupa non sans difficulté sur un quai désaffecté, où des porteurs firent la distribution du repas qu'il avait promis. Ce fut un petit-déjeuner des plus modestes : du thé, des pommes de terre cuites, du pain et des morceaux de saucisson sec, le tout très froid et enveloppé dans du papier journal. Seuls les enfants reçurent une tasse de lait. Mais ils avaient faim et mangèrent de bon appétit, assis par terre sur le ciment glacial de la gare, sous le regard curieux des voyageurs de passage.

L'attente à Varsovie dura seulement quelques heures. Ils prirent ensuite place dans un autre wagon de troisième classe, qui ne différait du premier que par les inscriptions en allemand plutôt qu'en russe. C'était le train express qui faisait la liaison entre Varsovie et Berlin. Encore neuf autres heures d'un voyage très inconfortable pour les fesses et les dos déjà maltraités par la première étape. Mais, de jour maintenant, le temps paraissait passer plus vite grâce au spectacle intéressant se déroulant devant les fenêtres. Il était aussi plus agréable de pouvoir se rendre aux toilettes sans devoir affronter la terrible noirceur de la nuit précédente.

À la gare de Bentschen, peu après la ville de Posen, à la frontière entre l'empire de Russie et l'empire d'Allemagne, le convoi s'arrêta. Des gendarmes prussiens aux uniformes colorés et aux casques brillants vinrent les contrôler en compagnie de monsieur Petersen et d'un autre fonctionnaire allemand. Curieusement, s'il avait semblé jusqu'alors très sûr de lui-même et passablement rigide, monsieur Petersen se montra plutôt humble et mielleux lorsqu'il répondit aux questions des autorités de son propre pays au sujet des émigrants. Les gendarmes, quant à eux, gardèrent leurs airs méprisants et dégoûtés au point de ne pas vouloir toucher aux documents de voyage que chacun leur présentait. Ils se permirent même des commentaires à haute voix, entre eux, au sujet de l'odeur de corps fatigués qui régnait dans le wagon, ainsi que sur « cette bande de moujiks misérables, dont le tsar voulait se débarrasser à l'étranger ».

Les émigrants, surtout ceux qui comprenaient l'allemand, durent avaler en silence cette vexation, car ils se savaient désormais sans protection en ces terres étrangères. Il valait mieux faire semblant de ne rien remarquer et jouer la carte de la douceur puisque même monsieur Petersen, tout fonctionnaire qu'il était, semblait craindre ces douaniers prussiens. Waldemar se sentait particulièrement amer et trahi de se voir traiter ainsi dans le pays et dans la langue de son cher Martin Luther.

— L'émigration est une bonne école d'humilité et de modestie, dit-il plus tard à Alexandr sans avouer sa honte. Ça formera l'esprit de nos gens. Ces policiers armés et stupides savent qu'on dépend d'eux pour continuer notre chemin. C'est justement cette prépotence que nous fuyons, Sacha. Tu verras que tout se passera autrement en Amérique. Ce n'est pas sans raison que les empires craignent la démocratie comme la peste.

— Je te signale pour la énième fois, pasteur, que le Brésil n'est pas l'Amérique. Mets ça une fois pour toutes dans ta tête de mule, Waldemar, pour ne pas trop être déçu là-bas.

— Amérique ou pas, ils n'ont pas de roi là-bas. Ça me suffit, Sacha. Nous serons toujours des étrangers mais nos enfants seront Brésiliens, et ils sauront se défendre. Tandis qu'ici, même Petersen rampe devant l'autorité en uniforme.

— L'uniforme s'accompagne toujours d'armes, Waldemar. Avec ou sans roi, celui qui est armé peut écraser ses semblables. Je me demande comment seront les gendarmes au Brésil.

— Ton pessimisme finira par te tuer, Sacha. Dans la terre promise par Dieu, les choses se passeront tout autrement qu'ici.

— C'est tout ce qu'il sait faire, ton Dieu, pasteur : promettre, promettre et encore promettre aux pauvres que tout sera autrement. Pendant ce temps, il se gave à la table des rois et des tsars. Oublie ton Dieu pour un instant et profite du paysage, Waldemar. Après tout, c'est le pays de ton Luther.

— Tu es un méchant nihiliste, beau-frère. Même au pays de Luther, il reste encore beaucoup de choses à accomplir. Je le sais très bien ; tu n'as pas besoin de tourner le fer dans la plaie.

— C'est que je t'aime, Waldemar, répondit Alexandr avec le sourire. Et comme dit ta Bible, celui qui aime bien châtie bien. Allez, j'ai une surprise pour toi, ajouta-t-il en déballant un échiquier en tissu qu'Antonija lui avait cousu pour le voyage. Nous allons pouvoir jouer partout, beau-frère. J'aime jouer avec toi quand tu es fâché, et je sens que ta colère vient seulement de commencer.

•

Ils arrivèrent le soir à Berlin, fourbus et affamés. D'autres fonctionnaires les attendaient à la gare et, cette fois, ils eurent droit à un vrai bon repas dans une brasserie populaire des environs. Il y avait du lait, de la bière et de la limonade gazeuse à volonté pour accompagner les grosses platées de choucroute, de pommes de terre et de lard.

— Tu vois, Sacha ? dit Waldemar en mangeant avec appétit. Il ne faut jamais désespérer. Tout finit par s'améliorer lorsqu'on garde la foi.

— Tu dis « s'améliorer », Waldemar ? répondit Alija à la place de l'instituteur. Comment sais-tu que ce n'est pas le début de la fin ? Je me souviens de la façon dont on tentait de gonfler le ventre des vaches avant de les conduire à la foire. Qui sait si ce petit Allemand ne souhaite pas nous redonner bonne mine avant de nous vendre aux gens de l'Amérique ?

— Mais non, ma chère, répliqua le pasteur de bonne humeur. Tu vois qu'ils nous traitent bien, pas comme du bétail. Petersen a sans aucun doute reçu des fonds pour notre subsistance en chemin ; comme nous ne sommes plus dans le pays du tsar, il peut maintenant nous régaler. Ici, c'est un pays de culture et non pas de cosaques ou d'obscurantisme orthodoxe, Alija. Nous sommes libres dorénavant, notre voyage devient une simple promenade. À Hambourg, avant de nous embarquer, je tiens à vous faire voir la ville. C'est là que j'ai fait une partie de mes études. C'est un endroit formidable. Souviens-toi, Alija, que tu avais aussi peur dans le train. Pourtant, tout s'est bien passé, n'est-ce pas ? Regarde les yeux grands ouverts des jeunes gens et des enfants de notre groupe. Ils ont sans doute déjà oublié la misère de Lazispils.

— Waldemar a peut-être raison, Alija, ajouta Alexandr. Après ce repas-ci, je commence à lui faire un peu plus confiance. Qui sait si Waldemar ne nous conduit pas vers une aventure heureuse ? De toute manière, je suis déjà content pour nos jeunes gens, de les voir loin de Lazispils, en train de regarder le monde avec des yeux nouveaux. Pendant des années à l'école, je n'ai jamais réussi à les éveiller comme ils le sont en ce moment.

— Que Dieu vous entende, les deux rêveurs, répondit-elle avec un soupir. Je ne me plains pas, remarquez. Je vois que mes filles aussi sont contentes en dépit de la fatigue. Tout va bien jusqu'ici, mais pour combien de temps encore ?

— Tu doutes, Alija, dit le pasteur avec tendresse. Tu seras condamnée à douter encore, ma chère, tant que tu n'auras pas abandonné tes croyances païennes. Oublie la Russie et ses forêts sinistres, pleines d'esprits d'un autre âge. Pense à l'Amérique.

— Je ne fais que ça depuis des mois, Waldemar. Je ne fais que ressasser cette fameuse Amérique et mon imagination commence à me faire peur.

— Tu confonds l'Amérique avec tes forêts et avec tes marais. Attends d'arriver là-bas et cesse de te tourmenter.

— Je ne suis pas la seule, Waldemar. Les autres femmes aussi ont peur. Elles se confient à moi parce que vous, les hommes, vous semblez tous ensorcelés par cette aventure. C'est comme si vous étiez devenus des vagabonds en quelques jours à peine. Qui nous dit qu'une fois là-bas, vous voudrez encore de nous, de vos familles ?

— Nous aussi, nous avons peur, Alija, répondit Alexandr. Waldemar a peur mais il n'ose pas l'avouer pour ne pas nous décourager. C'est naturel, nous sommes en train de nous arracher à notre passé. Mais rassure les femmes, du moins en ce qui nous concerne. Le voyage va finir un jour et elles retrouveront alors leurs hommes comme auparavant. Nous serons plus unis encore après avoir vécu tant de nouvelles choses ensemble.

—Je me le demande, Alexandr… dit Alija avec un soupir. Je commence à croire que la sorcellerie du pasteur est plus forte que la mienne, du moins pour les hommes. Cette aventure les fait redevenir des gamins.

— C'est la vraie foi, Alija, répondit le pasteur avec un large sourire. C'est l'ouverture vers le possible, ma chère.

—Je ne parle pas de foi, Waldemar, je parle de sorcellerie. Et je croyais être la seule à m'y connaître en magies et en sortilèges.

8

Les voyageurs arrivèrent à Hambourg tôt le matin, dans un état d'extrême fatigue qui les faisait ressembler à des somnambules. Monsieur Petersen avait télégraphié la veille depuis Berlin, et ils furent accueillis par d'autres fonctionnaires. Une sorte de grand omnibus tiré par des chevaux les attendait déjà à l'entrée de la gare. Les bagages furent empilés dans un char et le groupe d'émigrants se laissa transporter passivement en direction des nombreux entrepôts de marchandises du gigantesque port à l'embouchure de l'Elbe. Ils traversèrent ainsi toute la ville de Hambourg sans trop s'y intéresser et se laissèrent ensuite tomber comme des fardeaux sur les lits de camp de ce qui semblait être une caserne désaffectée du port. Le copieux repas de la veille au soir paraissait encore suffire à la plupart d'entre eux, qui préférèrent aller dormir plutôt que déjeuner. Seuls quelques-uns se présentèrent à la distribution de lait et de brioches dans une cantine roulante stationnée sur le terrain des entrepôts.

Les voyageurs dormirent ensuite la plus grande partie de la journée, d'un sommeil lourd mais agité de rêves étranges. Les pleurs des bébés les réveillèrent en fin d'après-midi et, à leur grand étonnement, ils se rendirent compte que treize jours s'étaient miraculeusement écoulés, disparus à jamais. En effet, bien que partis de Riga le quinze octobre, au lieu d'être à présent le dix-sept octobre, c'était déjà le trente, comme l'indiquait clairement le calendrier sur le mur de la guérite des surveillants de l'entrepôt.

— Nous sommes bien le trente octobre, insista le gardien, étonné d'apprendre que ces gens-là voyageaient depuis tant de jours.

Alexandr et Waldemar tentèrent vite d'éclaircir le mystère. Mais leurs explications parurent plutôt absurdes au reste du groupe et ne firent qu'augmenter l'appréhension de plusieurs d'entre eux face à leur aventure américaine.

— En entrant dans l'Empire allemand, nous sommes entrés dans un monde régi par un autre calendrier, qu'ils appellent le calendrier grégorien, ajouta l'instituteur. Remarquez que cela ne change rien à notre vie concrète. Les jours restent ce qu'ils étaient dans l'Empire russe, sauf qu'ici, c'est treize jours plus tard que dans notre calendrier julien.

— Plus tard comment? demanda Anton Landis, visiblement confus. Où sont passés ces treize jours qu'on n'a pas vu passer?

— Ils ne sont pas passés, ces jours, répondit Alexandr. C'est simplement une autre façon de les compter. C'est comme pour les langues: ici, on appelle *Holz* ce que chez nous on appelle *koks*, et qu'en Russie on appelle *les*. Mais, en fin de compte, c'est toujours le même bois qu'on peut tailler ou qu'on utilise pour chauffer nos poêles. Il n'y a pas de quoi s'étonner, Anton. D'autres pays, d'autres mœurs.

— Les fêtes de Noël et de Pâques... dit Paulis d'un air pensif. Est-ce qu'elles arrivent aussi plus tôt que chez nous?

— Oui, répondit Waldemar tout aussi pensif. Hélas! Elles arrivent ici treize jours plus tôt. Mais ce sont les mêmes fêtes sacrées, je peux vous l'assurer.

— Comment sont-elles les mêmes, pasteur? insista le forgeron. On ne peut pas changer ainsi, à notre guise, la naissance du Christ ou sa résurrection.

— C'est difficile à expliquer, Paulis, mais ce sont les mêmes fêtes, répondit Waldemar. En fait, c'est le tsar qui nous trompait en faisant ajouter treize jours à notre vie pour faire plaisir aux popes orthodoxes. Tout comme les barons vous obligeaient à travailler deux jours de la semaine pour eux. Une sorte de dîme scandaleuse, si vous voulez mon avis. Maintenant, en pays luthérien, nous célébrerons enfin les fêtes à la bonne date, et le Christ n'en sera que plus content.

— Tout ça me paraît bien étrange, Waldemar, dit Alija encore méfiante. Si en voyageant un peu dans la direction du couchant, nous avons déjà perdu treize jours, qu'en sera-t-il de nous quand nous serons en Amérique ? C'est pour ça qu'on arrivera là-bas en plein été ?

— Oui, ma chère, répondit Waldemar. On y sera en été mais ce n'est pas à cause du calendrier. Dorénavant, nous serons toujours dans le bon calendrier, le vrai, croyez-moi. Fini les astuces du tsar pour opprimer les pauvres gens. Là-bas, en Amérique, ce sera l'été parce que c'est très au sud. Chacun sait qu'il fait plus chaud à mesure qu'on voyage vers le sud.

Les discussions continuèrent encore, très animées, pendant le souper servi par les cuisiniers militaires de la cantine roulante. Tout en mangeant de bon appétit les platées de haricots au lard, ils s'étonnaient toujours d'un phénomène aussi radical pouvant changer la date du dimanche de Pâques. Cela leur semblait d'autant plus inquiétant que, jusqu'alors, seuls les Juifs avaient joué d'une telle manière avec les fêtes, prétendant que leur pâque tombait sur d'autres jours que la fête de Pâques chrétienne. Mais c'étaient des Juifs, et ils agissaient peut-être ainsi pour faire oublier ce qu'ils avaient fait à Jésus. C'était très suspect. Dans leur for intérieur, quelques voyageurs devinrent un peu plus méfiants à l'égard de leur pasteur, lequel n'avait jamais avoué qu'il célébrait les fêtes religieuses aux mauvais jours pour obéir au tsar. Alija, même si elle n'avait rien compris, tentait de rassurer les femmes qui s'empressaient auprès d'elle dans l'espoir d'avoir d'autres aperçus de ce qui leur arriverait encore d'étrange à l'avenir. Les jeunes gens et les enfants, cependant, ne semblaient accorder aucune importance au fait qu'ils avaient soudainement vieilli de treize jours sans s'en rendre compte.

•

Le lendemain, après une nuit pénible à cause des ballonnements provoqués par les savoureux haricots, auxquels ils n'étaient pas habitués, une autre mauvaise nouvelle vint assombrir les esprits déjà confondus par tant de nouveautés. Waldemar, Alexandr et Ostwald apprirent du surveillant de l'entrepôt où ils séjournaient qu'ils n'avaient pas le droit de sortir pour aller se promener en ville. Ils pouvaient tout au plus se dégourdir les jambes sur le vaste stationnement de l'endroit, sans chercher à quitter l'enceinte. La consigne était qu'ils devaient attendre là, patiemment, jusqu'au moment de s'embarquer. En effet, ils constatèrent ensuite que la grande porte grillagée était cadenassée et que des gardes armés faisaient la ronde à l'extérieur.

À l'arrivée de monsieur Petersen, en compagnie d'un autre fonctionnaire, ils apprirent la raison de ce confinement auquel ils ne s'attendaient pas.

— Vous n'avez pas de passeport ni de visa pour séjourner dans l'Empire allemand, expliqua monsieur Petersen comme si cela était une évidence. Vous avez uniquement des documents de voyage pour transiter par ici, et votre destination est le Brésil. Une fois sortis de Livonie par votre libre volonté, vous avez renoncé à la protection du gouvernement russe et vous êtes devenus des apatrides. Comme le Brésil vous a acceptés en tant qu'immigrants, cela veut dire que vous n'avez le droit de séjourner nulle part ailleurs qu'en territoire brésilien. Les gardes du port qui sont à l'extérieur veillent uniquement à faire respecter votre contrat, pour éviter que quelqu'un parmi vous ne décide de rester en sol allemand.

— Sommes-nous des prisonniers ? demanda Alexandr d'un ton agressif.

— Non, pas du tout ! répondit Petersen avec un sourire conciliant. Vous êtes des voyageurs en transit. Et comme tels, vous devez attendre ici. N'oubliez pas que le gouvernement brésilien a investi des fonds substantiels pour vous amener là-bas en tant que travailleurs, pas seulement pour vous sortir du territoire russe. Nous n'avons pas besoin d'immigrants dans l'Empire allemand, encore moins de réfugiés politiques. D'ailleurs, beaucoup de nos citoyens seront aussi du voyage dans le même bateau que vous, à destination du Brésil et de l'Argentine.

— Eux, les Allemands, peuvent-ils aller se promener en ville ? insista Alexandr.

— Naturellement, ils sont chez eux. Ils ne sont pas des apatrides comme vous. Mais ne vous inquiétez pas, votre attente ne sera pas longue. Votre bateau est déjà amarré au port, en train de se faire avitailler. Il sera prêt à vous recevoir après-demain, au plus tard. Nous sommes ici maintenant pour emporter vos bagages ; ils seront chargés ce soir dans les soutes du navire. Je vous prie donc de séparer ce dont vous aurez besoin durant la traversée et de porter le reste dans les chars. Soyez prévoyants mais n'exagérez pas. En troisième classe, vous n'aurez pas beaucoup d'espace pour ranger tout ce que vous transportez.

— Combien de jours durera le voyage ? demanda Waldemar. Il faut que mes gens le sachent pour choisir ce qu'ils doivent emporter avec eux à bord.

— C'est fort variable, répondit monsieur Petersen. Généralement, un voyage comme celui-ci dure entre trente-cinq et quarante-cinq jours, cela dépend du temps qu'il fera, des courants et de la vitesse du ravitaillement aux escales.

— Quarante-cinq jours en mer ? s'étonna Waldemar.

— Oui, plus ou moins… Il est rare que ça dépasse quarante jours, cependant. Il y a trois ou quatre escales avant d'arriver au port de Santos. Mais vous serez logés avec tout le confort nécessaire, ne vous inquiétez pas. Vous n'êtes pas le premier groupe d'émigrants que nous envoyons là-bas. Nous avons beaucoup d'expérience et nos clients ne se plaignent jamais du traitement qu'ils reçoivent à bord. Cette fois, vous serez environ cent cinquante personnes en troisième classe, dont la plupart sont des Allemands de souche. Vous serez en bonne compagnie.

Waldemar se garda bien de communiquer intégralement la teneur de cette conversation aux autres membres du groupe. D'un commun accord avec Alexandr, il leur dit plutôt qu'ils étaient confinés parce que l'embarquement se ferait d'un moment à l'autre et que tout le monde devait être là, prêt à partir, et non pas égarés en ville. Et qu'ils feraient mieux de rester à se reposer, car le voyage serait long et durerait environ un mois. Quant aux soldats armés de l'autre côté de la clôture, ils étaient là pour protéger les émigrants contre toute tentative de vol. Le grand Ostwald ne fit que sourire en entendant ces propos, mais il ne raconta la vérité qu'à son frère pour ne pas effrayer davantage la gent féminine.

Le soir, après un autre copieux dîner de haricots au lard, le pasteur sortit seul avec l'instituteur pour fumer en se promenant le long de la clôture.

— Cette histoire de fonds engagés pour nous me laisse un peu pensif, Sacha. Qu'en penses-tu ?

— Je n'en pense rien pour le moment, Waldemar. Il est normal qu'ils cherchent à s'assurer que nous ne désertions pas en chemin. Après tout, ils engagent en effet de grandes sommes pour nous amener là-bas. Attendons de voir comment ils comptent rentrer dans leur argent une fois que nous serons au Brésil.

— J'ai eu un mauvais pressentiment quand Petersen a dit que nous étions des apatrides. Ça sonne comme une insulte, tu ne trouves pas ?

— Non, pas une insulte ; c'est plutôt un fait. Nos gens étaient déjà des apatrides à Lazispils. Nous deux, seulement, nous avions des passeports pour voyager vers d'autres gouvernements, et nous n'avions pas le droit d'aller partout. Eux, ils étaient rivés à la paroisse et livrés au bon plaisir du prévôt. Ils étaient déjà des apatrides, d'une certaine manière.

— Tu n'as pas peur d'avoir été acheté comme du bétail ?

— Non, pasteur, répondit-il en souriant. De toute manière, il est trop tard pour avoir des regrets, beau-frère. La présence d'Allemands de souche dans notre voyage me rassure. Le tsar aurait bien pu nous vendre comme serfs aux Brésiliens, pour travailler à la place des nègres. Mais cela ne marcherait pas de la même façon avec les Allemands. S'ils s'en vont au Brésil, c'est que les conditions là-bas ne doivent pas être aussi mauvaises que nous pouvions le craindre. Par contre, je te trouve bien drôle de te faire des soucis tardivement, après tous les mensonges que tu as racontés à tes paroissiens.

— Pas des mensonges, Sacha… J'ai peut-être embelli un peu le tout pour leur donner du courage. C'est mon rôle de pasteur qui l'exige, pour ragaillardir mes paroissiens. C'est ce mot-là, apatride, qui m'a décontenancé. C'est un mot si laid… Il me fait penser à Caïn et je sens le poids de ma responsabilité envers nos gens. Apatride signifie aussi que nous ne pourrons jamais plus revenir en arrière, retourner en Livonie, si nous le désirons un jour.

— Qui donc voudrait revenir en Russie, pasteur ? Mais tu as raison. C'est le côté fâcheux du possible de ton penseur danois. Tant qu'on reste dans les possibles imaginaires, comme tu m'as avoué qu'il l'avait fait, c'est le royaume de la liberté absolue. Mais dès qu'on fait la bêtise de choisir l'un des multiples possibles, on est attrapé et les autres possibles disparaissent en fumée. C'est ce qui se passe avec le mariage, beau-frère : une fois que nous avons épousé la femme de nos rêves, mieux vaut cesser de rêver aux femmes pour ne pas devenir amer.

— Oui, Sacha, nous sommes condamnés à réussir au Brésil parce que nous sommes des apatrides. Cela me rend triste, d'être ainsi au pied du mur.

— Le mot est laid mais il est juste, du moins pour les sujets du tsar. Ce mot, apatride, m'encourage au contraire à partir, à m'éloigner d'ici. J'en ai parlé à Paulis et à Ostwald, et ils sont du même avis que moi. Je me sentirai beaucoup mieux une fois que nous serons au large. Ne te fais pas de bile, beau-frère, tout va bien se passer. Je ne crois pas qu'on t'en voudra jamais pour tes embellissements ou tes fabulations des derniers mois.

— La fatigue, Sacha... Je crois que je me suis épuisé, ces derniers temps, à attendre ce voyage. Soudain, j'ai peur de flancher et je me mets à douter aussi.

Le jour suivant, monsieur Petersen revint en compagnie de deux autres messieurs très distingués, qui furent présentés comme étant des diplomates brésiliens. De vrais Brésiliens cette fois, même s'ils avaient toute l'apparence d'Allemands et que leur allemand était d'ailleurs impeccable. Ceux-ci échangèrent quelques mots polis avec le pasteur et souhaitèrent la bienvenue au Brésil à tout le groupe d'émigrants, en ajoutant qu'ils allaient être très heureux là-bas, car c'était un pays formidable. Ils annoncèrent ensuite que monsieur Petersen allait maintenant échanger leurs roubles contre des reis, l'argent brésilien, lequel aurait cours sur le bateau. Ils pouvaient aussi échanger des marks allemands ou même des thalers d'argent, s'ils en avaient en leur possession. C'était à la fois très suspect et rassurant, car ces deux soi-disant diplomates ne ressemblaient en rien aux Brésiliens tels qu'ils se les étaient imaginés. Suspect, car ils pouvaient bien être de simples Allemands convoqués au port pour les leurrer et les obliger à se départir de leurs précieux roubles. Mais c'était aussi rassurant, car s'ils étaient de vrais Brésiliens, le pays où ils allaient tous ne pouvait pas être aussi sauvage que ce qu'on leur avait laissé croire. Et si on parlait l'allemand là-bas, cela faciliterait beaucoup leur intégration. Après tout, l'allemand était la langue de leur Bible et des hymnes luthériens qu'ils chantaient les dimanches au temple. Sans compter que

Waldemar Salis, leur pasteur, était lui-même pratiquement un Allemand.

Ce fut le taux de change qui finit par les rassurer complètement. Pour chaque rouble, ils recevaient deux billets neufs de cent mille reis, ce qui leur paraissait un miracle. C'étaient des chiffres fabuleux pour des gens qui avaient passé leur vie à compter en kopecks. La moindre piécette en cuivre ou en nickel valait cinq cents ou mille reis. Même les moins fortunés parmi eux se voyaient soudainement en possession de millions de reis, que monsieur Petersen désignait par l'expression *mille-milreis* ou *conto de reis.* Et ces liasses d'argent étaient très rassurantes à tâter dans les poches.

— La vie au Brésil n'est pas chère, expliqua monsieur Petersen à Waldemar. La plupart des habitants n'ont jamais eu entre les mains autant d'argent que vous en avez en ce moment. J'y ai moi-même séjourné l'an dernier et je peux vous assurer que c'est un pays où il fait bon vivre. Si je n'étais pas fonctionnaire du gouvernement de sa majesté le Kaiser, je n'hésiterais pas à aller m'établir là-bas comme commerçant. Les membres de la colonie allemande que j'ai rencontrés sont très prospères, et beaucoup d'entre eux sont arrivés comme vous, en tant qu'immigrants.

— Que le nom du Seigneur soit loué, monsieur Petersen, s'exclama le pasteur. Vous nous redonnez du courage. Savez-vous qui sont ces gens représentés sur les billets de banque brésiliens ?

— D'anciens présidents, je suppose, ou des généraux de l'armée. Pas des rois, en tout cas ; c'est une république maintenant. Ils ont expulsé leur dernier empereur il y a une quinzaine d'années, comme l'avaient fait les Français il y a longtemps.

•

Le *Kreuz des Südens,* un formidable cargo mixte, avec ses deux hautes cheminées, au milieu des grues et des montagnes de charbon sur le quai, leur fit une impression bien plus forte que le train ou les belles maisons bourgeoises. Sa coque noire bariolée de taches de rouille avait un air sinistre, et la petite échelle de coupée semblait fragile et dangereuse. Les voyageurs qui les précédaient allaient en file indienne, craintifs, et disparaissaient ensuite dans les entrailles du monstre comme des âmes en peine s'en allant en enfer. Et pas moyen de reculer maintenant, car les gardes du port les pressaient de prendre place dans la queue vers la guérite du dernier contrôleur, avant d'entamer à leur tour la montée à bord. Les lourds ballots desquels ils n'avaient pas voulu se séparer les encombraient, rendant plus périlleux encore l'accès au navire.

Monsieur Petersen, qui ne serait pas du voyage, fit les présentations de deux fonctionnaires allemands, messieurs Dorf et Bachmann, qui accompagneraient les émigrants dans le bateau jusqu'à Santos. C'étaient deux diplomates assez jeunes, bien habillés, aux mines tendues comme s'ils redoutaient cette responsabilité de conduire les gens à bon port. Ils se chargeraient aussi de veiller au sort du reste des passagers de troisième classe, des Allemands et des Polonais, tous en partance vers l'Amérique du Sud.

Après avoir reçu le dernier tampon de douane sur leurs documents, ce fut au tour des gens de Lazispils d'embarquer, la tête basse et le cœur serré. Les hommes soutenaient les femmes, et les enfants s'agrippaient à leurs mères, tout en évitant de regarder en bas, vers l'espace effrayant entre la coque et le quai, où une eau sombre menaçait de les engloutir.

L'intérieur du navire les surprit aussi. Ils n'avaient jamais pu s'imaginer les étroits couloirs en acier, tapissés de rivets, s'ouvrant sur des passages mystérieux, sur des portes étranges et très basses ou sur d'autres échelles, pour se perdre un peu partout comme dans une vaste fourmilière. Les bouées de sauvetage rouges auguraient des tempêtes et des naufrages terribles. Encore d'autres escaliers à pic, d'autres passages insolites, sous le regard curieux de marins aux uniformes de plus en plus sales et négligés au fur et à mesure qu'ils descendaient vers les soutes. Et, partout, un étrange bruit sourd et des vibrations qu'ils ressentaient sous leurs pas ou en touchant les murs.

Les quartiers de la troisième classe se situaient tout au fond du bateau, au-dessous de la ligne de flottaison. C'étaient de vastes sales communes aménagées pour le transport de bétail humain dans une ancienne soute à marchandises, chacune pouvant loger plusieurs dizaines de personnes. Les étroites couchettes en toile, comme des hamacs, étaient superposées par trois et accrochées le long des parois. Au centre de ces dortoirs, il y avait de grandes tables et des bancs, où les gens mangeraient et où ils passeraient leurs journées lorsqu'ils ne seraient pas couchés. Les installations sanitaires étaient très sommaires, avec deux salles distinctes de latrines et de lavabos, l'une pour les hommes et l'autre pour les femmes. Il n'y avait pas de douches. Les divers dortoirs entouraient une large cour ouverte au grand air, qui servait autrefois à descendre les marchandises et qui pouvait être fermée au besoin par un panneau de charge. Dans cet espace, les passagers pauvres pouvaient marcher un peu à la ronde, respirer l'air du large, tout en regardant le ciel là-haut. Ils pouvaient aussi être regardés à leur tour comme des bêtes exotiques au fond d'une cage par les passagers de la deuxième et de la première classe en promenade sur le pont.

Heureusement, les gens en charge de cette vaste entreprise de transhumance avaient déjà une longue expérience, et ils n'éparpillèrent pas les voyageurs au hasard dans les dortoirs. Ceux venant de Lazispils furent logés ensemble, en compagnie de quelques familles baltes d'autres paroisses. La même chose semblait s'être passée avec les groupes d'Allemands et de Polonais. Cela facilitait l'entraide et évitait des problèmes dus à la promiscuité durant une si longue traversée. Qui plus est, les distinctes tendances religieuses restaient compartimentées et chacun des groupes pouvait célébrer ses croyances sans soulever la colère ou le mépris des groupes voisins. Cela devint évident dès leur arrivée dans leur quartier. Waldemar dut expulser énergiquement de leur dortoir le curé qui accompagnait le groupe de Polonais. Le papiste en soutane s'était en effet faufilé chez eux, le goupillon à la main, décidé à asperger toute la soute d'eau bénite pour prévenir un possible naufrage. Et dans un allemand plus que primitif, le prêtre s'offrait aussi, impudiquement, pour bénir les Lettons et assurer ainsi le succès de leur séjour au Brésil.

L'incident n'eut pas de suite et les gens de Lazispils purent s'installer sans difficulté. Les femmes et les petits enfants occupèrent les couchettes d'en bas, tandis que les hommes et les jeunes gens trouvaient amusant de se hisser sur les couchettes supérieures. Les ballots furent entassés pêle-mêle un peu partout et chacun prit possession de l'espace exigu qui serait le sien durant le prochain mois. Timidement, ils explorèrent ensuite les toilettes communes, ils allèrent jeter un coup d'œil discret sur les autres dortoirs et sur l'espace ouvert de la soute, pour se rendre enfin compte qu'ils étaient bel et bien enfermés dans un enclos qui rappelait l'endroit où Jonas avait été confiné malgré lui. Que faire d'autre, sinon attendre assis aux tables ou couchés, en tentant de ne pas montrer leur appréhension les uns aux autres pour ne pas compliquer les choses ? Il faisait froid. Le vent humide de la mer qui s'engouffrait par l'Elbe chassait les mauvaises odeurs de cette foule entassée, mais il faisait aussi frissonner les gens et les obligeait à s'emmitoufler pour chercher un peu de confort.

Une heure après la fin de l'embarquement des passagers de la troisième classe, ce fut le tour des autres, ceux des étages supérieurs. Depuis leur soute, les émigrants ne les virent pas arriver ; ils s'en rendirent compte par les rires et les exclamations venant d'en haut, les commandements et les coups de sifflets accompagnés de lumières qui s'allumaient contre le ciel blafard. Ils attendirent encore, occupant leur temps à manger ce qui leur restait de provisions.

Il faisait déjà nuit quand les cloches se mirent à sonner, suivies par le formidable mugissement de la sirène du navire. Le bruit sourd et la vibration de la structure du bâtiment augmentèrent d'intensité, indiquant qu'ils étaient partis, même si les gens de la soute ne ressentirent rien d'autre leur signalant qu'ils naviguaient. Ils se regardèrent, étonnés et souriants devant l'absence du terrible balancement qu'on leur avait prédit et qui provoquait d'interminables nausées. Tout paraissait comme avant, sauf qu'il fallait parler à haute voix pour être entendu. Le sifflement du vent semblait augmenter à mesure que le temps passait, accompagné des cris sporadiques des cornes de brume.

— Ce n'est pas si mal, remarqua Waldemar avec plaisir. Un grand bateau comme celui-ci ne doit pas tanguer facilement.

— Attends, pasteur, répondit Alexandr. Hambourg est très en amont de l'Elbe. Tu verras que nous allons danser une fois arrivés en mer. Nous sommes sans doute tirés par des remorqueurs en ce moment.

— Tu mourras pessimiste, Sacha. Même devant les faits, tu restes un homme sans foi, un nihiliste.

— Oui, beau-frère, répondit-il avec le sourire. Prie pour que ton Dieu ne nous envoie pas des tempêtes sur la mer du Nord. Il est bien capable de vouloir nous secouer un peu pour faire montre de son pouvoir et de ses humeurs.

Leur conversation fut alors interrompue par le signal annonçant l'arrivée du dîner. Des matelots apportèrent du pain, d'énormes marmites fumantes et des couverts, et ils commencèrent à distribuer la nourriture. Ce moment joyeux pour les passagers d'en bas fut gâché uniquement par la nouvelle que le thé serait la seule boisson qu'ils recevraient à bord. Un thé d'ailleurs bien fade, tiède et déjà sucré, servi dans des tasses dont l'émail ébréché laissait transparaître des bouts rouillés. Tant pis, la soupe aux pommes de terre était riche, chargée de lard, et elle allait à merveille avec les grosses tranches de pain de seigle brun. Les biscuits secs au miel du dessert aussi étaient savoureux.

Cette première nuit, les gens de Lazispils dormirent assez bien jusqu'à l'aube, en dépit des couchettes en toile qui branlaient désagréablement au moindre de leurs mouvements. Ils furent ensuite réveillés par un bruit assourdissant accompagné de vibrations d'une grande intensité et d'étranges gémissements de la structure métallique du navire. Cela voulait dire simplement qu'ils avaient dépassé Cuxhaven et que les remorqueurs avaient été laissés en arrière. Le commandant avait ordonné de mettre les machines à toute vapeur pour commencer le véritable voyage. Le vent sifflait très fort et le roulis se faisait sentir, mais la chaleur venant de la salle des machines leur parut bien agréable. C'est dans ce bruit infernal qu'ils vivraient le prochain mois, même si au bout de quelques jours, ils se seraient habitués au point de ne plus le remarquer.

•

Une fois les premiers inconforts surmontés, la routine des journées toujours pareilles s'installa avec une lourdeur telle qu'ils avaient continuellement l'impression d'être ensommeillés. Les trois repas quotidiens se répétaient avec une uniformité assommante, qu'aggravait le manque d'appétit relié à l'absence d'exercice. Le matin, du thé avec des biscuits ; à midi, la soupe de poisson dessalé ; le soir, la soupe de pommes de terre avec du lard, accompagnée du même thé sucré que celui du matin. Chacun d'entre eux rêvait d'une bonne rasade de vodka ou d'une chope de bière, mais en vain. Heureusement, ceux qui fumaient avaient eu le soin de se procurer assez de tabac avant de partir de leur village, car les prix demandés par la cantine du bateau étaient exorbitants. Les émigrants commencèrent ainsi à comprendre que les milliers, voire les millions de reis qu'ils possédaient ne valaient pas grand-chose dans la pratique.

Malgré le froid et le vent, le ciel était clair et le voyage se déroulait sans incidents et sans grandes nausées. Mais ils s'ennuyaient à mourir dans leurs quartiers exigus, sans savoir que faire de leurs journées. Waldemar leur lisait des passages de la Bible chaque jour, sans être en mesure de capter tout à fait leur attention. Alexandr avait épuisé son imagination et cessa bientôt de raconter des histoires ou de jouer son rôle d'instituteur pour les jeunes gens. Même les parties d'échecs avec le pasteur paraissaient perdre de leur intérêt dans la lourdeur générale. Ils firent des tentatives pour initier d'autres compagnons au jeu d'échecs, mais seul Ostwald se montra intéressé à approfondir ses connaissances de ce jeu qu'il avait appris en Sibérie.

Les premiers jours, Janis Schultz et son fils Karlis s'occupèrent longuement à sculpter des poupées et d'autres jouets pour les enfants du groupe, avec des morceaux de bois qu'ils avaient emportés dans leurs bagages. Ils firent aussi quelques pipes, pour les échanger contre du tabac avec les matelots. Au bout d'une dizaine de jours de voyage, leur stock de bois s'épuisa et ils ne furent plus en mesure de s'amuser. Par ailleurs, malgré le bruit venant de la salle des machines, Janis et le jeune Willems continuaient à jouer de la musique pour distraire leurs compagnons. Mais leur répertoire était très modeste et leurs séances devenaient répétitives, comme tout le reste. Répétitives et de plus en plus mélancoliques, avec parfois seulement quelques accords vagues de la balalaïka ou quelques plaintes romantiques du violon. La musique était pour eux une façon de célébrer la fin des journées de travail ardu, ou le moment d'une noce ou d'un baptême, et non pas un art se suffisant à lui seul. Et là, oisifs au fond de la soute, avec les muscles ankylosés, ils ne savaient plus l'apprécier sinon en devenant mélancoliques à leur tour.

Les femmes qui avaient de jeunes enfants trouvaient encore moyen de passer le temps en s'occupant de leurs petits ou en lavant continuellement des couches. Mais les autres subissaient l'inaction de manière pénible, incapables même de chercher querelle avec leurs voisines.

Les divers groupes que constituaient les passagers de la troisième classe ne cherchèrent pas à entrer mieux en contact, bien au contraire. Ils gardaient leurs distances avec un respect craintif et en se méfiant les uns des autres. Quand Waldemar offrit ses services pastoraux aux Allemands, ces derniers refusèrent son offre sous prétexte qu'il y avait parmi eux des gens capables de prêcher et de conduire leurs services religieux. Rebiffés par son accent et ses manières, ils doutaient peut-être que son luthéranisme fut de la même qualité que le leur. Quant aux Polonais, même durant leurs promenades à la ronde dans l'espace ouvert, ils évitaient de s'approcher et de dévisager les protestants hérétiques, de peur d'être contaminés. Leur curé ne sortait d'ailleurs jamais de leur dortoir sans être accompagné par deux brutes aux mines patibulaires, par crainte d'autres prises de bec avec Waldemar.

Les jeunes gens des diverses nationalités se regardaient, naturellement, plutôt à la sauvette. Et s'ils éprouvaient une quelconque attraction envers une jolie bouille étrangère, ils gardaient ce sentiment timidement pour eux, sans chercher à le démontrer. Dans le dortoir des gens de Lazispils, cependant, les choses se passaient un peu autrement, avec de solides amourettes se déroulant insidieusement malgré l'œil attentif des parents. Il était très difficile de trouver un peu d'intimité dans cette salle commune où tout se faisait aux yeux de tous. Les couchettes avaient des rideaux qu'ils pouvaient tirer durant la nuit ; mais si ces rideaux cachaient ce qui se passait dedans, rien ne masquait le bruit ni le balancement provoqué par des corps qui s'embrassaient. Une semaine après le départ, les couples mariés avaient déjà abandonné beaucoup de leurs scrupules et allaient se retrouver dès que les lumières s'éteignaient. Pour les autres, ce fut bien plus délicat, sinon très périlleux de tenter de se rejoindre, ne fût-ce que pour d'innocentes confidences fortuites. Pourtant, cela se fit, pendant que les gens des couchettes voisines faisaient semblant de ne pas le remarquer. Comment cela aurait pu être autrement si, pendant les longues nuits ennuyantes, seule la consolation des corps leur restait comme divertissement ? Cela faisait bouillonner l'imagination des plus jeunes, forcément. Bien sûr, Waldemar n'osa pas s'approcher de la couchette d'Alija pendant tout le voyage, même si leurs regards pleins de désir se croisaient ici et là comme des promesses. Mais le jeune Willems, à la voix si romantique, ne perdit pas de temps pour conquérir un cœur, en dépit de sa bosse. Lorsqu'il était assis, en caressant les cordes de sa balalaïka d'un air triste, ça ne paraissait pas du tout qu'il était bossu. Et puis, il avait un si beau visage et il était si fort… La jeune Salme, qui avait la hantise de finir vieille fille, brûlait de désir, les nuits, en tendant l'oreille pour s'imaginer ce qui se passait dans les autres couchettes. Il arriva alors ce qui devait arriver, d'autant plus que ses deux frères, Andrijs et Arnoulds, étaient de grands amis du jeune Willems. On ne sut pas au juste comment cela eut lieu ni même si cela durait déjà depuis Lazispils. Mais une nuit, alors que ses parents dormaient profondément, elle alla rejoindre Willems et devint sa femme. Par une de ces curieuses coïncidences qui arrivent lorsque les gens doivent se côtoyer longtemps dans un espace restreint, Andrijs, son frère aîné, ravit quelques jours après la jeune Natalija, la sœur du bossu. Il faut dire qu'en plus de brûler de désir, Natalija brûlait aussi d'envie en regardant ses copines Martha et Antonija s'occuper de leurs bébés.

Le scandale éclata lorsque le navire approchait de l'entrée de l'estuaire du Tage, pour sa première escale, dans le port de Lisbonne. Max Jostins et son épouse Nora s'étonnèrent lorsque leur fille Natalija se mit à avoir des nausées malgré une mer très calme, au large du Portugal. Quand elle leur avoua en pleurant que c'était la faute du jeune Andrijs Landis, et que ce dernier désirait l'épouser, ils eurent un léger sursaut d'orgueil blessé, mais ils ne trouvèrent rien à redire. C'est que le jeune homme était un excellent parti. Par contre, quand la jeune Salme Landis avoua à ses parents qu'elle aussi éprouvait des nausées à cause du jeune Willems, et qu'elle désirait l'épouser, ce fut la crise.

— Le bossu ? s'écria Rachel Landis hors d'elle. Mais c'est un monstre, ma petite fille. Est-ce qu'il t'a prise de force, mon enfant ?

— Non, maman... Je l'aime. Ce n'est pas un monstre ! Je me suis donnée à lui et c'est lui que je veux comme époux.

Il s'en fallut de peu pour que la bagarre générale n'éclatât dans leur dortoir. Willems était un jeune homme populaire, aimé de tous, mais c'est vrai qu'il était bossu, tandis que le pied bot de Salme ne se remarquait presque pas quand elle était assise. Quelques-uns prirent la défense du couple Landis, alors que d'autres se rallièrent aux Jostins, et l'ambiance était très tendue. Il fallut l'intervention sévère de Waldemar et de Paulis pour calmer les gens et pour éviter de graves dissensions, capables de déchirer aussi d'autres familles. Les deux pères, Max et Anton, finirent par reprendre leurs esprits, tandis que leurs épouses continuaient à se quereller de manière disgracieuse.

— C'est un bossu, ton Willems ! cria Rachel en singeant la démarche courbée du jeune homme. Comment veux-tu qu'il fasse de beaux enfants à ma jolie Salme ? Un nain bossu, c'est ce qu'il est, et il ose s'en prendre à ma fille !

— Il peut faire de beaux enfants, mon Willems, répondit Nora en pleurant de rage. Il est bossu parce que je l'ai laissé tomber par terre quand il était bébé, mon petit Willems. Que Dieu me pardonne ! Mais il était beau... Je l'ai mis au monde beau et sain, tout le monde le sait. N'est-ce pas Alija ? Dis à cette traînée que mon petit Willems n'était pas bossu à sa naissance. Voilà ! Tandis que ta gueuse de fille, elle est née déjà estropiée. Pas n'importe comment... Avec un pied de bouc !

— Je t'interdis de dire ça de ma fille ! Diablesse ! C'est toi qui as mis le mauvais œil sur mon ventre, pendant que j'étais enceinte de ma Salme. Par pure vengeance, à cause de ton fils bossu.

— Moi, diablesse ? C'est toi qui as couché avec le démon pour donner naissance à une gueuse avec un pied de bouc. Toi ! Dis comment tu as fait, dis ! Raconte, dévergondée ! Un pied de bouc, comme le malin !

C'était triste à voir et à entendre, car quelques instants auparavant, les Landis et les Jostins étaient les meilleurs amis. Et maintenant ils étaient aussi condamnés à s'unir comme une seule famille. Les maris, peut-être aussi dégoûtés que les autres du spectacle que donnaient leurs femmes, mirent fin à la discussion en tirant chacun son épouse plus loin. Mais le mal était déjà fait. Waldemar tenta d'apaiser les deux mères éplorées tout en sachant qu'il était impossible d'oublier ce qui venait d'être dit devant tout le monde. Comment réparer la blessure que Salme et Willems venaient de recevoir de la bouche de leurs propres mères ? Andrijs et Arnoulds, qui avaient pris le parti de leur ami, ne savaient plus comment s'adresser à leurs parents, comment pardonner la laideur de leurs paroles.

Ce soir-là, après le repas, un événement surprenant arriva, qui laissa pensifs et honteux tous les gens de Lazispils. Soudain, après quelques coups de corne de brume, un silence terrible s'abattit sur leur dortoir comme si le monde venait de s'arrêter. La vibration et le bruit infernal auxquels ils s'étaient habitués depuis plusieurs jours cessèrent d'un coup, comme par miracle, les laissant livides et paralysés. Ce n'était rien d'autre que l'arrêt des machines au port de Lisbonne, mais ils ne l'apprirent que plus tard. Quand le phénomène arriva, ils se regardèrent avec effroi, chacun pensant à ses propres péchés et aux paroles sinistres que le pasteur aimait tant leur répéter. Aussi surpris que ses paroissiens et déjà bouleversé par la bagarre antérieure, Waldemar cria, malgré lui : « Loué soit le nom du Seigneur ! » Et il se mit aussitôt à réciter le *Notre Père* à haute voix. D'autres de ses paroissiens se mirent à l'imiter, mais furent interrompus au milieu de la prière par des cris de joie et d'excitation venant d'en haut, des passagers des classes supérieures. Un matelot de passage leur parla alors de l'arrivée à Lisbonne, où il comptait avoir une permission pour aller se soûler et faire une visite au bordel.

— Nous resterons deux jours à l'escale, expliqua-t-il au pasteur. Il faut refaire le plein de charbon et de vivres. Les passagers d'en haut vont aller se promener en ville.

— Nous aussi ? demanda Waldemar, toujours étonné par le silence et le calme.

— Je ne sais pas, répondit le matelot d'un air gêné. Les officiers de bord vous le diront.

•

La plupart des voyageurs de la troisième classe ne virent presque rien de la jolie ville de Lisbonne. Encore une fois, leur absence de passeport et leur statut d'apatrides les empêchaient de débarquer. Du groupe des Allemands, seuls quelques-uns voulurent descendre à terre pour faire des emplettes, car cette ville étrangère où l'on parlait un idiome exotique ne leur inspirait pas confiance.

En prévision des noces qu'il devrait bientôt célébrer, Waldemar se cotisa avec d'autres hommes du groupe et il obtint qu'un des matelots leur achetât trois gallons d'une eau-de-vie locale, ainsi que plusieurs carottes d'un tabac très noir et odorant, qui s'avéra être beaucoup plus fort que la *machorka* russe, à laquelle ils étaient habitués.

Pendant que les passagers d'en haut se promenaient en ville, les officiers permirent aux émigrants de monter sur les ponts supérieurs pour regarder Lisbonne. Ils montèrent par tours, un dortoir à la fois, de façon à ne pas déranger les opérations de chargement. Et ils furent tous très impressionnés par cette ville pleine de collines, aux maisons claires sous le soleil bas de novembre ; une ville qui ne ressemblait en rien à ce qu'ils connaissaient. Il faisait bon être sur le pont-promenade, à respirer un air qui n'était pas chargé d'émanations sulfureuses comme celui de la soute. Le vent frais faisait bouger doucement les feuilles des palmiers et le linge étendu dans les ruelles au loin. Au contraire d'où ils étaient partis, les arbres étaient encore verts, et un regard attentif pouvait même distinguer, ici et là, quelques arbustes fleuris. Les bâtiments du port empêchaient cependant de voir les rues adjacentes et les gens de cette ville. Par contre, les débardeurs, pour la plupart des Noirs, leur firent une impression inquiétante, car c'était la première fois de leur vie qu'ils voyaient des gens qui n'étaient pas blancs.

— Sont-ils des chrétiens ? demanda Waldemar au sous-officier qui les accompagnait sur le pont.

— Oui, bien sûr, répondit-il surpris par la question. Regardez bien toutes ces tours d'églises qui ressortent un peu partout parmi les maisons. Seulement en Italie vous trouverez autant d'églises qu'ici. Ce sont des catholiques fanatiques, ces Portugais. Et ces nègres que vous voyez sont aussi des catholiques. Les jours des fêtes de leurs saints, ils sortent en cortège pour défiler dans les rues avec leurs images religieuses, comme si c'était le carnaval. D'ailleurs, c'est la même chose au Brésil ; vous le constaterez assez vite en arrivant là-bas.

— Aussi catholiques que les gens d'ici ? insista-t-il incrédule.

— Oui, aussi fanatiques qu'ici. Ils ont été colonisés par les Portugais. Sauf qu'il y a bien plus de nègres là-bas. Presque comme en Afrique. Mais convertis par les curés, ils ne sont pas sauvages comme ceux des tribus africaines. Même vous, vous serez vite convertis par les curés, ajouta-t-il d'un air moqueur.

— Je ne me fais pas ce genre de soucis. Nos gens ne se laisseront jamais dévier de la bonne doctrine. Mais dites : cette ville-ci, est-ce qu'elle ressemble vraiment aux villes brésiliennes ?

— Non, pas beaucoup. Les maisons et les églises se ressemblent, certes. Mais le pays est très différent, plus chaud, avec une végétation luxuriante. Le Brésil est aussi un pays bien plus riche que le Portugal, du moins je présume. Les gens non plus ne se ressemblent pas. Là-bas, c'est un pays surtout de Noirs et de mulâtres. Mais soyez sans crainte, ce sont des gens tranquilles, un peu paresseux, assommés par la chaleur. D'ailleurs, à partir d'ici, c'est fini le froid. Nous aurons de plus en plus chaud et vous feriez mieux de laisser toujours ouvertes les portes vers la grande soute, même par temps pluvieux. Sinon, vous crèverez en bas avec la chaleur des machines.

En effet, aussitôt que le bateau quitta Lisbonne, la température commença à monter de manière étonnante. C'était encore l'hiver et il faisait déjà bien plus chaud que l'été en Livonie. Heureusement que le vent du large rafraîchissait les corps en faisant s'évaporer la sueur. Dans leurs vêtements épais, les émigrants commençaient à se sentir passablement inconfortables, mais ils n'étaient pas encore assez incommodés pour se présenter en linge de corps ou torse nu aux yeux des autres. Les femmes en particulier, qui n'osaient pas trop enlever de couches de vêtements par souci de bienséance, passaient leur temps à s'éventer les jambes et le bas du corps en agitant nerveusement leurs longues jupes. Et les fichus avaient déjà disparu au fond des ballots. C'étaient les enfants et les bébés qui souffraient le plus de la chaleur accablante ; ils avaient continuellement l'air abattus et apathiques même si les mères veillaient à ce qu'ils restassent toujours à l'ombre. Par ailleurs, l'odeur des corps sales commençait à être très désagréable, même s'ils sentaient tous mauvais. Comment pouvaient-ils bien se laver avec les quelques robinets d'eau rouillée des latrines ?

— Ne nous plaignons pas de la chaleur, mes frères, dit Waldemar en humant et en faisant tourner avec admiration une orange. C'est justement la chaleur qui nous vaut ces merveilles. Chez nous, seuls les nobles connaissaient ce genre de fruits.

En effet, dès leur départ de Lisbonne, le biscuit qu'ils recevaient comme dessert au souper avait été remplacé par une orange. Ils furent ravis, car pour la plupart d'entre eux, c'était la première fois qu'ils avaient un fruit pareil entre les mains. Ils apprirent à peler les oranges pour les manger, mais ils éprouvaient encore beaucoup de difficulté à se départir des pelures, qu'ils trouvaient délicieusement odorantes. Tant les adultes que les enfants s'amusaient à presser les bouts de pelure pour en humer l'essence, tout en rêvant de l'orange du lendemain.

9

La conduite des parents avait laissé des plaies ouvertes dans les familles Landis et Jostins. Malgré cela, il fallait régulariser la situation en célébrant à la hâte des noces pour effacer l'état de péché dans lequel se trouvaient les jeunes gens. Waldemar avait tout prévu et se chargea d'obtenir sinon le pardon, du moins l'assentiment d'Anton et de Rachel pour l'union entre Salme et Willems.

— Je rêvais d'un meilleur parti pour ma fille, répondit Rachel en pleurant, lorsque le pasteur lui fit comprendre que le mal était fait et qu'elle allait de toute manière avoir le bossu comme gendre. Vous-même, pasteur, vous nous aviez parlé de la possibilité de trouver un bon mari pour elle en Amérique.

— Oui, je sais, Rachel, répondit-il en tentant de prendre une mine de tristesse et de résignation. Mais Dieu, dans toute Sa sagesse, en a voulu autrement. Luther nous a enseigné : « Quand on brûle, il faut se marier. » Et votre fille brûlait…

— Non, pasteur, ce n'est pas vrai. Ma Salme a été séduite.

— Si, Rachel, elle brûlait. Souvenez-vous de Lilija, la fille du marchand. Elle aussi avait besoin d'un mari. Et vous êtes bien contente de la savoir mariée au brave Martins, n'est-ce pas ? C'était maintenant le tour de votre Salme. La chair est faible, il n'y a aucun mal à céder au désir. Les épousailles chrétiennes sont le remède à cette brûlure, Rachel. Pour une jeune femme si jolie et douée pour les joies du mariage que Salme, rester vieille fille est un châtiment trop cruel. Elle regardait le bonheur de ses amies et elle s'abandonnait au désir. Heureusement que Dieu a mis un homme de la trempe de Willems sur son chemin. Le corps du jeune homme peut nous paraître disgracieux parce que nous sommes noyés dans la vanité. Mais c'est un homme dont la force physique est comparable seulement à celle de Paulis et d'Ostwald, vous ne l'ignorez pas. C'est aussi un grand travailleur et il a le cœur en or. La preuve : il est le meilleur ami de vos deux garçons. Je suis certain qu'il la rendra heureuse. Salme est amoureuse. Sinon, pourquoi se serait-elle donnée à lui de cette manière qu'on peut qualifier d'écervelée, en plein milieu de l'océan ? La même chose s'est passée avec Andrijs... Ou est-ce que votre fils a séduit la jeune Natalija malgré elle ? Vous voyez ? Allez, Anton, faites entendre raison à votre épouse. La vanité est le plus grand des péchés, car il va à l'encontre des désirs de notre Créateur. Le mal est fait, il faut les unir par les liens du mariage chrétien.

S'adressant ensuite aux Jostins, le discours de Waldemar ne tourna pas autour de la vanité mais autour du pardon. Ce fut plus facile de convaincre Nora Jostins, car elle avait insulté gravement tant la mère que la fille en parlant de commerce charnel avec le démon. Ce qu'elle avait dit était aussi mesquin ; si Nora était parfois méchante, avec une langue vipérine pour les commérages, sa fille Salme était un ange de douceur. Comparer son pied bot à une patte de bouc dépassait toutes les limites morales.

— Vos paroles ont été très blessantes, Nora, ajouta Waldemar. Elles visaient une créature innocente, qui porte un stigmate placé là par la main de Dieu pour qu'on apprécie davantage ses qualités morales. Vous devez faire le premier pas et demander pardon aux Landis.

— Moi ? Le premier pas ? Jamais ! Je n'oublierai jamais ce qu'elle a dit de mon Willems.

— Oui, Nora, c'est à vous de faire le premier pas, tendre la main du pardon. Rachel a sans doute été blessée d'apprendre le fait accompli ; mais si elle s'est montrée vaniteuse, elle n'a pas cherché à salir la réputation de votre fils. Vous, au contraire, vous avez évoqué la fornication avec le démon. C'est horrible. Repentez-vous, ma sœur, et demandez humblement son pardon.

— Elle a dit qu'il était un monstre !

— C'était mal, en effet. Mais en le disant, elle est restée, à la rigueur, dans le domaine de la description physique, sans déborder vers le domaine moral. C'est vrai que Willems n'est pas comme les autres jeunes hommes, avec autant de force dans un corps si court. Mais cela ne veut pas dire qu'il est possédé du démon. La preuve : Dieu a mis une créature adorable comme Salme sur son chemin. Réjouissez-vous, ma sœur, et louez le nom du Seigneur. Allez, Max, faites entendre raison à votre épouse. La rancune est le plus grand des péchés, car elle va à l'encontre des désirs de notre Créateur. Le mal est fait, il faut les unir par un mariage chrétien.

Un peu à reculons, certes, et poussée par le regard sévère de son mari, Nora Jostins vint demander pardon à Rachel Landis, devant tous les gens de Lazispils. Rachel, qui ne s'attendait pas à un tel geste, resta interdite quelques instants, avant de fondre en larmes et de se jeter dans les bras de son ennemie. Pendant que les deux femmes s'embrassaient en pleurant, Anton et Max se serrèrent la main. Ce fut un moment très émouvant, qui provoqua des larmes et des accolades chez plusieurs témoins de la scène. Malgré l'heure matinale, Waldemar ordonna d'ouvrir la première des trois bouteilles d'eau-de-vie portugaise et on procéda aux toasts, avec des chants et de la musique. Salme et Natalija allèrent rejoindre leurs fiancés avec la bénédiction des parents et on décida que les deux noces allaient avoir lieu le jour même, à la tombée de la nuit.

Toute cette agitation eut une conséquence inattendue. Attirés par le bruit des réjouissances, les passagers des étages supérieurs se penchèrent par-dessus la rambarde, plus nombreux que d'habitude, pour observer les émigrants. On se demanda la cause de la fête et des matelots descendirent pour s'en informer. Waldemar, très enthousiaste, leur expliqua qu'il allait procéder à la célébration de deux mariages chrétiens en pleine mer et que la fête avait déjà commencé. La nouvelle fit son chemin jusqu'aux officiers de bord ; le capitaine fut alors mis au courant du fait insolite qu'un passager de la troisième classe, qui se prétendait pasteur luthérien, s'était mis en tête de célébrer des mariages à bord de son bateau. Waldemar fut aussitôt convoqué sur la passerelle, escorté par deux matelots, pour s'expliquer au sujet de cette insolence.

Il fut d'abord regardé avec un mélange de curiosité et de crainte par les passagers riches. Dans la redingote froissée qu'il portait depuis le début du voyage, le col et les poignets de sa chemise très sales, la barbe et les cheveux mal entretenus, il ne faisait pas bonne figure, surtout escorté comme s'il était un malfaiteur. Une fois sur la passerelle, il fut questionné par le premier officier, en présence du capitaine. Dans son meilleur allemand, Waldemar déclina d'abord son identité et ses références, sans oublier de faire mention de ses études à Hambourg ni d'un séjour au séminaire de Wittemberg. Une fois établie sa qualité de pasteur de l'Église réformée, il expliqua que le mariage des jeunes gens était une nécessité morale de la plus grande importance, et que cela touchait, à son avis, même la réputation de ce navire immatriculé dans un port de sa majesté le Kaiser. C'était urgent, d'autant plus que les demoiselles impliquées avaient déjà manifesté des signes prémonitoires d'un état de grossesse. Par ailleurs, comme les parents avaient donné leur assentiment et que les jeunes gens avaient exprimé leurs vœux de s'unir aux jeunes filles, lui, le révérend Waldemar Salis, allait procéder sans tarder à la bénédiction nuptiale de ces créatures imparfaites.

— « Quand on brûle, il faut se marier », a si bien dit l'illustre Martin Luther dans l'une de ses conversations de table, ajouta-t-il aux officiers étonnés.

— Ignorez-vous peut-être que seul le capitaine est habilité à célébrer un mariage en pleine mer ? demanda l'officier.

— Non, je ne l'ignore pas, monsieur l'officier. Je compte célébrer des noces religieuses uniquement, devant Dieu et non pas devant les hommes. C'est dans le but d'éviter l'état de péché à mes paroissiens. Nous nous réjouissons tous dans nos quartiers de leur retour à l'état d'innocence, qui est quelque peu maculé pour l'instant. Une fois au Brésil, nous verrons à légaliser cette union.

— Bien... dit enfin le capitaine, en tirant sur son cigare. Je vois... Pourquoi n'avez-vous pas cru bon de me demander de célébrer ces noces et de vous délivrer un certificat officiel du gouvernement allemand ?

— Vous êtes très généreux, monsieur le capitaine. Mais nous sommes trop humbles pour vouloir inquiéter les autorités de ce navire avec nos petites histoires. Ce serait vaniteux de notre part de même penser à formuler une telle requête. Vous remarquerez que l'urgence en question est seulement morale, pas légale. Qui plus est, comme vous le savez sans doute, nous sommes des apatrides, des errants à la recherche d'une terre d'asile. Peut-être que là-bas, au Brésil, on leur accordera le droit de légaliser leur hyménée. Nous louerons alors, une fois de plus, le nom du Seigneur pour Sa sagesse et pour Sa patience infinie envers les pécheurs que nous sommes.

En dépit de ses habits sales et de son ton enflammé, que quelques rasades d'eau-de-vie portugaise avaient encore accentué, Waldemar gagna leur sympathie accompagnée de quelques sourires discrets. Par ailleurs, il était très rare que le capitaine fût en mesure de démontrer ses pouvoirs au cours d'une traversée autrement qu'en contresignant des certificats de décès. Un mariage était une belle occasion de se faire valoir devant les passagers prestigieux, qui ne manqueraient pas de regarder cette cérémonie inhabituelle au fond de la soute de la troisième classe. Il y avait si peu de divertissements pendant un long voyage comme celui-ci, entre Hambourg et Buenos Aires. Ainsi, le capitaine se déclara prêt à descendre en fin d'après-midi dans leur dortoir pour effectuer la célébration du mariage civil.

— Tenez-vous prêt, pasteur, dit-il à Waldemar. J'y serai à seize heures précises. Vous communiquerez le détail de l'identité des futurs époux au sous-officier, qui verra à établir les certificats. Après seulement, vous pourrez procéder à la bénédiction religieuse.

De retour dans la soute et devant les mines appréhensives de ses compagnons de voyage, Waldemar semblait flotter sur un nuage de bonheur.

— Alléluia, mes frères ! s'exclama-t-il en ouvrant les bras. J'ai maintenant la certitude que le Seigneur guide nos pas vers la terre promise. Même le capitaine de ce navire s'est rendu humblement à mes arguments ; il viendra tout à l'heure pour procéder personnellement aux noces de nos tourtereaux. Pas un petit prévôt comme Ivar Kumis, mes frères, mais un capitaine au long cours, un officier de sa majesté le Kaiser impérial d'Allemagne. Voilà ce que j'appelle du respect envers un pasteur comme moi. Nos peines touchent à leur fin. Et que les Jostins et les Landis se réjouissent de cet honneur qui leur est fait. C'est de très bon augure pour notre voyage et pour le bonheur conjugal de leurs enfants. Allez, mettons un peu d'ordre dans nos vêtements et nos personnes pour accueillir ce visiteur prestigieux.

Le capitaine, accompagné du médecin de bord et d'un officier, fit son apparition à l'heure annoncée et procéda avec diligence. Ce fut une visite très courte, juste ce qu'il fallait pour déclarer mariés les deux jeunes couples et pour saluer leurs parents. D'un geste martial, le capitaine claqua ses talons et adressa un salut de la tête aux passagers des étages supérieurs pour les remercier de leurs applaudissements une fois la fonction terminée. Ses responsabilités sur la passerelle ne lui permettaient pas de rester pour la cérémonie religieuse ; mais en partant, il assura Waldemar qu'il avait donné l'ordre en cuisine de leur apporter un gâteau de noces et quelques bouteilles de schnaps comme cadeau de l'équipage.

Sous le regard attentif des passagers riches penchés par-dessus la rambarde, Waldemar excella ensuite dans une longue cérémonie religieuse parsemée d'hymnes luthériens. Dans son prêche en allemand, adressé davantage aux spectateurs d'en haut, il évoqua le livre de Job plutôt que le thème de l'exil pour ne pas risquer de froisser les sensibilités allemandes. Et il n'oublia pas de louer avec énergie le nom du Seigneur à diverses reprises. Les gens de Lazispils se sentaient très troublés d'être ainsi l'objet de l'attention de tous les passagers et, dans leur for intérieur, ils se réjouissaient d'avoir un pasteur aussi formidable, capable comme le capitaine d'attirer les applaudissements des étages supérieurs.

Après un souper aussi modeste qu'à l'habitude, mais arrosé d'eau-de-vie portugaise, l'arrivée du gâteau et des bouteilles de schnaps eut un grand succès. Quelques passagers d'en haut, émus par la cérémonie et par l'apparence misérable des émigrants, leur firent parvenir d'autres bouteilles, et la fête continua, très animée. La discorde entre les deux familles était chose du passé ; pour le prouver, Anton Landis se joignit à Willems pour chanter, accompagné à la balalaïka. Nora et Rachel s'embrassaient en pleurant, de plus en plus amies à mesure que l'alcool faisait son effet. À l'heure du couvre-feu, la plupart d'entre eux dormaient déjà, quelques-uns passablement ivres, pendant que les deux couples de jeunes mariés jouissaient d'une vraie nuit de noces malgré le balancement bruyant de la couchette.

— Pourquoi as-tu célébré les noces en allemand ? demanda Alexandr pour taquiner son beau-frère. As-tu déjà oublié la fabuleuse ville lettone de tes rêves ?

— Pas du tout, Sacha, répondit Waldemar avec les yeux pétillants de fierté. C'était par respect pour le capitaine et les autres passagers ; après tout, nous sommes sur un navire allemand. Mais aussi pour qu'ils comprennent et se rendent compte qu'ils transportent des chrétiens, même si nous sommes au fond de la soute, livrés à leurs regards.

— Justement, leurs regards, pasteur, ajouta Paulis. Pendant qu'ils applaudissaient de là-haut, j'ai enfin compris ce que vous m'aviez raconté sur l'enfer et sur le paradis. C'est vrai qu'ils s'ennuient sur le pont ; le spectacle de notre misère doit être très divertissant pour leur changer les idées.

— Mais non, Paulis, c'est cruel ce que vous dites. Ce sont des chrétiens comme nous et ils se sont montrés généreux. Ça les fera réfléchir au sens moral de la vie, de nous voir si contents malgré le dépouillement dans lequel nous nous trouvons en ce moment. En louant le nom de Dieu, je leur ai rappelé la conduite de Job. Aussi, que le sort des créatures change selon les desseins divins. Une leçon de morale prononcée dans leur langue pour qu'ils ne l'oublient pas.

— N'empêche, pasteur, qu'ils vont apprécier davantage leurs cabines luxueuses, ajouta Paulis en vidant sa tasse de schnaps. Allez, bonne nuit, pasteur. Vous avez été formidable.

Survolté par une joie immense et bien arrosée, Waldemar dut mobiliser toutes les ressources de sa volonté la nuit durant pour ne pas aller rejoindre Alija dans sa couchette. Il ne réussissait pas à effacer de son esprit les regards d'admiration et de désir que sa belle-mère n'avait cessé de lui adresser tout au long de la soirée, au risque de trahir leurs secrets les plus inavouables.

•

Le voyage continua sans autre incident, mais la chaleur devenait de plus en plus difficile à tolérer à mesure que le bateau approchait de sa deuxième escale, le port de Praia, dans la colonie portugaise du Cap-Vert. Le soleil à pic et la salle des machines chauffaient la structure métallique de la coque à la manière d'un four. Martha, dont le ventre semblait grossir à vue d'œil pendant qu'elle maigrissait, tolérait très mal l'atmosphère dans le dortoir et elle passait ses journées à chercher les rares coins d'ombre dans la soute ouverte. Elle transpirait beaucoup et avait l'air continuellement endormie. Waldemar lui appliquait des compresses humides sur le front, tandis qu'Alija et Antonija s'occupaient des enfants. La petite Alija Marija aussi paraissait pâtir, elle n'avait presque plus d'appétit pour téter et on craignait la déshydratation. Le médecin de bord leur avait expressément interdit de donner aux enfants autre chose à boire que du thé, car il doutait de la qualité de l'eau qu'ils avaient reçue à Lisbonne et qu'ils recevraient jusqu'au port de Santos. Mais le bébé vomissait le thé. Les autres passagers étaient aussi incommodés par la chaleur, et plusieurs d'entre eux avaient de la difficulté à avaler la soupe du déjeuner, se contentant alors uniquement de pain et de thé. Ils passaient leurs journées presque nus et avachis sur leurs couchettes, à s'éventer, et ne semblaient se ranimer qu'à la tombée de la nuit.

L'escale à Praia fut de courte durée, juste le temps nécessaire pour embarquer du charbon, de l'eau et des fruits en vue de la longue traversée de l'Atlantique, en direction de Recife. Ensuite, le bateau s'éloigna de l'Afrique ; même s'il allait en direction de l'équateur, les vents alizés soufflant depuis le sud rendirent l'air plus supportable. L'océan était assez agité, mais les passagers du fond de la soute ne se sentaient pas aussi incommodés par le roulis que ceux d'en haut. La monotonie persistait cependant, provoquant un état généralisé d'endormissement chez tous les voyageurs. L'unique réconfort était les bananes, qui s'ajoutèrent aux oranges dans le menu après l'arrêt au Cap-Vert.

Ils se rendirent à peine compte des festivités sur les ponts supérieurs lors de la traversée de l'équateur. En bas, dans leurs dortoirs, seuls quelques rires et quelques accords de musique parvinrent à leurs oreilles, et ils ne virent rien des déguisements ni des tableaux vivants que les passagers fortunés organisèrent avec l'aide des officiers de bord pour fêter le dieu Neptune.

Après des semaines qui leur parurent une éternité dans les limbes, un matelot leur annonça qu'ils seraient bientôt au large de Recife, déjà au Brésil. Comme Recife n'avait pas de port pour un grand bateau comme le leur, il fallut jeter l'ancre en rade. Le chargement des vivres et du charbon allait s'effectuer à partir de barges faisant la navette depuis les quais. Donc, pas question pour les passagers de la troisième classe de monter sur le pont pour regarder les terres brésiliennes au loin.

Il faisait alors bien moins chaud que sur les côtes de l'Afrique, et un vent très agréable aspirait l'air chaud et les miasmes des latrines du fond de la soute, rendant ainsi l'atmosphère plus respirable. Aussi, dès le premier soir, il y eut une distribution d'autres fruits totalement inconnus mais très savoureux, ainsi que de tomates et de bouts de noix de coco. Plusieurs petites embarcations vinrent entourer le navire pour offrir divers produits aux passagers, ce qui permit aux matelots de revendre aux voyageurs de la soute des carottes de tabac noir à un prix très abordable.

Ce fut ensuite la longue descente vers le sud en longeant la côte brésilienne, avec des vents doux et des mouettes se profilant sur ce bout de ciel carré au-dessus de la soute. Les émigrants étaient tombés dans un état de grande torpeur, que même la perspective de l'arrivée prochaine ne réussissait pas à secouer. Si Martha tolérait mieux la chaleur ambiante, la petite Alija Marija allait de plus en plus mal. Elle ne se réveillait presque plus pour téter en dépit des efforts de sa grand-mère pour lui apporter des soins, des prières et des sortilèges. Waldemar était devenu silencieux comme ses compagnons, abruti par plus de trente jours de confinement et d'inaction. La Bible ou les parties d'échecs ne l'intéressaient plus et il ne se sentait plus aussi dérangé qu'avant quand il entendait le bruit des corps s'embrassant sur les couchettes voisines.

Pendant la courte escale à Rio de Janeiro, à l'exemple de ce qui s'était passé à Lisbonne, ils purent aller sur les ponts supérieurs pour regarder la ville. Ils furent tous d'accord pour dire que cela ressemblait beaucoup à Lisbonne, tant par l'allure des maisons que par la profusion des églises. Une fois encore, la couleur de la peau des gens qu'ils pouvaient entrevoir n'était pas du tout rassurante, surtout que les Noirs et les mulâtres semblaient bien plus nombreux que les Blancs. En redescendant dans la soute, Waldemar apprit la triste nouvelle : le bébé était mort à l'aube.

— Il ne faut le dire à personne, Waldemar, pria Alija en pleurant. Je ne veux pas qu'on jette ma petite-fille à la mer. Elle va avec nous jusqu'au bout du voyage. Nous allons l'enterrer comme il se doit. Il reste peu de temps, Antonija la gardera dans sa couchette et personne ne s'en rendra compte.

— Je ne sais pas si ce sera possible, Alija. Avec cette chaleur… Les gens vont se plaindre.

— Non, ils ne se plaindront pas si tu leur dis de se taire. C'est plus que ta nièce, pasteur. Il lui faut une sépulture chrétienne ou je fais un scandale ici. Antonija est très bouleversée… Alexandr aussi. La délivrance de la petite nous apaise d'une certaine manière ; elle était déjà pratiquement morte il y a quelques jours. Elle a survécu par miracle jusqu'ici, pour avoir un enterrement décent. Maintenant, tu t'organises pour qu'on ne la jette pas à la mer. Je ne veux pas qu'Alija Marija soit mangée par les poissons.

— Attendons voir, Alija. Il nous reste deux jours de voyage jusqu'à Santos. Si nous gardons son corps hors de la vue des gens, peut-être que nous réussirons.

— Il le faut, Waldemar. Tu es le responsable de ce voyage. Alors, emmène tout le monde à bon port, même ma petite-fille.

Il ne fut pas facile de garder le secret, car la plupart des gens du dortoir savaient que la petite était à l'agonie. Et l'idée d'avoir un mort parmi eux, si près du but, leur paraissait de très mauvais augure. Malgré la camaraderie qui s'était créée depuis leur départ, plusieurs d'entre eux se souvinrent alors que c'était une petite sorcière qui commençait à pourrir dans la couchette d'Antonija. Alexandr était trop abattu pour tenter de convaincre les gens de ne rien dire. Waldemar, aidé de la présence imposante de Paulis, réussit provisoirement à faire taire ses paroissiens. Mais l'un ou plusieurs d'entre eux trahirent leur confiance et, dès le lendemain matin, quand le bateau était déjà parti de Rio de Janeiro, le médecin de bord vint leur rendre visite. Il était accompagné d'un sous-officier et de deux matelots. Malgré les supplications d'Alija et les larmes d'Antonija, ils ne purent que constater le décès de l'enfant, dont le petit corps maigre commençait déjà à sentir mauvais.

Waldemar fut ensuite convoqué sur la passerelle et le capitaine en personne lui annonça qu'ils ne disposaient pas de beaucoup de ressources pour transporter un cadavre en pleine chaleur de décembre.

— Un ou deux jours à peine... plaida Waldemar. C'est une âme chrétienne qui vient de nous quitter, capitaine, un petit bébé innocent. De grâce, attendons jusqu'à Santos. Vous avez sans doute une glacière ou un fond de cale isolé pour la garder... Pour si peu de temps. C'est ma nièce, capitaine. Vous avez déjà démontré tant de générosité envers nous. La confier à la mer en cette fin de voyage jetterait un nuage sombre sur une traversée qui s'est si bien déroulée.

Le capitaine donna son assentiment, à la condition que le corps de l'enfant fût éloigné de la soute et gardé ailleurs dans le navire. Le médecin établirait le certificat de décès avec une date convenable pour éviter des difficultés avec les autorités sanitaires à Santos. Waldemar les remercia et revint dans la soute chercher la petite défunte pour la confier à un matelot.

Deux jours après le départ de Rio de Janeiro, le treize décembre de l'année 1905, le *Kreuz des Südens* entrait dans le port de Santos, la destination de la plupart des gens entassés dans ses soutes.

•

Une fois le bateau à quai et les machines arrêtées, les gens de Lazispils durent attendre en bas, en compagnie des autres émigrants. Les voyageurs des cabines d'en haut n'avaient pas besoin d'inspection et ils allaient débarquer avant eux. Ensuite, les autorités sanitaires du port vinrent leur rendre visite dans la soute pour des examens physiques sommaires, à la recherche de toux ou de fièvres malignes, de signes évidents de corruption dans les mains et les visages. Les deux jeunes diplomates allemands qui les accompagnaient et qu'ils n'avaient pas vus de tout le voyage vinrent récupérer leurs documents pour les transmettre aux autorités de l'immigration brésilienne.

Un fonctionnaire en uniforme, accompagné d'un traducteur et de deux soldats armés, vint alors chercher les gens de leur dortoir et les conduisit sur le pont supérieur du bateau. Un à un, ils furent appelés par leur nom pour descendre à terre. Cela ne se passa pas facilement avec les Lettons, car leurs documents étaient en langue russe ; il fallut l'aide de Waldemar et d'Alexandr pour accélérer un peu leur identification.

Une fois à terre, l'atmosphère d'étrangeté dans laquelle ils se trouvaient plongés était dense et inquiétante. Après plus d'un mois de bruit incessant et de vibrations dans la soute, le monde leur semblait avoir quelque peu perdu de sa matérialité. Leurs pas leur paraissaient peu sûrs et les moindres manifestations sonores des grues du port ou les voix alentour étaient curieusement mises en relief par le silence relatif qui les entourait. La chaleur ambiante était chargée d'humidité au point de devenir étouffante sous le soleil à pic. Les soldats qui les escortaient avaient le teint basané et des faciès inconnus. Ils regardaient les voyageurs avec une curiosité presque impudique et ils faisaient des commentaires entre eux, avec des sourires et dans une langue absolument incompréhensible. Et, partout, des odeurs nouvelles. Sans être nauséabondes comme celles des latrines du bateau, ces odeurs pleines de relents de moisissures et de putrescence végétale leur rappelaient de loin la pourriture des marais de Livonie en plein été. C'était comme si les marais avaient envahi tout l'univers avec leurs miasmes chargés d'esprits et de brouillards glauques. Pourtant, le temps était très clair, les couleurs se détachaient nettement des coins d'ombre sous la lumière aveuglante. À d'autres moments, suivant la direction du vent, l'air était envahi de fortes odeurs de café, de jute, de tabac et de fruits blets au point de devenir enivrant.

Waldemar demanda le corps de la petite Alija Marija à l'un des officiers de bord. Celui-ci lui répondit qu'ils devaient attendre encore, car le cadavre ne serait autorisé à sortir du bateau par les autorités sanitaires que pour être immédiatement enterré. Et, pour ce faire, la présence de l'aumônier du port était indispensable ; c'était lui le responsable de l'enterrement des immigrants.

Les gardes de l'escorte commençaient déjà à se montrer impatients quand un curé gros et rubicond arriva à grands pas. On le présenta à Waldemar comme étant le padre José, l'aumônier du port.

— Heureux de faire votre connaissance, pasteur, dit le padre José dans un allemand avec un curieux accent. On m'a fait part de votre problème et je vais libérer le corps. Attendez-moi ici, je reviens dans un instant.

Le curé monta sur l'échelle et s'engouffra dans le navire avant que Waldemar eût pu surmonter sa surprise. Il trouva aussitôt que la présence d'un prêtre catholique pour libérer le corps de sa nièce était de très mauvais augure. Mais il se réjouit de voir, quelques minutes après, le curé réapparaître en portant le corps du bébé enveloppé dans un drap et ficelé comme un saucisson.

— Voilà, pasteur, tout est en ordre maintenant, dit le prêtre. Je me charge de l'enterrement de cette enfant. Vous pouvez aller à la gare, prendre le train des immigrants avec le reste de vos compagnons.

— Il n'en est pas question, répliqua Waldemar. Nous allons enterrer la petite nous-mêmes.

— Ah… Mais vous allez rater le départ du train.

— C'était ma nièce, padre José. Nous ne pouvons pas l'abandonner entre vos mains. Nous repartirons d'ici seulement après les funérailles.

— Vous y tenez tant que ça ?

— Oui, moi et toute ma famille, nous y tenons, padre.

— Je vais voir ce que je peux faire, pasteur, mais ce n'est pas réglementaire. Vous n'avez pas encore de documents brésiliens et vous devez être escortés vers la gare.

Après des pourparlers avec les soldats de l'escorte, le curé revint avec un sourire moqueur et en balançant la tête.

— Ils sont d'accord, pasteur. Ils vous laissent sous ma garde jusqu'à demain matin.

— Sous votre garde ?

— Oui, sous ma garde. Vos compagnons de voyage partent maintenant. Mais il faut me promettre que vous les rejoindrez par le train, demain matin. D'accord ? Je me suis porté garant. Venez, nous allons garder vos bagages dans la sacristie de mon église ; ils seront en sécurité jusqu'à notre retour du cimetière. Il faut qu'on en finisse au plus vite avec cet enterrement.

Ils dirent adieu aux gens de Lazispils et suivirent le prêtre en direction du cimetière. Alija tenait le corps de l'enfant bien serré contre elle, comme s'il s'agissait d'un trésor. Waldemar portait le petit Ruben endormi, tandis que Martha et Antonija avançaient, la tête basse, main dans la main. Alexandr était très sérieux et silencieux, mais il paraissait davantage emporté par le spectacle du monde nouveau qui s'ouvrait à ses yeux que par des sentiments de deuil.

— C'est l'habitude ici, d'enterrer les morts au plus tard le lendemain de leur décès, dit le curé en chemin. Et cette petite fille sent déjà très mauvais, pasteur. C'est le climat qui l'oblige. Alors on ne se formalise pas trop avec les morts dans ce pays.

— Vous parlez très bien l'allemand, padre José, remarqua Waldemar. Où l'avez-vous appris ?

— Je suis né au nord de l'Italie, dans le Tyrol, pasteur ; l'allemand est ma deuxième langue. Je suis à Santos depuis bientôt cinq ans. Ma congrégation en Italie m'a envoyé ici pour participer à l'accueil des immigrants. C'est que je parle aussi l'espagnol, en plus du portugais brésilien. En réalité, je m'appelle Giuseppe ; mais les Brésiliens ont l'habitude de traduire les prénoms en portugais. Ça leur facilite la vie avec tant d'étrangers qui arrivent sans cesse.

— Y a-t-il aussi un pasteur réformé pour aider les immigrants ?

— Pas que je sache. Le Brésil est un pays catholique et les autorités trouvent qu'un prêtre est suffisant. Ça semble vous étonner, n'est-ce pas ? Avec le temps, vous verrez que la religion ici est quelque chose de bien différent de ce que nous connaissons en Europe. Ici, on ne se formalise pas non plus avec les cultes, et tout reste un peu mélangé dans la tête des gens. Alors, nous sommes des chrétiens, grosso modo, et tout le monde va à l'église le dimanche, sans trop savoir pourquoi. Vous finirez par vous adapter, ne vous inquiétez pas. Vous pouvez prier pour votre nièce selon vos croyances. J'ai déjà fait enterrer des Juifs et même des musulmans de Syrie ; et chacun d'entre eux a reçu la même prière que s'ils étaient des catholiques. Ça m'est égal.

— Ça vous est égal ? fit Waldemar avec surprise.

— Oui, pasteur. Entre nous, votre nièce est déjà auprès de Dieu en ce moment, elle n'a plus besoin de nos prières ou de nos simagrées inutiles. Là-haut, quand arrive un petit bébé, on ne demande pas quelle était la religion de ses parents. Nos querelles idiotes d'adultes n'ont pas de prise sur l'âme des innocents. Du moins, c'est ce que je crois. Est-ce la mère, cette femme qui tient le corps ?

— Non, c'est la grand-mère. La mère est celle-là, Antonija, l'aînée des deux sœurs. La plus jeune, Martha, est mon épouse.

— Ah... et d'où venez-vous, si ce n'est pas indiscret ?

— Nous sommes Lettons, de Livonie. Mon beau-frère, Alexandr, est instituteur. Il parle aussi l'allemand. Il se tait parce qu'il est trop triste de la perte de sa fille unique.

— Je comprends...

Ils marchèrent dans la ville de Santos en direction de la banlieue. Une fois éloignés du port, la ville avait plutôt l'air d'un village pauvre, très tranquille, avec des maisonnettes basses. Bientôt, ils empruntèrent un chemin non pavé, rempli de mauvaises herbes, qui serpentait le long d'une plantation de maïs et qui aboutissait à un petit cimetière délabré. C'était un endroit bien misérable, avec des tombes abandonnées, des croix tombées, des coins entièrement broussailleux.

Tout se passa ensuite de manière très simple. Padre José héla les deux fossoyeurs qui dormaient à l'ombre d'un arbre et discuta avec eux du prix d'une sépulture pour un jeune bébé. Il leur indiqua aussi l'endroit où creuser, sous un autre arbre. Les deux fossoyeurs se mirent au travail, avec une grande lenteur.

— Ce sera cinq cents reis pour chacun d'entre eux, dit le padre à Waldemar. Ici, c'est le cimetière des marins et des immigrants. On ne paye que les fossoyeurs. Dans le cimetière municipal, on vous demanderait une fortune pour le même résultat. Nous ferions mieux de prendre leur place à l'ombre pendant qu'ils travaillent. Au Brésil, vous allez apprendre à être patient, Waldemar. Tout va lentement. Et si l'on s'énerve, ça ne fait qu'empirer. Je ne m'habitue pas, mais je m'adapte. Vous le comprendrez après quelques mois de vie ici. Ce n'est pas de la mauvaise volonté de leur part… La chaleur et l'alcool de canne sont pour beaucoup dans cette lenteur qui ressemble à de la paresse.

Ils attendirent assis sur l'herbe, à l'ombre, en regardant cette nature si différente de ce qu'ils connaissaient, et où la petite Alija Marija allait rester pour toujours. Quand tout fut prêt, le plus jeune des fossoyeurs reçut le corps de l'enfant et le déposa avec tendresse au fond de la sépulture. Waldemar dit un *Notre Père* pendant que les autres regardaient en silence. Padre José pria à voix basse.

Le soleil déclinait lorsqu'ils reprirent le chemin du port. Padre José allait les loger cette nuit dans un entrepôt de marchandises attenant à son église.

— Il n'y a pas beaucoup de confort là-dedans, et vous dormirez par terre, sur des cordages, dit-il à Waldemar. Mais c'est un endroit sec et vous ne serez pas importuné. C'est là que j'héberge les voyageurs quand leur bateau arrive trop tard pour le train des immigrants. Je vous laisserai dans un restaurant à proximité, où on vous servira à manger pour un prix raisonnable. Ensuite, venez me voir à l'église et je vous enfermerai jusqu'au matin. Ne tardez pas à rentrer ; les rues du port ne sont pas très sûres ; beaucoup de malfaiteurs cherchent à dévaliser les étrangers. Je viendrai vous réveiller demain matin de bonne heure pour prendre le train pour São Paulo.

Ils furent encore une fois surpris par la nourriture qu'on leur servit au restaurant : du riz et des haricots noirs accompagnés d'œufs frits et d'une sorte de chou vert assez amer. Ce n'était pas mauvais, bien au contraire, mais c'était si étrange qu'ils mirent du temps à s'y habituer. La bière leur sembla bonne, et les oranges et les bananes du dessert étaient vraiment délicieuses. Ils furent aussi étonnés des grandes tasses de café noir, qu'ils pouvaient sucrer à volonté. Ils n'avaient jamais vu une telle quantité de sucre blanc sur une même table.

La nuit venue, enfermés dans l'entrepôt et éclairés par la faible lueur d'une lampe à huile, les femmes et le petit Ruben dormirent d'un sommeil profond. Waldemar et Alexandr restèrent éveillés ; ils étaient encore troublés par tant de nouveautés et un peu inquiets dans ce gîte de fortune. Le bruit des machines du navire leur bourdonnait encore dans les oreilles et le silence de la nuit semblait trop insolite, chargé de menaces et de sensations oppressantes.

— Très sympathique, ce curé José, dit Waldemar pour tenter de sortir Alexandr de son silence.

— Oui, beau-frère, très sympathique en effet, répondit Alexandr avec l'esquisse d'un sourire. J'ai beaucoup aimé ses paroles, son esprit de tolérance, son amour des hommes, sans bondieuseries. Ses paroles me rappellent les écrits d'un autre Italien, Errico Malatesta, l'anarchiste. Ça contrastait bien avec tes propos habituels, Waldemar. Je crois que je vais aimer ce pays.

— Moi aussi, je l'avoue, il m'a fait une très bonne impression. Il est si différent des curés que j'ai connus en Allemagne et en Pologne. Cela ne cesse de m'étonner… Mais c'est un drôle de pays, tout de même… Est-ce qu'Antonija ne souffre pas trop ?

— Elle souffre, comme nous tous. Je crois qu'elle faisait déjà le deuil de la petite bien avant sa mort. Je ne sais pas pourquoi, mais moi aussi. Elle a pris tant de temps à mourir… C'est plutôt Alija qui est inconsolable. Elle me semble plus attachée au bébé que nous deux. Va savoir quel rôle cette enfant qui portait son nom jouait dans ses rêves ! Alija a l'air d'avoir vieilli soudainement, d'avoir perdu le goût de vivre. Je crois que le fait de se voir impuissante à sauver cet enfant qui comptait tant pour elle a ébranlé toutes ses convictions, en la laissant seulement désespérée.

— Et toi, Sacha ?

— C'est un coup dur, bien sûr, mais le bébé était encore si petit... Je me sens bouleversé par la présence de la mort, si proche de nous, davantage que par sa mort individuelle. Je me sens secoué par cette absurdité et je veux m'accrocher à la vie. C'est une drôle de sensation que je n'arrive pas encore à expliquer. Je me sens aussi coupable d'avoir entraîné Antonija dans ce voyage, avec une enfant si jeune. Pourtant, Antonija ne me le reproche pas, j'ai même l'impression qu'elle est contente d'être partie de Lazispils. La mort du bébé... C'est comme si ça faisait partie de l'aventure. Je ne sais pas...

— Tu ne dois pas te faire de reproches, Sacha. Cela aurait pu arriver à Ruben ou même à plusieurs d'entre nous. L'eau à bord était si infecte que, même bouillie, elle aurait pu nous empoisonner. Bientôt nous rejoindrons nos compagnons et nous partirons vers nos terres.

— Je ne sais pas si je tiens vraiment à vous accompagner, Waldemar. Tout ce que je vois est tellement nouveau que j'hésite à aller m'enfermer dans la jungle pour devenir fermier.

— Tu comptes nous abandonner ? Pour faire quoi, Sacha ?

— Je n'en sais rien pour le moment, Waldemar. Et je ne vous abandonnerai pas avant de savoir où vous allez aboutir ni avant de vous donner un coup de main pour vous aider à vous établir. Mais la mort du bébé a eu un étrange effet sur mes perspectives d'avenir. Soudain, je n'ai plus de famille à qui laisser une ferme.

— Tu as Antonija, et nous tous.

— Oui... Je suis encore trop confus pour m'expliquer à moi-même ce que je ressens. J'éprouve une grande envie de vivre des aventures, Waldemar, comme si cette mort était un rappel du fait que, moi aussi, je vais disparaître à un moment donné. Je sais que cela peut paraître cruel, dit de cette façon, mais ça correspond à quelque chose de nouveau que j'avais ressenti pour la première fois quand je t'ai donné mon accord pour partir. Attendons de voir ce qu'on va nous proposer demain, et comment réagiront les autres. Qui sait si nous ne resterons pas tous en ville pour nous refaire une autre vie que celle d'autrefois ? Tu te souviens du possible dont tu parlais tant ? Je crains qu'il ne soit très contagieux, le possible du penseur danois.

•

Le matin, ils prirent place dans le train des immigrants, en direction de São Paulo. Padre José les escorta jusqu'à la gare et fit ses adieux.

— Quand vous serez bien établis, dit-il à Waldemar, écrivez-moi à la capitainerie du port pour me donner votre adresse. Je vous dirai alors l'emplacement exact de la sépulture de la petite fille, au cas où vous reveniez ici en visite. En attendant, je ferai poser une croix avec son nom.

Ensuite, le petit train partit, presque vide à cette heure matinale et sans nouveaux bateaux dans le port. Ils remontèrent très lentement la Serra do Mar à travers des forêts extrêmement luxuriantes, chargées de brouillard. La locomotive zigzaguait parmi les monts de plus en plus élevés, toussant et semblant émettre des cris et des gémissements dans cette ascension. C'était apeurant pour ces voyageurs venus d'un pays sans la moindre colline. Mais à mesure qu'ils avançaient, l'air était plus frais et moins lourd d'odeurs qu'à Santos, ce qui était très réconfortant. Le spectacle de ces forêts sombres et compactes, parsemées de lianes et de fleurs, ne cessait de les fasciner. La taille et la frondaison des arbres cachant la lumière du jour leur semblaient presque monstrueuses, et dans leur for intérieur, ils se demandaient comment il serait possible de défricher des terres semblables.

Le port de Santos n'est pas très loin de la ville de São Paulo, mais le voyage dura plus de quatre heures. Quand le convoi arriva enfin, ils se sentaient assommés par la fatigue et par la monotonie du paysage. Depuis la gare, ils furent dirigés vers un immense édifice où ils allaient séjourner en compagnie des autres voyageurs, jusqu'à l'émission de leurs documents brésiliens. Sur ce bâtiment était écrit en grandes lettres bleues ce qui fut l'un de leurs premiers contacts avec la langue qui deviendrait la leur en à peine une génération : HOSPEDARIA DOS IMIGRANTES.

Située dans le quartier ouvrier du Brás, cette énorme auberge accueillait comme une ruche les immigrants venus de plusieurs pays du monde. Ils y séjournaient de six à huit jours avant d'être dirigés vers les nouvelles régions de colonisation et de peuplement qu'on ouvrait un peu partout dans l'ouest de la province de São Paulo. Les dortoirs et les installations sanitaires y étaient fort convenables pour l'époque, avec un souci constant d'éviter les épidémies de typhus et de choléra. Il y avait de vrais lits, des rangées de douches et de l'eau courante à volonté pour faire la lessive. De grandes cuisines offraient gratuitement trois repas par jour aux nouveaux arrivants.

10

À la *Hospedaria dos Imigrantes*, ils retrouvèrent les gens de Lazispils déjà installés et tentant de se familiariser avec les mots de base de la langue portugaise, du moins pour les premières nécessités corporelles. L'endroit était une véritable tour de Babel : outre le portugais — celui du Brésil et celui du Portugal —, l'allemand et l'italien étaient les idiomes les plus parlés, suivis de près par l'espagnol, le russe, le yiddish et le polonais. Le letton était infiniment minoritaire. Les langues étaient seulement l'une des caractéristiques qui distinguaient ces immigrants, car les mœurs, les vêtements et même leur manière de se parler, de se quereller ou d'invoquer leur dieu étaient différents. Et tous, sans exception, s'ils voulaient être compris, devaient se plier aux consignes et aux demandes en portugais. Aussi, ils devaient s'habituer au riz, aux haricots noirs et à la farine de manioc grillée qui constituaient la base des deux gros repas de la journée. Seul le petit-déjeuner différait ; on leur servait alors du café — avec autant de sucre qu'ils le désiraient — et une tranche de pain. Le lait était donné uniquement aux petits enfants.

Dès le lendemain matin, les autorités procédèrent à leur identification et à l'émission des documents d'identité. Ce fut pour tous l'occasion d'une nouvelle surprise, quelque peu cocasse, certes, mais qui en disait long sur ce qu'ils allaient devenir dans un futur très proche. Cela ne semblait pas avoir trop d'importance pour le moment, car le détail en question fut remarqué seulement par ceux qui savaient lire et écrire. Waldemar et Alexandr comprirent alors l'étendue de ce que leur avait dit le padre José au sujet des prénoms. En effet, les fonctionnaires brésiliens avaient leur propre manière d'écrire les prénoms des immigrants, sans trop s'encombrer des bizarreries phonétiques venues de l'étranger. Les noms de famille, au contraire, ne semblaient pas avoir autant d'importance à leurs yeux et, à part des erreurs de copie, ils restèrent presque les mêmes. Ainsi, Janis Schultz devint João Schultz, son épouse devint Julia, et Karlis devint Carlos. Max Jostins devint Marcos Jostins, et Willems devint Guilherme. Natalija, Marija, Antonija et Otilija ne firent que perdre leur *j*, mais les Anton devinrent des António. Andrijs devint André, Arnoulds devint Arnaldo, mais Salme resta Salme. Tiko devint Tancredo et Markus devint Marcos, comme Max. Par une attraction qui resta mystérieuse, Martha perdit son *h* pour devenir Marta, tandis que Waldemar récupéra le *h* de son épouse pour devenir Waldhemar. Alexandr gagna un *e* final seulement, mais il apprit ensuite que son prénom se prononçait désormais avec un *ch* très chuinté : Alechandre. Le petit Ruben reçut son papier d'identité en tant que Rubens, tandis qu'Ostwald resta Boris, comme c'était écrit dans son faux document de voyage. Alija, quant à elle, fut ravie de devenir Alma après qu'on lui eut expliqué que cela voulait aussi dire « âme » ou « fantôme » en portugais.

— Mon cher Alechandre ! dit Waldemar sur un ton de moquerie. Ne t'en fais pas, beau-frère, cela aurait pu être pire. J'ai baptisé mon fils du nom du premier enfant de Jacob et il est devenu Rubens, comme le peintre hollandais. J'espère que c'est seulement une traduction, pour s'adapter à leur manière de parler.

— Nous perdons plus que des plumes en passant du cyrillique au portugais, pasteur. Bientôt, nous aurons tout oublié du cher letton que tu voulais défendre en venant ici. Si ça continue, ton petit Rubens va porter une soutane quand il sera adolescent.

— Toujours pessimiste, Sacha ! répondit Waldemar. La foi véritable ne se perd jamais, tu le sais bien. Tout ça, ce n'est qu'une simple traduction. On vient de m'apprendre que la bière s'appelle ici *cerveja*, figure-toi. Pourtant, les Allemands de notre salle trouvent qu'elle est aussi bonne que la bière de chez eux. Une identité ne se change pas avec une simple appellation différente, un homme reste lui-même, partout où il va, car son âme est éternelle.

— L'âme, justement, comme notre belle-mère... Au contraire, pasteur, je crois que ces changements que nous vivons sont bien plus profonds que tu ne le penses. Nous sommes tous en train de nous transformer, comme si nous avions vendu nos âmes en venant ici.

— Tu le regrettes, Sacha ?

— Non, pas du tout, beau-frère. Je trouve très excitant tout ce qui nous arrive. Je croyais que j'allais mourir dans ce bled perdu de Lazispils, après avoir passé toute ma vie à essayer d'apprendre le russe à des enfants qui détestaient l'école. Et me voilà ici, devenu Alechandre, en train de voyager au bout du monde. Je te l'ai dit, j'éprouve une sensation nouvelle de liberté qui me donne le tournis. Non, je ne regrette pas... Mais je pense à nos gens et j'ai peur pour eux. Je me demande si c'était juste de tous les arracher de là-bas pour les abandonner ici.

— Ils ne sont pas abandonnés, Sacha. Nous sommes là pour continuer notre travail, pour les guider. Tu le sais bien.

— Non, Waldemar, je ne sais plus rien... Ce voyage m'a laissé trop confondu. Je regarde autour de moi et je me demande pourquoi limiter les nouveautés au seul changement de prénom. Peut-être que cet Alechandre a pris goût aux nouveautés et qu'il désire continuer le vagabondage.

— Comment, le vagabondage, Sacha ? demanda Waldemar d'un ton intéressé, avec l'amorce d'un sourire chafouin.

— C'est un peu de ta faute, pasteur, si je me sens l'âme vagabonde depuis que nous avons débarqué du bateau. Ou depuis la mort de mon bébé. Le possible de ton penseur danois, voilà, il me taraude maintenant plus que jamais. Une fois l'aventure commencée, j'éprouve une pointe de tristesse à la pensée qu'elle touche à sa fin.

— Mais Sacha, l'aventure ne fait que commencer ! Nous allons fonder une nouvelle Lazispils, une ville à notre goût, qui nous appartiendra. Un endroit où nous serons libres de louer le nom du Seigneur à volonté, dans notre langue.

— C'est justement ce qui m'inquiète, Waldemar. Tant qu'à rester dans une Lazispils, on aurait mieux fait de rester là-bas. Maintenant que je suis parti, je me demande si je souhaite vraiment rester le même Alexandr d'autrefois. Je pense aussi que tu cours à ta perte en voulant refaire ici, dans les tropiques, le même village que celui d'où nous sommes partis.

— Tu perds la foi, Sacha.

— Non, Waldemar, je n'ai jamais eu beaucoup la foi. Soudain, je me sens gagné par quelque chose qui ressemble à une foi ; une foi en l'aventure. Je me demande si cela vaut la peine de continuer à faire ici ce que je faisais sans plaisir là-bas.

— Et ton sens des responsabilités, Sacha ? Tu ne peux pas laisser tomber nos gens, tu es leur instituteur, on compte sur toi pour continuer à enseigner à nos enfants. À enseigner le letton cette fois et non plus le russe.

— Oui… Alexandr, l'instituteur, ne faisait pas son travail motivé par son sens des responsabilités, pasteur. Il le faisait par habitude, parce qu'il était un fonctionnaire du gouvernement du tsar. Et si les enfants des paysans n'aimaient pas apprendre le russe, je me demande pourquoi ils voudraient maintenant apprendre le letton plutôt que le portugais. C'est le portugais qu'ils parleront ici. Tes lubies linguistiques ne tiennent pas devant les faits. Sors un peu dans la rue, ici, en face de notre auberge. Écoute les gens parler et tu verras que même les Allemands, majoritaires ici, se font comprendre uniquement en portugais. Je ne me suis pas encore promené beaucoup, mais je doute fort de jamais trouver ici un nègre parlant le suédois. C'est bien ce que tu prétendais, n'est-ce pas ? Alors, cet Alechandre nouveau se demande maintenant, pour la première fois, ce qu'il désire faire de sa vie. Tu ne t'en sors pas, beau-frère, c'est la faute du possible de ton penseur danois. Je ne vois pas d'autre explication.

— Tu es alors décidé à nous abandonner, si je comprends bien.

— Non seulement j'y pense, mais je crois que dans ton for intérieur toi aussi, tu y penses, Waldemar.

— Moi ? Abandonner mes paroissiens ?

— Comment feras-tu pour abandonner l'aventure, maintenant que tu y as pris goût ?

— L'aventure commence, je te le dis. Tout reste à faire.

— L'avenir nous le dira, Waldemar. Qui sait si d'autres parmi nous ne ressentent pas le même frisson que moi devant cet appel de l'aventure ? Qu'ai-je vraiment envie de faire et comment cet endroit me permettra d'être satisfait ? Et toi, pasteur, as-tu vraiment le désir de devenir paysan ?

— J'ai toujours su que tu étais un homme sans foi, Sacha. Mais pas au point d'abandonner tes amis.

— Au contraire, je te demande d'y réfléchir et de me suivre, comme un ami. Tu as mené tes paroissiens à bon port, ils vont avoir des terres à eux. Bon, ton travail est fait, repartons à l'aventure, nous deux, avec nos familles. C'est ton penseur danois qui m'a gagné à sa religion.

— C'était un luthérien comme moi, Søren Kierkegaard, pas un aventurier.

— Peut-être, Waldemar... C'est ton goût de l'aventure qui nous a conduits jusqu'ici, pas ta religion. Tu aurais très bien pu rester à Lazispils et continuer à prêcher, sans abandonner presque toute ta paroisse pour partir en Amérique. Maintenant, l'aventure est là, encore à ta portée, il suffit de s'ouvrir à d'autres possibles, beau-frère. Quant à moi, les chemins qui s'ouvrent et qui m'invitent me taraudent comme le désir de la chair.

— Il faut apprendre à harnacher ses désirs, Alexandr. Surtout ceux de la chair.

— Harnacher ses désirs… Dans ta bouche, cela ressemble à une blague, beau-frère.

•

Dans un allemand rudimentaire, le fonctionnaire de la *Agência Oficial de Colonização e de Trabalho* expliqua aux gens de Lazispils les divers choix qui s'offraient à eux. D'abord, les artisans qualifiés pouvaient opter pour rester dans la ville de São Paulo et y exercer leur métier. Le développement immobilier et industriel de la métropole avait un besoin pressant de main-d'œuvre. Ils pouvaient aussi s'établir à leur compte ou se faire embaucher dans la ville d'Araraquara, à quelque trois cents kilomètres à l'ouest, où ils seraient plus proches des noyaux de colonisation destinés aux Lettons en provenance de la Russie. Quant à ceux qui souhaitaient cultiver la terre, ils avaient aussi deux choix possibles. S'ils désiraient un emploi avec un salaire immédiat, sans avoir à aller défricher les lots les plus éloignés, ils pouvaient devenir ouvriers agricoles dans l'une des nombreuses plantations de café ou de canne à sucre de la région. Spontanément, le fonctionnaire les mit en garde au sujet de ce premier choix, à cause des salaires très bas et des conditions proches de l'esclavage qui régnaient dans ces grandes fermes. À son avis, seuls les paysans les plus misérables, originaires du sud de l'Italie, acceptaient de s'y faire embaucher. D'ailleurs, beaucoup d'entre eux désertaient ensuite ces plantations, à cause des dettes qu'ils y avaient contractées, pour venir grossir le sous-prolétariat de la ville de São Paulo. Selon lui, la meilleure option consistait en l'achat à crédit d'un des lots à l'état sauvage de la région d'Ibitinga, au *Nucleo Colonial* de Cambuhy.

Il s'agissait d'un lotissement encore vierge, destiné à coloniser et à peupler une région éloignée de la province de São Paulo. Ces lots avaient déjà été approximativement délimités pour la distribution aux nouveaux colons ; une partie de ces terres avait été réservée pour la fondation d'une ville qui s'appellerait Nova Europa. Le prix d'achat de chaque parcelle de vingt-cinq hectares était très bas, car le gouvernement voulait encourager les agriculteurs expérimentés à s'y fixer pour développer la région. Ils payeraient l'acquisition par des prestations annuelles, selon l'importance des récoltes obtenues, et en moins de quatre ans ils seraient propriétaires des terres. Au début, il y aurait un lot par famille. Plus tard, les jeunes hommes de plus de vingt et un ans pourraient à leur tour en acheter un. La seule condition pour garder le titre de propriétaire était de déboiser les terres, de les habiter, de les planter et de les rendre productives. La revente des parcelles était interdite pendant une période de dix ans. S'ils acceptaient cette offre, le gouvernement de la province de São Paulo leur octroyait un crédit auprès du comptoir de marchandises du *Nucleo Colonial* de Cambuhy pour les aider à passer la première année, jusqu'à la première récolte. Outre les premières semences, ils recevraient une hache, des houes, une scie passe-partout et un soc de charrue par famille.

— Ce ne sera pas facile les premiers temps, je vous avertis, ajouta-t-il. La plupart des lots font partie de la forêt ancestrale et sont densément boisés. Vous devrez d'abord abattre des arbres pour construire vos abris temporaires, en attendant de bâtir des maisons. Il y a déjà des gîtes rustiques dans la région pour abriter les femmes et les jeunes enfants. Les hommes se débrouilleront autrement. Par contre, le sol est excellent, le bois qu'on y trouve est de la meilleure qualité, et nos hivers ne seront pas beaucoup plus froids que vos étés en Russie. Et vous deviendrez des propriétaires terriens. La région est parcourue par la rivière Itaquerê, dont les eaux sont saines et abondent en poissons. Le comptoir de marchandises est déjà installé sur place pour fournir aux colons tout ce dont ils auront besoin, maintenant et à l'avenir. Le village d'Araraquara est l'agglomération urbaine la plus proche, environ à cinquante ou soixante kilomètres du lotissement de Cambuhy.

Pendant que Waldemar traduisait pour ses gens les propos du fonctionnaire, d'autres questions apparaissaient.

— C'est comment, vingt-cinq hectares ? demanda Max Jostins.

Alexandr fit les calculs et expliqua qu'il s'agissait d'une demi-verste carrée.

— Demi-verste ! s'exclama Waldemar. Deux cent cinquante sagènes ! C'est un beau petit lopin !

— Qu'est-ce qu'il y a là comme bêtes pour les labours ? insista Max Jostins, déjà très attiré par l'idée de se voir propriétaire d'une telle extension de terre.

— Le comptoir de marchandises dispose de quelques trains de mules et d'un char à bœufs, répondit le fonctionnaire. À l'occasion, ils pourront être loués aux colons, mais ce n'est pas garanti. Plus tard, sans doute, quand on aura créé une coopérative, cela se fera de manière régulière. Au début, il vaut mieux compter uniquement sur la force de vos bras pour l'essouchement et le transport des grumes. Pour les labours aussi, vous allez devoir vous mettre à plusieurs pour les faire.

C'était bien pire qu'en Livonie et ils se regardèrent avec des mines soucieuses quand Waldemar le leur expliqua.

— Quelles céréales serons-nous en mesure de cultiver ? demanda Tiko Kardis.

— Surtout le maïs, répondit le fonctionnaire. Oubliez le blé ou le seigle ; le climat ne s'y prête pas. Le maïs est nourrissant et il permet de faire un bon pain et des galettes. Les pommes de terre et le manioc poussent aussi là-bas. À part la culture de subsistance, surtout les légumes, le plus avantageux pour vous sera de cultiver la canne à sucre. Une fabrique de sucre et d'alcool sera bientôt installée à Araraquara, pour absorber toute la production de canne de la région d'Ibitinga. Le prix du sucre est actuellement assez élevé pour que ça vaille la peine de se consacrer à cette monoculture. Sans compter que c'est une culture facile à réussir. Le gros du travail reste la récolte, mais les femmes et les enfants peuvent y participer sans problème.

Ils n'avaient jamais entendu parler de la canne à sucre et les explications du fonctionnaire, qui la comparait à la betterave, parurent si fabuleuses que cela devenait tentant. Chacun d'entre eux était trop fasciné par la perspective d'une terre à soi, tout en étant incapable de se représenter cette terre concrètement. Le seul exemple qui leur venait à l'esprit était celui des fermes en Livonie, et ils se disaient que cela devait être pareil.

Waldemar, Max et Willems Jostins, Anton Landis, Tiko Kardis et quelques Lettons d'autres paroisses signèrent aussitôt leurs contrats. Le forgeron Paulis et son frère hésitaient encore, car ils comptaient plutôt s'établir avec une forge dans une ville déjà existante. Janis Schultz, le menuisier, préférait attendre des offres d'entreprises de São Paulo plutôt que d'aller défricher la terre et devenir cultivateur. Alexandr non plus ne se voyait pas s'atteler à ce travail rude auquel il n'était pas habitué. Mais il ne se sentait pas encore capable d'abandonner son ami Waldemar pour tenter sa chance tout seul.

— Je t'accompagnerai au début pour t'aider dans ce qui sera possible, confia-t-il au pasteur. Je n'ose pas signer un contrat pour une terre que je n'arriverai jamais à rendre productive. Ce serait une bêtise, car les conditions sont claires : ils ne veulent pas nous faire de faveurs, ils veulent qu'on développe la région.

— Signe quand même pour une terre, insista Waldemar. Nous travaillerons ensemble. Tu pourras toujours la vendre ou la louer à l'un de nos compagnons qui ont des fils en âge de travailler. C'est une chance unique, Sacha.

— Non, Waldemar, je n'ai pas envie de travailler la terre. Il me faut trouver quelque chose ici en ville.

•

Les jours suivants, Alexandr se lia avec un groupe de Russes et alla avec eux se promener en ville, à la recherche de travail. Waldemar ne le vit pas beaucoup et n'eut pas la chance de poursuivre ses tentatives pour le convaincre de devenir fermier. Mais les prospecteurs de main-d'œuvre qualifiée eurent tôt fait de dénicher les rares artisans parmi les vagues d'immigrants qui ne cessaient d'arriver. Paulis Kanz, son fils Martins et son frère Ostwald furent bientôt embauchés par une fonderie de la banlieue de São Paulo. Ils partirent ensemble de la *Hospedaria* après des adieux émouvants, pleins d'accolades et de promesses de garder le contact avec les autres gens de Lazispils. Cependant, bien des années plus tard, l'ouvrier Pedro Kanz, l'un des fils de Martins et de Lilija, sera incapable d'expliquer à son propre fils d'où venaient au juste ses parents :

— Je crois qu'ils étaient allemands, de la ville de Hambourg. C'est de là qu'ils sont partis, en tout cas. Ton grand-père Martim parlait en allemand avec son père et avec son oncle Boris, celui qu'ils appelaient Osvaldo. Mon grand-père Paulo n'a jamais réussi à bien parler le portugais. Papa Martim parlait aussi en allemand avec maman Lili quand ils ne voulaient pas que je comprenne. Ce sont de vieilles histoires, qui datent de bien avant la Grande Guerre, figure-toi. À cette époque, São Paulo était plein d'immigrants allemands et italiens.

Janis Schultz et son fils Karlis furent embauchés par une grande entreprise de pompes funèbres de la ville, laquelle cherchait des ébénistes pour la fabrication de cercueils de luxe. Karlis était ravi, car le contremaître de l'atelier de bois taillé avait reconnu son talent avec les gouges et lui avait promis de l'affecter à la réfection des retables et des décorations d'églises. Ainsi, les Schultz s'en allèrent à leur tour, avec les mêmes adieux pleins d'émotion et les mêmes promesses de se retrouver un jour pour célébrer les fêtes de Pâques. Karlis promit à Waldemar de lui tailler un beau jeu d'échecs, mais il ne le fit pas. Ils ne se reverraient plus jamais.

La perte du bûcheron Markus Bopolis, suite à celle du menuisier, fut un grand choc, car tous comptaient sur son expérience pour le déboisement de leurs parcelles. Mais il préféra accepter du travail dans une scierie qui avait des concessions forestières et qui lui offrait un bon salaire de base. Maintenant, ceux qui avaient opté pour les terres allaient devoir se débrouiller seuls pour construire les premières cabanes.

Ce ne fut pas tout, cependant. Le matin où ils devaient prendre le train pour Araraquara, d'où ils continueraient à pied jusqu'à Cambuhy, Antonija n'était plus là. Elle était partie au milieu de la nuit rejoindre Karlis Schultz, son ancien compagnon de jeu. Elle avait tout raconté à sa mère avant de partir : elle quittait Alexandr parce qu'elle ne l'aimait pas. La mort de sa fillette l'avait décidée à s'en aller et à recommencer sa vie. Le jeune Karlis l'attendait dehors et, avec l'assentiment de son père, il la prendrait pour épouse.

— Elle ne reviendra pas, dit Alija à Alexandr et à Waldemar. Tu savais, Alexandr Volkine, que ton ménage ne tournait pas rond. Tu le savais depuis longtemps, mais tu as préféré fermer les yeux, faire comme si de rien n'était. Ça venait de loin, ce cirque, et comme un innocent, tu invitais le garçon chez toi pour jouer aux échecs. Dans le bateau aussi, elle complotait avec Karlis et tu n'as rien dit.

— Nous devons la chercher, la ramener ici, dit Waldemar dans un état de grande agitation. Une femme ne peut pas abandonner ainsi son mari. Et elle est mineure. Nous pouvons exiger d'elle qu'elle revienne.

— Non, Waldemar, répondit Alexandr. Ce n'est pas la peine. Elle est partie avec mon consentement. Cette nuit, avant de partir, elle est venue me demander pardon. La perte de l'enfant a tout précipité, sa mort nous a mis devant le vide de notre relation. Nous n'avions plus rien à faire de notre vie en commun. Et je lui ai souhaité beaucoup de bonheur avec Karlis. Le garçon l'aime aussi et ils tenteront d'être heureux ensemble. Il n'y a aucun mal à ça. Je n'aurais pas dû épouser une fille si jeune, c'est tout. Laissons-les en paix et partons. Elle m'a dit que tu sais où travaillent Janis et Karlis, Alija. Tu pourras toujours leur rendre visite si tu le désires. Mais pour le moment, laissons-les tranquilles.

Ils partirent en train ce matin-là, tous très mal à l'aise, mais évitant de dévisager Alexandr, seul sur sa banquette. D'autres parmi eux avaient peut-être eu vent que quelque chose se tramait entre la fille de la sorcière et le jeune menuisier, mais eux aussi avaient préféré faire semblant de tout ignorer. Maintenant, le mal était fait et on ne pouvait plus s'arrêter en chemin. L'instituteur était encore jeune, il se trouverait bientôt une nouvelle compagne moins exigeante. Les gens pensaient plutôt au pasteur en regardant Martha à la dérobée, imaginant ce qui pouvait se passer dans la tête de l'autre jeune sorcière, que seule la grossesse empêchait pour le moment de bouger ou de partir à son tour en cavale.

•

La fuite d'Antonija avait ébranlé davantage le pasteur que son propre mari. Si ce n'était d'un certain sentiment de honte devant ses compagnons de voyage, Alexandr aurait même été uniquement soulagé de ne plus avoir à jouer à l'époux auprès d'une jeune femme qu'il n'aimait pas. En effet, il ne ressentait pour elle qu'un peu de mépris doublé d'indifférence depuis qu'elle avait opiniâtrement refusé d'apprendre à lire et à écrire. Il savait qu'elle n'était pas heureuse et que même l'arrivée de la petite Alija Marija n'avait rien changé à leurs rapports. Alexandr se sentait maintenant plus léger, comme libéré d'un poids pénible et prêt à s'amuser dans ce voyage fantastique vers ce qui lui semblait être, de plus en plus, nulle part. Il se laissait aller à ces sentiments nouveaux qui ressemblaient presque à ceux d'un gamin faisant l'école buissonnière, même s'il cherchait à les cacher à ses compagnons en faisant mine de souffrir.

Waldemar, par contre, était tombé dans d'amères réflexions accompagnées d'une humeur sombre devant les événements des derniers jours. Il ressentait le départ d'Antonija comme une blessure personnelle, augurant d'autres drames sinistres pour un avenir pas très lointain. D'abord, le départ de Paulis et de Janis, qui annonçait peut-être l'effondrement du rêve d'une communauté lettone, liée par la foi, dans ce nouveau pays. Il ne pouvait pas s'empêcher de voir leur départ comme une première désertion, un abandon frivole de la solidarité qu'il avait cru exister entre les gens de Lazispils. Il se reprochait de ne pas avoir su transmettre sa vision avec suffisamment de force pour garder unis ses paroissiens. Maintenant, la fuite écervelée d'Antonija venait le blesser en tant qu'homme, dans ses sentiments et ses désirs, en lui laissant un arrière-goût amer de jalousie qu'il n'osait s'avouer. Pourquoi avait-elle choisi le jeune Karlis ? se demandait-il. Et il se sentait alors brûler en souffrant les images mentales des ébats entre Antonija et Karlis, des images qui en ramenaient d'autres sous la forme d'étranges souvenirs. Mais sous cette question, bien cachée par plusieurs voiles, il y en avait une autre très embarrassante qui était aussi à la source de sa déception : pourquoi Antonija et non pas Martha ? Cette Martha qui n'avait pas démontré la moindre réaction à la disparition de sa sœur, cette petite diablesse qui semblait absente, plongée comme une somnambule dans sa grossesse, de laquelle elle sortirait pour continuer à le hanter. Si c'était elle qui avait fui, plutôt que sa sœur, la honte devant ses paroissiens aurait sans doute été largement compensée par le sentiment de liberté et de soulagement qu'il aurait alors éprouvé. Tout cela laissait le pasteur dans un état de grande confusion. Au contraire de ses compagnons, qui s'abandonnaient au sommeil, bercés par le balancement du convoi, Waldemar se débattait avec bien des démons à la fois et il regrettait à nouveau l'insouciance et la joie de vivre qu'il avait avant de se marier.

Le train avançait lentement à travers un paysage de terres d'une couleur rouge très intense. Le contraste avec les verts vifs de la végétation était si fort que les rares chemins de campagne avaient l'air de blessures ouvertes. Autour de la ville de São Paulo, il y avait plusieurs fermes qui semblaient prospères, avec beaucoup de bétail et de plantations bien ordonnées. Mais à mesure qu'ils s'éloignaient en direction de l'ouest, les gens et les cultures se faisaient rares, laissant place à d'immenses pâturage vides ou à des forêts de plus en plus sombres. Ce paysage défilant par la fenêtre aidait Alexandr à comprendre la signification précise de ce qu'on leur avait décrit comme étant les régions éloignées, où ils allaient pour déboiser et pour coloniser. Il commençait déjà à regretter d'être parti de la grande ville pour ce pan d'aventure qui ne le concernait plus. Mais tout s'était passé si vite ces derniers jours… Si Antonija était partie quelques jours plus tôt, il aurait sans doute trouvé une excuse pour ajourner son propre départ et se serait perdu dans São Paulo, à la recherche de nouveautés plus attirantes. Maintenant, la perspective de s'enfoncer dans la jungle pour y abattre des arbres et pour vivre comme un sauvage lui paraissait de plus en plus absurde. Comment ferait-il pour passer le temps sans un livre et sans aucune conversation civilisée ? Peu à peu, à mesure qu'il s'habituait à sa nouvelle condition de célibataire, la décision de rester à Araraquara plutôt que de s'en aller aux lotissements se concrétisait dans son esprit. Ce serait l'occasion de déserter à son tour, pour ne pas laisser passer encore une fois la chance d'une existence nouvelle. Et il s'étonnait du courage soudain d'Antonija de tout laisser derrière elle pour aller à la poursuite d'un rêve. Ce que le pasteur lui avait raconté sur la catégorie du possible lui revenait alors à la mémoire, d'une manière claire et exaltante à la fois. Il fut sorti de ses fantaisies par Waldemar, qui vint le rejoindre, visiblement désireux de parler.

— Ça ne va pas, Sacha ? demanda-t-il pour le sonder.

— Non, pasteur, ça va...

— Tu es silencieux, ici, tout seul.

— Je me perdais dans le paysage, c'est tout.

— Tu penses toujours à elle, Sacha. Je te comprends. C'est un choc terrible pour nous tous.

— Oui, je pensais justement à Antonija, à son courage de tout abandonner pour s'en aller à la poursuite d'une aventure nouvelle. Je me rends compte que son départ est une très bonne chose pour nous deux. Nous avons une seule vie à vivre, il ne faut pas la gaspiller en s'accrochant par paresse à nos habitudes, à nos petites bassesses. Je souhaite qu'elle soit heureuse.

— Tu as une attitude chrétienne, Sacha, très noble. Le pardon soulage toujours, il évite que l'âme ne se dessèche.

— Il ne s'agit pas de pardon chrétien, Waldemar. Pas du tout. Je souhaite qu'Antonija trouve le bonheur pour qu'elle ne revienne plus jamais me chercher. Si elle est heureuse, je ne me sentirai pas coupable de m'être sorti à si bon compte de ce mariage absurde.

— Tu ne le penses pas vraiment, Sacha... C'est scandaleux, ce qu'elle t'a fait. Et quelle trahison que celle de Karlis, qui semblait pourtant être notre ami.

— Non, tu te trompes, Waldemar. C'est difficile à expliquer, mais je me sens soulagé maintenant, et très content. Je n'aurais jamais eu le courage de l'abandonner ; mais si c'est son désir, tant mieux, je me sens aussi libéré. Cela peut paraître frivole, c'est pourtant la vérité. Je ne lui garde pas rancune, bien au contraire, je lui suis reconnaissant. Et si un jour je rencontre par hasard Karlis, je lui serrerai la main et je lui offrirai un verre pour le remercier d'avoir éloigné Antonija de ma vie.

— C'est immoral ce que tu dis là, Sacha.

— Si c'est immoral, pasteur, dis-toi bien que tu es pour quelque chose dans cette rupture.

— Moi ? Pourquoi moi ? s'exclama Waldemar, livide.

— C'est toi qui nous as ouvert le trésor des possibles, Waldemar. Une fois de plus, nous devons tous te remercier de nous avoir secoués dans notre inertie. Même Antonija, qui me semblait si obtuse et timorée, a su saisir l'opportunité d'une vie nouvelle.

— Je n'ai jamais poussé personne au vice, Sacha !

— Non, tu nous as poussés au rêve, je te l'avais déjà dit bien avant que les départs commencent à effriter ta paroisse. Maintenant, il est impossible d'éviter la débandade. Je n'ai pas une âme de paysan et je ne vais pas te suivre comme je te l'avais promis. Je me sens déjà captif dans ce train et je brûle d'envie de retourner à la ville.

— Pour la chercher ?

— Non, absolument pas ! Je veux continuer mon aventure à ma façon. J'ai besoin de livres, de culture, d'avoir autour de moi des gens qui souhaitent apprendre et à qui je peux être utile. Même d'avoir de meilleurs adversaires que toi aux échecs. Ces derniers jours, j'ai été en contact avec des Russes venus de la région d'Odessa, des anarchistes établis comme ouvriers dans les usines de São Paulo. Ils ont un besoin pressant d'un instituteur, car plusieurs d'entre eux sont pratiquement analphabètes.

— Comment vas-tu vivre en ville si tu ne parles pas la langue ? Ton permis de séjour ici est pour devenir cultivateur, pas instituteur. Tu dois nous suivre, Sacha.

— On m'a appris qu'on peut s'établir où on veut, et qu'à São Paulo il y a beaucoup de possibilités de travail. Ces cellules anarchistes commencent à peine à se former ici, avec des immigrants qui ont déserté les lotissements de colonisation parce que les conditions de vie y étaient trop mauvaises. Ils reçoivent même des publications en russe venant de Buenos Aires. C'est ce qui m'attend. Une fois qu'on a commencé à choisir, pasteur, il est difficile de s'arrêter en chemin. Maintenant qu'Antonija n'est plus là, je n'ai plus besoin de la convaincre. Voilà. Je ne me laisserai plus enfermer dans aucun Lazispils. En tout cas, apprendre le portugais sera plus facile et plus excitant que d'abattre des arbres. Et je te conseille de penser aussi à quelque porte de sortie pour toi. Comment vas-tu faire pour passer tes soirées si tu connais déjà ta Bible par cœur ?

— J'ai mes paroissiens, Sacha. Un pasteur n'abandonne pas ses ouailles, ajouta-t-il avec de la tristesse dans la voix.

— Oui… Malgré tous tes paroissiens à Lazispils, c'est chez moi que tu passais tes soirées, mon ami. Chez un nihiliste, un incroyant.

— Tu étais ma famille…

— Avec le départ d'Antonija, tu perds aussi ton beau-frère. Mais tu ne perds pas un ami, si tu décides de m'accompagner. Il est encore temps, pour toi aussi, d'abandonner la vie de paysan. Nous pouvons nous perdre dans la grande ville.

— Je ne peux pas t'accompagner, Sacha, même si je le désirais, c'est impossible.

— Tu as déjà abandonné tes ouailles une fois, en partant de Lazispils avec une poignée de tes fidèles.

— Nous allons préparer le terrain pour que les autres nous rejoignent, tu le sais bien. Pour fonder notre ville lettone.

— Oui… fit Alexandr, incrédule. Ce rêve d'une nouvelle Jérusalem est ton rêve, pasteur, pas celui des autres. Ils veulent uniquement devenir propriétaires d'une terre. Tu es amer à cause de ce que tu appelles la désertion de Paulis et de Janis. Mais c'est faire preuve d'égoïsme que de vouloir soumettre les autres à tes fantaisies. Tu as ouvert le trésor des rêves, les gens t'ont suivi. Mais ils n'ont que faire de ta ville lettone. Les autres non plus, tu le verras assez vite. Alors, chasse ces illusions de ton esprit et accepte de retourner avec moi à São Paulo. C'est la seule chance pour ton Ruben d'avoir une instruction.

— Non, je ne peux pas abandonner mon projet si proche du but. Tu es un incroyant et un anarchiste, Sacha, tu ne peux pas savoir tout ce qu'un homme comme moi sait sur l'avenir.

— Je ne suis pas un complet incroyant, pasteur. Je crois aussi, sauf que mes croyances sont tournées vers les hommes concrets et non pas vers des lubies bibliques. Et mes croyances ne comportent ni dieu ni maître.

Après un long silence, Waldemar insista :

— Donc tu repars par ce train, après nous avoir abandonnés ? Tu pourrais au moins rester avec les femmes et les enfants à l'auberge d'Araraquara, en attendant que les lots soient en mesure de les accueillir. Au moins jusqu'à ce que Martha ait accouché.

— Je resterai quelques jours, si ça peut te rassurer. Mais si on en croit ce qu'on nous a dit, ces fameux lots ne seront pas habitables avant plusieurs mois. Ce sera trop long pour moi.

— Tu pourras peut-être trouver une nouvelle épouse parmi les filles de notre groupe… lança Waldemar pour tenter encore de le persuader.

— Alija ? demanda Alexandr avec un clin d'œil moqueur.

— Tu es cruel, Sacha…

— Tu vois bien, pasteur, je ne fais que me moquer. Je sais très bien que c'est toi qu'elle aime. Et elle va t'attendre quand Martha aussi aura commencé à rêver.

— Sacha ! Elle aime Martha et le petit Ruben, pas moi ! Pourquoi penses-tu que Martha aussi pourrait vouloir s'en aller ?

— En tout cas… Je sais maintenant que le mariage avec des jeunes filles ne me convient pas et je ne compte plus me laisser attraper. Je tremble à l'idée de ce que j'aurais pu devenir si ma fille n'était pas morte et si Antonija s'était agrippée à moi. Quant à Martha, je ne fais que supposer. Qui sait si elle aussi n'a pas été piquée par la mouche de ton penseur danois ?

— Maudit Kierkegaard ! s'exclama Waldemar. Quel pétrin !

•

Même s'il était très éloigné de São Paulo, le village d'Araraquara était un endroit déjà prospère, bien peuplé et avec toutes les commodités. La ligne de chemin de fer continuait à se construire à partir de là en direction de la localité de Catanduva, ce qui avait attiré plusieurs familles d'ouvriers dans la région. Les gens de Lazispils n'eurent pas de difficulté à se trouver un logement dans une grande étable désaffectée d'une ferme laitière. Les conditions sanitaires y étaient précaires, mais les femmes et les enfants seraient à l'abri et pourraient attendre sans trop de difficulté que les lots fussent habitables.

Leur célébration de la fête de Noël dans cette étable fut très modeste. Avec l'aide de quelques familles protestantes d'Araraquara, ils réussirent à installer une cuisine de fortune et des semblants de lits, mais leur repas de fête se limita à du riz, à des haricots noirs et à de la farine de manioc, le tout arrosé de bière. Les jeunes enfants reçurent tout de même des gâteaux très sucrés, faits de citrouille et de pommes de terre. Les adultes goûtèrent alors pour la première fois l'eau-de-vie brésilienne, la *cachaça*, qui remplacerait pour toujours la vodka de leur passé.

Dans son prêche de Noël, Waldemar compara leur gîte à l'étable où était né le petit Jésus, et il fit couler des larmes sur plusieurs visages fatigués. Il s'évertua ensuite à leur parler des fermes merveilleuses qui les attendaient à seulement deux jours de marche de là. Et il promit que l'année suivante, ils célébreraient Pâques pour la première fois en tant que propriétaires terriens très prospères.

— Et nous sourirons alors en nous rappelant cette première fête de Noël, si semblable à celle de Joseph et de Marie. Nous confondrons alors les sceptiques, toutes les natures tièdes qui n'ont pas osé nous accompagner jusqu'au but, ceux qui auront déserté en chemin et qui n'auront pas le bonheur de pénétrer dans la terre promise. Louons le nom du Seigneur, qui nous a conduits ici pour notre plus grand bonheur, conclut-il, des larmes aux yeux.

11

La veille de leur départ pour le lotissement de Cambuhy, Alexandr vint dire adieu à son ami Waldemar. Le pasteur tenta encore de le convaincre de rester à Araraquara pour tenir compagnie aux femmes et aux enfants, du moins jusqu'à ce que les lots fussent en mesure de les recevoir. Mais Alexandr était impatient de retrouver la grande ville.

— Elles seront bien ici, Waldemar. Ces protestants qui vous ont accueillis s'occuperont d'elles si jamais il y a un problème. Il faut que je m'en aille, je ne veux pas perdre le contact avec les Russes que j'ai connus à São Paulo. Et cette inactivité me pèse. Après ton départ demain, je n'aurai plus rien à faire ici. Tiens, je te confie mon jeu d'échecs, pasteur, pour que tu te souviennes de nos soirées à Lazispils. Je m'en procurerai un autre en ville. Cela m'étonnerait beaucoup que tu trouves un échiquier et des pièces en pleine jungle.

— Tu vas me manquer, Sacha. Je déplorerai toujours ta désertion, si proche du but.

— Je n'ai jamais partagé tes rêves de fin du monde ou de terre promise, Waldemar. Je ne me sens donc pas un déserteur. C'est plutôt toi qui as peur de continuer l'aventure. Il est encore temps. Tu peux très bien les laisser partir seuls, sous prétexte de rester avec les femmes ou d'attendre l'accouchement de Martha. Après tout, rien ne presse, ta terre ne va pas disparaître du jour au lendemain. En attendant, je te ferai signe depuis São Paulo dès que je trouve un travail, et tu pourras me rejoindre. Tu ne tiens pas tant que ça à devenir propriétaire terrien, pasteur. Je suis certain qu'Alija te suivrait.

— Tu resteras toujours un incroyant, Sacha. Je trouve presque obscène de ta part de venir instiller le doute à un homme de foi comme moi, si proche du but. Je suis tenté de te suivre, tu le sais bien, mais mes ponts sont coupés. Si tu es mon ami, tu devrais plutôt m'encourager par des paroles exaltantes, en louant le but pour lequel je me sacrifie.

— C'est parce que je suis ton ami que je cherche à te dissuader d'aller vers ce qui me semble davantage un suicide spirituel. Je me souviens des belles histoires de vagabondage en compagnie de ton père que tu m'as racontées autrefois. Mes propos visent uniquement ton bonheur, Waldemar. Tu cours à ta perte. Mais si tu n'as pas le courage de changer de cap à la dernière minute, c'est ton problème. Toi aussi, tu vas me manquer.

La nuit, lorsque tous dormaient déjà, Waldemar resta dehors, à regarder le ciel étoilé, se débattant avec le doute. Il cherchait toujours à se convaincre qu'Alexandr faisait le mauvais choix. Ses propres prières pour obtenir un signe clair sur le chemin à suivre furent vaines, comme si même Dieu refusait maintenant de l'aider dans ce choix si douloureux. La perspective de vivre isolé dans une terre lointaine, en ayant seulement Martha pour compagne, lui paraissait trop pénible. C'était un cul-de-sac pire que la fin des temps. Et il savait déjà pertinemment que ses autres compagnons ne partageaient pas ses rêves, qu'ils s'isoleraient à leur tour sur leurs terres, désireux seulement de s'enrichir. Pendant ce temps, l'instituteur partait à l'aventure avec une insouciance qui frôlait l'indécence. Et Alija, qu'allait-elle faire ?

À ce moment précis, elle vint le rejoindre et prit place à côté de lui pour regarder le ciel. Alija resta en silence un long moment, à contempler les étoiles pour tenter de s'orienter.

— Alexandr s'en va, dit Waldemar. Je me demande ce qu'il adviendra de nous, Alija.

— Je ne sais pas… répondit-elle sans cesser de scruter le ciel. Je ne comprends rien ici, ces étoiles ne me disent rien.

Je crois même qu'il y a plus d'étoiles ici que chez nous. Ça fait désordre. Le même désordre que dans ces forêts que nous avons vues depuis le train. Je ne sais pas... Peut-être qu'Alexandr a raison de partir. Il n'a plus de famille. Pour qui travaillerait-il la terre, à qui la laisserait-il au moment de mourir ? Il n'est pas un paysan, il ne connaît pas la valeur de la terre.

— Il va me manquer.

— Je sais, Waldemar. Tu vas être très seul. Je crains que tu ne disparaisses un jour, sans même me dire adieu.

— Je ne ferai pas ça, Alija. J'ai ma famille.

— Viens, Waldemar. Ils dorment tous, personne ne va nous voir. Je veux que tu me fasses une fille, une autre Alija Marija, pour moi toute seule. Viens. Tu vas partir pour longtemps et je vais trop m'ennuyer de toi. C'est toi qui vas me manquer.

Ils allèrent se coucher dans un coin éloigné de l'étable, à l'écart du groupe. Et ils s'aimèrent en silence, avec passion, comme deux naufragés qui s'accrochent désespérément l'un à l'autre.

•

Le lendemain, les hommes et les garçons en âge de travailler partirent en compagnie d'un guide vers le lotissement de Cambuhy. Ils étaient un groupe d'une vingtaine de personnes, ceux de Lazispils ainsi que des Lettons d'autres paroisses. Leur guide, Jorginho, était un jeune mulâtre très souriant et serviable, qui parlait uniquement le portugais. Il avait déjà conduit d'autres groupes de ceux qu'il appelait des « Allemands » vers les divers endroits de colonisation. C'était un garçon assez habile pour communiquer avec un langage de signes particulièrement exubérant, qu'il accentuait par de drôles de mimiques faciales et par des mouvements corporels. De temps à autre, il les surprenait en employant un ou quelques mots allemands, glanés quelque part, et qui le faisaient s'esclaffer de rire. Les voyageurs l'ignoraient encore, mais ce garçon espiègle deviendrait leur premier professeur de langue portugaise, en dépit du fait qu'il était analphabète.

Jorginho eut vite fait de les mettre en confiance malgré le sentier muletier presque invisible, envahi de mauvaises herbes, qu'ils empruntèrent après une heure de marche. Le sentier continuait parmi les broussailles et des bouts de savanes, pour se perdre ensuite dans des forêts assez denses. Seule la présence bavarde du guide, qui s'amusait avec sa machette en fauchant tout sur son passage, leur permettait de ne pas se perdre. Même s'ils n'étaient pas très chargés, ne portant que le strict minimum indispensable à leur survie, la marche était pénible à cause de la chaleur humide et des nuées de moustiques voraces. Leurs bottes n'étaient pas adaptées à un terrain si accidenté, ce qui ralentissait encore l'avance.

À l'aide de signes dignes d'un mime, Jorginho leur fit comprendre qu'ils pouvaient marcher sans crainte, car les serpents de cette région n'étaient pas dangereux. Avec son don naturel pour la communication, il cherchait aussi à leur apprendre des rudiments de portugais en pointant les objets ou en singeant les actions. Et il ne pouvait ensuite s'empêcher de rire quand les Lettons tentaient de répéter les mots qu'il venait de prononcer. Waldemar, qui parlait déjà trois idiomes, était celui du groupe qui démontrait le plus de facilité avec ce vocabulaire nouveau. Mais les plus jeunes aussi se montraient bien curieux d'apprendre, comme s'ils avaient déjà compris que cette langue étrange deviendrait la leur et celle de leurs enfants. Willems Jostins, en particulier, appréciait la compagnie et les efforts du jeune mulâtre, même après avoir compris que l'assiduité de Jorginho à ses côtés était plutôt motivée par la fascination que ce dernier éprouvait pour son dos bossu. À sa façon imagée, Jorginho lui avait fait comprendre qu'il était un *corcundinha*, expression qu'il répétait en haussant les sourcils d'admiration. Cela voulait dire que sa bosse faisait de lui un être particulièrement distingué au Brésil, capable d'apporter chance et bonheur à tous ceux qui le côtoyaient.

Ils firent une courte pause à midi pour manger, sans même oser s'asseoir à cause des moustiques et d'autres bestioles bizarres qui voletaient partout. Et ils continuèrent à marcher l'après-midi durant, sous une chaleur de plus en plus étouffante. Cette première journée fut très dure, leur visage et leurs bras étaient couverts de piqûres de moustiques et leurs vêtements étaient trempés de sueur. Curieusement, le mulâtre qui avançait nu-pieds était encore frais malgré son corps maigre, presque fragile, et il ne semblait pas être importuné par les insectes.

Ils bivouaquèrent sur la rive d'un ruisseau peu profond et s'abandonnèrent tous au plaisir de se laver dans les eaux claires. Jorginho leur apprêta une sorte de ragoût de haricots assaisonné de morceaux de viande salée, qu'ils mangèrent avec des poignées de farine de manioc grillée. Cette dernière gonflait ensuite dans le ventre en leur donnant une sensation de satiété.

La nuit tomba en quelques instants à peine, sans les longs crépuscules nordiques auxquels ils étaient habitués. Ils se trouvèrent soudain entourés d'une noirceur inquiétante, animée par toutes sortes de bruits inconnus, dont des glapissements sinistres. Le jeune mulâtre tenta de les rassurer avec des gestes et des expressions faciales, mais sa silhouette éclairée par le feu de camp provoquait plutôt l'effet contraire, comme s'il devenait avec la nuit l'un des nombreux esprits de ces forêts trop denses. La fatigue aidant, ils réussirent tant bien que mal à dormir, couchés sur le sable frais de la rive, malgré les moustiques encore plus agressifs et la lourdeur d'une digestion pénible.

Ils se réveillèrent avant l'aube avec un concert strident de milliers d'oiseaux et d'autres créatures cachées dans la cime des arbres. Peu habitués à l'effort depuis leur départ de

Livonie, ils sentaient leurs muscles ankylosés et endoloris après cette nuit inconfortable. Mais ils se sentaient aussi soulagés de savoir que le jour nouveau allait bientôt arriver. Jorginho les encouragea à manger encore de son ragoût salé, en essayant de leur expliquer que la transpiration excessive des Allemands sous la chaleur était leur pire ennemie et que son ragoût était le remède adéquat pour les protéger.

Comme la nuit tropicale, le jour surgit aussi très vite. Bientôt, le soleil cognait déjà comme il allait cogner pour les dix prochaines heures de marche. Les colons regardaient le sentier avec méfiance, car autour d'eux tout avait l'air si sauvage que c'était difficile de croire qu'il menait vraiment à un lotissement déjà établi. Quand ils passaient dans certaines clairières créées par d'anciens incendies, leurs pas soulevaient une poussière épaisse de terre très rouge, qui les couvrait de la tête aux pieds en leur donnant l'aspect de sculptures de glaise. Mais cette crasse était la bienvenue puisqu'elle les protégeait un peu des moustiques. Ici et là, ils rencontraient d'énormes constructions verticales en forme de tours, dures comme de la brique, que leur guide disait être des nids d'insectes rampants.

Cette deuxième journée de marche fut encore plus difficile que la première. Leurs pieds trempés de sueur étaient couverts d'ampoules douloureuses, qui s'ajoutaient à la fatigue et à l'irritation constante provoquée par l'assaut des moustiques. Et si les haricots salés de Jorginho aidaient à moins transpirer, ils provoquaient par contre une sensation constante de soif.

Ils arrivèrent dans le noyau de colonisation quand la nuit était déjà tombée. Ce qui deviendrait un jour le village de Nova Europa était pour l'instant un ensemble de quelques simples cabanes en pisé, aux toits de paille, dont la plus grande d'entre elles abritait le comptoir de marchandises. Un troupeau d'une douzaine de mules paissait paresseusement alentour. Ils furent reçus par un homme obèse, sans chemise et nu-pieds, aux gestes ralentis et dont le visage ensommeillé arborait une expression de grande mélancolie. C'était Seu Damásio, le surintendant provisoire du lotissement et le responsable du comptoir de marchandises, celui qui verrait à répondre à tous les besoins des colons. Seu Damásio parlait quelques mots d'allemand parsemés dans une syntaxe portugaise. Mais il paraissait être un homme si engourdi et si peu bavard que la communication avec lui était presque plus difficile que celle avec le guide Jorginho. Il leur fit tout de même comprendre qu'ils pouvaient bivouaquer où ils voulaient et le temps qu'il leur fallait pour se reposer de la longue marche. Il leur indiquerait le lendemain la localisation des divers lots en fonction des documents d'achat qu'ils avaient reçus à São Paulo.

Les quelques familles brésiliennes qui vivaient dans les autres cabanes étaient les premiers habitants de Nova Europa. Leur rôle était d'aider les colons durant les premiers mois de leur adaptation. Les hommes offraient leurs services comme travailleurs à salaire ; les femmes préparaient des repas que leurs enfants faisaient ensuite parvenir aux colons dans les parcelles. Ils demandaient des prix très bas pour leurs services, tout en menant une existence passablement apathique et misérable.

Les Lettons se contentèrent de manger ce soir-là un ragoût en tous points semblable à celui de Jorginho. Ils campèrent ensuite au bord d'une autre rivière, appelée Itaquerê. La vétusté de l'endroit n'augurait rien de bon pour les prochains mois. Mais ils cherchaient à s'encourager, en parlant de ces fameuses terres dont ils seraient un jour les propriétaires. Waldemar, un peu remis de sa tristesse, regagnait des bribes de son enthousiasme coutumier et leur prédisait qu'en peu de temps, ils auraient colonisé toute la région.

— L'an prochain, quand nos fermes lettones seront en train de fonctionner, mes amis, tout ici sera différent, disait-il à la ronde. Nous ne nous laisserons pas abandonner à la paresse comme ces gens. C'est une question de race, rien d'autre. Leur sang métissé les rend atrophiés, sans plus la volonté de bâtir de grandes œuvres. Vous avez vu l'état négligé du potager de ce surintendant, n'est-ce pas? Pourtant, le sol est fécond et le climat est propice aux cultures. Quand nous aurons peuplé ces terres d'enfants blonds et que notre paroisse sera florissante de bons chrétiens, cet endroit sera un paradis.

Ses compagnons, épuisés et alourdis par les haricots et la farine, encore trop dépaysés par cette nature sauvage, ne faisaient qu'acquiescer de la tête devant sa verve de prêcheur. Ils avaient plutôt hâte de faire la connaissance de leurs terres, pour lesquelles ils enduraient tant de souffrances.

Un peu plus tard, Jorginho vint les rejoindre, les bras chargés de bouse de mule séchée. Il leur expliqua qu'en allumant les monticules de bouse autour de leur camp, la fumée qui s'en dégagerait aiderait à éloigner le gros des moustiques. Le jeune mulâtre semblait s'être attaché à eux et il trouvait difficile d'abandonner la présence bienfaisante de Willems, le *corcundinha.* Willems trouvait aussi le garçon sympathique et débrouillard. Alors, quand Jorginho, à l'aide de gestes, s'offrit pour rester à son service en tant qu'homme à tout faire, porteur d'eau, cuisinier, traducteur et professeur de portugais, il fut aussitôt accepté par les Jostins et par les Landis.

Le lendemain matin, ils furent confrontés très tôt à une scène de très mauvais augure. C'était une famille de colons russes, les deux parents et deux enfants adolescents, qui s'apprêtait à quitter le lotissement dans l'espoir de pouvoir retourner en Russie. L'homme et la femme étaient vêtus de simples haillons, et ils semblaient très maigres et épuisés. Les deux garçons avaient l'air malades. Waldemar questionna le chef de la famille sur la raison de ce départ, et s'il ne regrettait pas d'abandonner sa terre.

— Non, monsieur, répondit l'homme. Ce n'est pas un endroit pour nous. Nous nous ennuyons trop de notre pays pour rester ici. Nous trouverons du travail en ville et après, nous rentrerons en Russie. Là-bas aussi, il y a des terres sauvages qu'on peut obtenir, en Sibérie. Et nous serons parmi nos gens.

Ce sont des faibles, pensa Waldemar en allant rejoindre ses compagnons pour la rencontre avec le surintendant. Seu Damásio leur montra les cartes du lotissement et identifia pour eux les diverses parcelles, qu'il appelait les *fazendas.* Curieusement, dans son registre, chacun des lots avait déjà reçu un nom de sainte à la place des chiffres et des lettres qu'avaient utilisés les géomètres militaires pour arpenter la région. Seu Damásio leur expliqua que ces noms avaient été décidés en haut lieu pour faciliter l'orientation des gens à l'avenir, quand Nova Europa serait une vraie ville. Chaque propriétaire pouvait se référer comme il voulait à sa *fazenda,* mais les nouveaux noms étaient ceux officiellement consignés. Ainsi, même en étant des protestants, ils prendraient possession soit de la Santa Madalena, de la Santa Rita, de la Santa Rosália, de la Santa Candelária ou de la Santa Catarina. Waldemar, en dépit de sa répugnance naturelle envers l'animisme et l'idolâtrie des catholiques, dut se résigner à penser à sa terre comme étant la *fazenda* Santa Terezinha. Jorginho tenta de lui faire comprendre que cela n'avait aucune importance, car tous ces noms différents n'étaient que les diverses façons attendrissantes qu'avaient les Brésiliens pour nommer la Vierge Marie, selon la couleur de ses robes dans les images à l'église. Elles étaient toutes la même mère de l'enfant Jésus. Après cette longue conversation avec le jeune mulâtre, Waldemar commença enfin à jauger l'immensité du travail pastoral qui l'attendait pour tenter d'apporter un tant soit peu de cohérence et de foi véritable à ces sauvages, parmi lesquels il avait échoué.

•

En possession des vivres et des outils de travail qu'ils avaient reçus au comptoir de marchandises, les Lettons partirent pour inspecter leurs lots. La journée s'annonçait belle et chaude ; si ce n'était des moustiques, tout semblait parfait pour cette première rencontre avec leurs terres. À l'aide des schémas que Seu Damásio avait copiés à leur intention, ce ne fut pas difficile de trouver les premières bornes en pierre qui délimitaient les futures *fazendas*. Tiko Kardis et ses deux fils furent les premiers à identifier leur terre, et ils le firent avec de grands cris de joie. Peu à peu, au long de la journée, les autres propriétaires trouvèrent leurs lots, même si aucun d'entre eux ne fut capable d'en faire le tour ou d'explorer son bien à fond. Avec un sentiment de bonheur mêlé encore d'incrédulité, chacun trouva que sa terre était la meilleure, même si elles se ressemblaient toutes et si elles se trouvaient toutes à peu près à la même distance de la petite rivière Itaquerê. C'étaient des surfaces densément boisées d'arbres et d'arbustes sauvages, où il était pour le moment très difficile de se déplacer.

Le soir, à nouveau réunis dans leur bivouac, il fut question de la manière selon laquelle ils entreprendraient le travail. Étant donné l'immensité de la tâche à accomplir, le plus rationnel aurait été de mettre leurs forces en commun pour s'attaquer peu à peu à chaque *fazenda*, plutôt que de se diviser aussitôt, chacun dans la sienne. Waldemar abonda dans ce sens, en leur parlant de solidarité et de coopération spontanée, comme chez les anciens chrétiens. Il leur rappela qu'ils avaient besoin de gîtes provisoires pour faire venir leurs familles, et que ce serait plus facile de mettre leurs cultures en commun dans les premiers temps de la colonisation. Aussi, que le travail d'abattage et d'essouchement ne serait possible que s'ils s'y mettaient ensemble, car ils ne disposaient pas d'animaux de trait pour les aider.

Hélas ! Sa vision d'une vaste communauté chrétienne continua de s'effriter devant la réalité concrète de la vie. Les

Landis et les Jostins furent les premiers à protester contre les velléités communistes du pasteur. Ils avaient plus de bras que les autres et ils préféraient se regrouper entre eux pour travailler immédiatement leurs terres, au lieu de perdre du temps en partageant leurs efforts avec le reste du groupe. Plus tard, peut-être, lorsqu'ils auraient commencé à semer, ils seraient en mesure de venir un peu en aide aux autres familles. Tiko Kardis non plus ne voyait pas l'intérêt de défricher d'autres terres que la sienne. Avec l'aide de ses deux fils, il était certain de pouvoir bientôt faire venir son épouse d'Araraquara.

Les hommes seuls comme Waldemar et trois autres Lettons qui s'étaient joints au groupe se trouvèrent ainsi en minorité, laissés à eux-mêmes. Ils comprirent alors que la seule solidarité sur laquelle ils pouvaient compter était la leur. D'un commun accord, ils décidèrent de joindre leurs efforts pour s'attaquer d'abord au déboisement de la *fazenda* de l'un d'entre eux, le dénommé Jorgis Bastis, qui était la plus proche du comptoir de marchandises.

Cette nuit-là, couché sur le sable de la rive, Waldemar déplora amèrement l'attitude qu'il qualifia de mesquine et peu chrétienne de ses paroissiens. Il allait devoir travailler avec trois inconnus parce que ses amis de jadis s'étaient montrés trop égoïstes pour partager leurs efforts. Il se souvint alors de la piètre opinion qu'Alexandr avait des paysans et il commença à regretter de ne pas l'avoir écouté. Si dès le début de leur vie dans ce nouveau pays ils commençaient déjà à s'éparpiller, motivés uniquement par les gains matériels immédiats, qu'est-ce que cela serait plus tard, lorsqu'ils seraient divisés par les différents succès de leurs cultures ? Son rêve d'une communauté chrétienne unie par la langue lettone lui parut alors, pour la première fois, clairement comme un leurre, comme une simple illusion.

•

Outre Jorgis Bastis, un veuf dans la quarantaine, ses nouveaux compagnons étaient Petris Sanis et Markus Talksis, deux célibataires dans la jeune trentaine. C'étaient des gaillards assez robustes et expérimentés, même si les trois étaient d'un naturel taciturne et peu enclins à s'intéresser aux visions bibliques du pasteur. Ils décidèrent de commencer à déboiser la terre de Jorgis pour se construire d'abord des cabanes, car Seu Damásio leur avait annoncé pour bientôt le début de la période des pluies. Ils finiraient ensuite le travail pour commencer à semer un premier lopin, avant de s'attaquer à la deuxième terre, qui serait celle de Waldemar. Ainsi, sans doute seraient-ils en mesure de survivre jusqu'à la fin de leur crédit au comptoir de marchandises. Et, comme Seu Damásio exigeait que toutes les *fazendas* fussent colonisées en même temps, ils travailleraient une fois par semaine dans chacune des autres parcelles, en y ouvrant des clairières pour garder les apparences.

Ils se mirent au travail avec énergie. Les outils qu'ils possédaient étaient d'assez bonne qualité et ce ne fut pas difficile pour le pasteur de se mettre bientôt au même rythme que ses compagnons de corvée. Waldemar n'avait jamais abattu un arbre de sa vie, mais il était familier avec l'usage de la hache pour la coupe du bois de chauffage. Dès les premières fois, il s'émerveilla de voir les gros arbres se fracasser dans la forêt, arrachant tout sur leur passage. Ses compagnons paraissaient trouver un peu étrange son humeur exaltée puisqu'il s'agissait uniquement d'arbres et non pas d'aucun miracle. Mais ils ne dirent rien, mettant probablement la bizarrerie sur le compte de son rôle de pasteur.

Ce furent des journées très difficiles, éreintantes. Le travail avançait lentement à cause de la dureté des bois tropicaux et de l'épaisseur des arbres centenaires. Les mains des quatre hommes furent bientôt blessées et elles saignaient souvent, même s'ils les enveloppaient de guenilles pour protéger chaque jour leurs nouvelles ampoules. Leur dos, trop frottés par les cordes avec lesquelles ils tiraient les troncs abattus, attiraient alors une légion de mouches et de moustiques. Mais ils travaillaient sans faiblir. Au bout de la première semaine, ils avaient déjà érigé une solide cabane recouverte de branches et de feuillages pour s'abriter et pour garder leurs vivres. Les murs étaient encore à peine esquissés par des treillis de bois ; plus tard, quand viendraient les pluies, ils les rempliraient de pisé. Pour le moment, il faisait encore trop chaud et ce n'était pas désagréable d'être ainsi exposé à la brise nocturne.

Même si chaque soir, Waldemar et ses compagnons allaient manger chez une famille voisine du comptoir de marchandises, ils rencontraient peu les autres gens de Lazispils. Les services religieux que le pasteur continuait à célébrer les dimanches étaient de moins en moins fréquentés par ses paroissiens, lesquels préféraient apparemment louer le Seigneur en continuant à travailler sur leurs terres. Et Waldemar ne chômait plus complètement le dimanche, car il se sentait mal d'être oisif pendant que ses compagnons reprenaient le travail aussitôt après la fin de son prêche. Mais Seu Damásio lui assurait que tous les autres allaient bien et qu'ils travaillaient très fort dans leurs *fazendas.* Les Landis et les Jostins, en tout cas, semblaient bien avancés dans le déboisement et la construction de leurs cabanes, au point de penser déjà à faire venir les femmes et les enfants.

Le soir, trop fatigué pour arriver encore à lire quelques passages de la Bible à la lueur d'une lampe à huile, Waldemar tentait en vain de s'imaginer comment lui et ses compagnons viendraient à bout d'arracher suffisamment de souches pour arriver un jour à labourer leurs clairières. C'étaient des souches énormes, aux racines trop puissantes, qu'ils ne réussiraient à faire bouger qu'à l'aide d'animaux. Il se demandait comment les autres gens s'y prenaient et restait sans réponse. Le plus pénible cependant était le sentiment d'abandon qui s'emparait de lui en ces moments solitaires, dans lesquels il commençait à désespérer face à l'énormité de ce qui restait encore à faire. Il tentait aussi de se faire une idée de comment vivaient Martha et Alija, desquelles il était sans nouvelles depuis longtemps. Même les traits du petit Ruben commençaient à pâlir dans sa mémoire, tant il se sentait fourbu et découragé.

La fatigue, de pair avec la nourriture insuffisante pour cette sorte d'effort, minait déjà l'esprit des hommes. Avec l'arrivée des premières pluies, le rythme du travail ralentit considérablement. Il faisait moins chaud, certes, et la pluie chassait les nuées de moustiques. Mais le sol détrempé rendait bien plus difficile le transport des grumes et l'abattage des arbres devenait parfois périlleux. C'étaient des pluies comme ils n'en avaient jamais vu, de véritables cascades verticales à grosses gouttes qui tombaient sans cesse, des journées entières. La masse d'eau était si compacte qu'elle brouillait même la vision immédiate de ce qu'ils étaient en train de faire. Leur toit de feuilles s'avéra d'ailleurs peu efficace dès la première journée pluvieuse, et ils durent alors se résigner à dormir mouillés.

La deuxième semaine de pluie incessante vint à bout des nerfs du jeune Markus Talksis. Ce dernier s'était déjà montré irascible et découragé par la lenteur de leur avance face à la forêt. C'était un jeune homme qui savait lire et écrire et qui aimait s'entretenir parfois avec le pasteur. Il parlait assez bien l'allemand pour avoir été marin autrefois sur un caboteur de la Baltique. Et ces qualités mêmes jouaient contre lui dans ce travail abrutissant.

— Nous n'arriverons jamais à semer au printemps ni même en juillet, dit-il un soir à ses compagnons pendant qu'ils tentaient de protéger leurs pipes des grosses gouttes qui tombaient du toit de la cabane. Nous sommes dans un cul-de-sac, nous n'arriverons à rien.

— Courage, Markus, répondit Jorgis, le plus vieux du groupe. Nous continuerons l'abattage dès qu'il fera beau. Nous louerons les mules du surintendant pour arracher les souches.

— Non, Jorgis. C'est un cul-de-sac, je te dis. Réfléchis un peu à notre situation. En moins d'un an nous aurons épuisé nos crédits d'achat au comptoir. Leurs cinq cents *milreis* ne valent pas grand-chose. Nous serons alors obligés d'emprunter pour arriver à la première récolte. Et nous ne savons pas ce qu'elle rapportera, si jamais nous venons à bout de semer quelque chose. Nous serons donc mathématiquement toujours endettés, toujours en arrière. Et nous n'aurons alors même pas versé le premier payement de nos terres.

— Ils seront patients avec nous, ils nous ont promis d'autres crédits, répondit Waldemar pour l'encourager.

— Oui, pasteur, et ils nous auront toujours captifs de nos dettes, crédit ou pas crédit, répliqua Markus. Je commence à penser qu'ils nous ont fait venir ici pour défricher à bon marché des terres qui ne seront jamais à nous. Nous aurons coûté seulement le prix du transport et les cinq cents *milreis*, comme des esclaves. En fin de compte, nous aurons travaillé pour rien ou pour ce qu'ils nous donnent à manger. Je comprends enfin pourquoi leurs nègres sont partis d'ici à leur libération. Ne vous rendez-vous pas compte de ce cul-de-sac ? Ce sera inutile de continuer. À quatre, en travaillant comme des bêtes de somme, nous aurons peut-être ouvert cette première terre au bout d'un an pour pouvoir la semer. Êtes-vous d'accord pour passer ainsi les quatre prochaines années ?

— Il ne faut pas désespérer, dit Waldemar, trop fatigué pour continuer la discussion.

— Après la pluie, quand viendra la saison sèche, nous pourrons mettre le feu au reste de la forêt pour accélérer le travail, répondit Jorgis.

Markus resta en silence, renfrogné, pendant que ses paroles pesaient lourd dans l'esprit de ses compagnons. Au bout d'un moment, il annonça sa décision :

— J'en ai assez. Si vous voulez continuer, faites-le, mais sans moi. Je m'en vais demain, pendant qu'il me reste encore un peu d'argent. Je prendrai des vivres et du tabac au comptoir ; ils me doivent ça pour les mois de travail. Et je me taille.

Les autres n'eurent pas l'énergie ni l'envie d'insister pour qu'il restât. Ils commençaient aussi à se rendre compte que seuls, sans une famille pour les aider, ils n'arriveraient jamais à s'en sortir. Et puis, à quoi bon une terre à soi s'ils n'avaient personne à qui la laisser ? Waldemar pensa alors que le jeune Ruben prendrait encore trop de temps pour grandir et venir l'aider au travail. Mais ils avaient déjà investi tant d'efforts dans cette terre qu'il était dommage de ne pas continuer à tenter l'impossible. Et puis, leurs vêtements étaient en lambeaux, leurs bottes étaient déjà éculées, presque éventrées à force de patauger dans la boue. Comment pourraient-ils revenir à Araraquara pour affronter les femmes en avouant leur échec ? Ensuite, il ne leur resterait que le travail salarié dans les fermes déjà établies, dont on disait que c'était un vrai travail d'esclave.

•

Des nouveaux arrivants apportèrent la mauvaise nouvelle à Waldemar : Martha avait accouché d'un bébé mort-né. Elle avait énormément souffert et perdu beaucoup de sang, mais sa vie n'était plus en danger. Elle ne pourrait cependant pas affronter de sitôt un voyage à pied jusqu'à Nova Europa et elle resterait à Araraquara sous les soins d'Alija. Par contre, le petit Ruben se portait très bien.

Quelques jours après cette triste nouvelle, une autre désertion dans le rang des Lettons vint accabler davantage l'esprit déjà ébranlé du pasteur. Tiko Kardis et ses deux garçons abandonnaient aussi la partie après avoir beaucoup travaillé, en vain. Ils avaient souffert de fièvres et paraissaient très abattus quand ils vinrent dire adieu. Waldemar fut très impressionné par leur maigreur et leur aspect négligé.

— Vous aviez raison, pasteur, dit Tiko en partant. Nous aurions dû nous associer. Maintenant, c'est trop tard. Mes deux fils sont très malades, des fièvres et des diarrhées qui n'en finissent plus. Moi-même, j'ai les pieds infestés de vers que j'arrive mal à arracher. Nous retournons à Araraquara pour nous soigner. Je reviendrai peut-être après les pluies, pour tenter de brûler la forêt. On aurait dû commencer par tout brûler, dès le début.

— Allez en paix, Tiko, répondit Waldemar. Donnez de mes nouvelles à Alija et à Martha. Qui sait si après Pâques je ne pourrai aller les chercher ? Au moins, elles planteront des légumes pour qu'on mange un peu mieux.

Waldemar savait déjà que ce serait une folie de les faire venir, que Martha et Ruben ne résisteraient pas à ces conditions de vie. Mais, curieusement, il ne s'en rendait pas tout le temps compte, seulement aux moments de découragement. À d'autres moments, il se laissait envahir par des restes de son enthousiasme, préférant penser uniquement au temple qu'il bâtirait sur sa terre et aux visions idylliques d'une Nova Europa peuplée et prospère. Il gardait ainsi les deux vérités, la réelle et l'idéale, bien compartimentées dans son esprit, de manière à pouvoir continuer le travail malgré le non-sens de cette besogne abrutissante. Cette ambiguïté essentielle, qui avait toujours été l'une de ses principales caractéristiques, l'empêchait aussi de penser clairement et d'arriver à une décision sensée. Chaque matin, il se levait automatiquement et s'attelait au travail comme ses compagnons, par pure habitude ou par peur du désespoir, sans tenir compte de sa faiblesse ni de l'absurdité de sa situation. Les soirs, trop éreinté pour réfléchir, il s'abandonnait aux images mélancoliques qui assaillaient son esprit ou aux visions d'une fin du monde de plus en plus conforme à ce qu'il était en train de vivre.

Waldemar célébra l'office de Pâques entouré d'à peine une poignée de ses fidèles. Ce fut comme un simple dimanche parmi les autres. Pour la plupart des colons, la rage de continuer le travail pour arriver à semer semblait avoir pris le dessus sur l'envie de commémorer la résurrection de

Jésus. Waldemar n'avait pas eu la force de préparer son prêche pour cette occasion, tant il était déjà envahi par le doute et par des sentiments proches de la déréliction. Il se contenta de lire des passages des évangiles traitant de la Passion et du retour du Christ à la vie éternelle. La vision de ses fidèles négligés et amaigris le renvoya à sa propre personne, et il pensa alors que lui aussi devait très mal paraître, sans plus rien avoir de l'apparence d'un vrai pasteur. Il récita alors le psaume 130 avec une émotion proche des larmes. Et la pensée qu'il avait conduit ses ouailles vers un gouffre ne l'abandonna plus jusqu'à sa fin.

Les pluies diminuèrent après Pâques mais les moustiques revinrent, plus voraces que jamais, en portant cette fois un fléau qui ressemblait à celui décrit dans le livre de Jean de Patmos. Le premier atteint par le mal fut Andrijs Landis, le jeune époux de Natalija. Cela se passa à son retour d'Araraquara, où les Landis et les Jostins l'avaient envoyé chercher leurs femmes et leurs enfants. Il avait loué quelques mules pour transporter leurs bagages et ils arrivèrent exténués à Nova Europa, après trois journées de marche. Dès son arrivée, Andrijs ressentit les premiers symptômes de la maladie qui allait l'achever. Il était un gaillard très fort et plein d'énergie quand, soudain, il parut littéralement assommé par un état de faiblesse extrême accompagné de fortes douleurs, en particulier au ventre. Une étrange jaunisse s'empara alors de tout son corps. Les Landis firent aussitôt appeler le pasteur, mais Waldemar ne put qu'être témoin de l'agonie du jeune homme. Ayant perdu connaissance, Andrijs se mit alors à vomir une sorte de boue noirâtre. Il rendit l'âme à peine deux jours après avoir ressenti les premiers symptômes du mal.

— *Vômito negro*, le vomissement noir, expliqua Seu Damásio à Waldemar. C'est le nom qu'on donne ici à une maladie terrible, la fièvre jaune. C'est un mal endémique dans toute la région. On ne sait pas d'où il vient ni comment le soigner.

— C'est terrible, en effet ! s'exclama Waldemar. Ce garçon était en parfaite santé. En quelques jours, il meurt de cette manière affreuse. Et vous dites qu'il n'y a pas de remède pour soigner cette maladie ?

— Non, répondit le surintendant. Aucun remède connu. Si le malade ne meurt pas en quelques jours, il guérira de la fièvre et de la jaunisse, mais il ne sera plus jamais le même homme. Il va souffrir toute sa vie de coliques et de mauvaise digestion. Et il ne vivra pas très vieux.

Cette mort aussi soudaine qu'inattendue laissa la jeune Natalija Landis veuve, enceinte et complètement désespérée. Elle trouva refuge dans la cabane que son père avait bâtie pour lui-même, son épouse et leur jeune fils. Waldemar eut la lourde tâche de prononcer l'oraison funèbre du jeune défunt et d'inaugurer ainsi la parcelle qu'ils croyaient destinée à devenir le cimetière de Nova Europa.

Le décès d'Andrijs Landis occupa l'esprit de tous les gens de la colonie comme un signe de grands malheurs. Il s'ajouta à la déception que les femmes ressentirent à leur arrivée, devant l'état de misère qui les attendait dans les cabanes en pisé. Malgré la tristesse générale et le ressentiment qu'ils éprouvaient envers le pasteur, ils n'avaient pas d'autre choix que de continuer à travailler, s'ils voulaient avoir un jour de quoi manger.

Waldemar devint encore plus mélancolique après cette mort qui frappait au cœur de sa colonie de rêves. La prostration de la jeune Natalija et la menace d'autres victimes possibles l'amenaient maintenant à se demander s'il ne s'était pas trompé de prophétie ou s'il n'était pas en train de subir un châtiment exemplaire pour sa vanité de s'être cru un meneur d'hommes. Il oublia alors définitivement la terre promise pour se concentrer sur les horreurs de l'Apocalypse, desquelles il se disait qu'il n'aurait jamais dû s'éloigner. Il continua cependant son travail avec plus d'acharnement, cherchant désormais plutôt à se mortifier. Les nuits, épuisé de fatigue et de douleur, ses cauchemars étaient d'un tel réalisme qu'il commença à croire qu'il s'agissait en fait de visions de la fin des temps.

Arnoulds, le jeune frère d'Andrijs, fut la deuxième victime de la fièvre jaune. Il mit un peu plus de temps à mourir qu'Andrijs, mais l'issue fut semblable. Cette deuxième mort si fulgurante alarma toute la colonie. C'était comme un mauvais sort qu'on leur avait jeté, et dans tous les esprits le mystère de cette maladie s'étendit à leurs terres, devenues désormais sinon maudites, du moins très menaçantes. Mais ils étaient irrémédiablement attrapés là, sans autre choix que de continuer à s'acharner au travail, pour être certains de ne pas mourir de faim quand leur argent viendrait à s'épuiser.

— On ne nous avait rien dit de cette fièvre jaune à São Paulo, se plaignit Waldemar à Seu Damásio. Il faudra les avertir pour qu'ils nous envoient des médicaments.

— Non, pasteur, ne vous faites pas d'illusions, répondit le surintendant avec sa lenteur habituelle. Ils savent très bien ce qui se passe ici. C'est pourquoi ils vous envoient pour défricher ces lots, ces terres qu'ils vous vendent à un prix d'ami. On dit que c'est une maladie qui vient des forêts. Quand il n'y aura plus de forêts, peut-être qu'elle disparaîtra aussi, la fièvre jaune. En attendant… Un jour, pasteur, toutes ces terres serviront de pâturage pour le bétail des grands propriétaires terriens de ce pays. On nous aura alors oubliés depuis longtemps.

Le pasteur Waldemar Salis n'eut pas l'occasion de souffrir en prenant conscience de la haine rancunière de ses paroissiens envers lui pour les avoir convaincus de chercher fortune en Amérique. Après que la fièvre jaune eut achevé Max Jostins, sa femme Nora ainsi que quelques autres colons, ce fut le tour du pasteur. Waldemar délira pendant trois jours, pris de visions de châtiments terribles avant de se mettre à vomir. Il rendit l'âme tout seul dans la petite case qu'il avait construite pour célébrer ses services religieux.

Sa mort et celles qui suivirent dans ce qu'on appela ensuite la grande épidémie des années 1906-1910 sonnèrent le glas de la colonisation par ce premier groupe d'immigrants russes venus de la Baltique. En à peine deux ans, ce premier noyau de paysans solides, ainsi que bien d'autres qui les avaient suivis à Nova Europa, furent décimés par le *vômito negro* et par d'autres maladies tropicales contre lesquelles ils n'avaient aucune protection naturelle.

12

Après la mort de Waldemar, Alija et Martha se retrouvèrent sans ressources. À l'exemple d'autres femmes d'immigrants revenus en ville pour devenir ouvriers, elles trouvèrent alors du travail comme lavandières au lavoir public d'Araraquara. Lorsque plus tard, un veuf originaire de l'Italie, cordonnier de son état, lui fit la cour, Martha répondit à ses avances avec un empressement juvénile teinté de timidité. Ainsi, deux années après le début de son veuvage, âgée d'à peine dix-huit ans, elle se convertit à la religion catholique et épousa en deuxièmes noces le cordonnier Lázaro Toscani à l'église de Nossa Senhora do Rosário.

Comme l'enfant du premier lit n'était pas le bienvenu chez le nouveau couple, le petit Ruben fut confié à Alija, sa grand-mère, pour être élevé comme s'il était son fils. Dès l'âge de quatre ans, elle l'envoya à l'école, non pas pour qu'il apprenne quoi que ce fût, mais pour qu'il y passe la journée et évite de se mettre dans le pétrin avec d'autres enfants laissés à eux-mêmes. Tout en travaillant comme lavandière, Alija continuait à penser au pasteur et développa l'obsession d'aller un jour retrouver la tombe où il était enterré. Impossible de savoir exactement ce qu'elle souhaitait trouver là-bas, à l'endroit où il était mort. Quand Ruben eut sept ans, elle le plaça comme garçon de ferme dans une plantation de canne à sucre de la région et elle s'en alla, en lui promettant de lui donner un jour des nouvelles de son père. Mais Ruben ne la revit plus jamais. Voilà pourquoi il ne fit pas d'études et apprit uniquement la langue portugaise, pour se fondre comme tant d'autres dans le tissu social bigarré de la population brésilienne.

Après le service militaire obligatoire, âgé de vingt ans et dûment alphabétisé, Ruben acquit la nationalité brésilienne. Plutôt que de revenir à la campagne, il décida d'aller s'installer à São Paulo. À cette époque, il commençait déjà à développer des traits de personnalité qui rappelaient un peu ceux de son père Waldemar, duquel il ne se souvenait pratiquement plus. Plutôt que Dieu ou la fin du monde, car Ruben n'avait pas reçu d'instruction religieuse, il devint fasciné par la technologie moderne, en particulier par le miracle de l'électricité. Il comptait accomplir de grands prodiges dans ce domaine, qui lui assureraient la gloire et la fortune.

Après un court apprentissage d'électricien dans l'atelier d'un maître italien de confession juive, Ruben ouvrit sa propre boutique de réparation d'appareils électriques, d'abord à São Paulo et ensuite à Rio de Janeiro, la capitale du pays. Il était capable de tout réparer, depuis les postes de radio jusqu'aux fers à repasser, en passant par les grille-pain, les coussins chauffants pour les douleurs lombaires, les samovars électriques, les lampes de tous genres, et même les fraises modernes que les dentistes commençaient alors à utiliser. Mais il consacra toute sa vie surtout à ses inventions, aussi mirobolantes qu'improbables les unes que les autres. Et il ne cessa jamais de s'émerveiller des appareils nouveaux qui arrivaient au Brésil depuis l'Amérique du Nord, lesquels contribuaient à stimuler sa passion.

Bien des années plus tard, déjà vieux et amer, toujours pauvre et indigné de la tiédeur des gens à l'égard de ses inventions, il maudissait parfois son père Waldemar. Il déplorait le fait qu'il ait choisi le Brésil plutôt que la vraie Amérique pour immigrer, s'imaginant que s'il en avait été autrement, il serait alors comme Rockefeller. Quand Ruben avait pris un verre de *cachaça* de trop, ses traits s'adoucissaient et son regard devenait vague, comme s'il plongeait dans de vrais souvenirs et non pas dans des illusions. Il pouvait alors raconter à ses fils les délices du pays où il était né, un pays nordique qu'il n'était pas capable de bien identifier sur les cartes géographiques. C'était un pays où quelque chose de magique appelé « neige » tombait du ciel, comme le lui avait enseigné Alma, sa grand-mère. En pleine chaleur du mois de décembre, il aimait décorer son minuscule sapin en papier mâché de beaucoup de coton ouaté, pour qu'il ressemblât aux sapins de son pays imaginaire. Et il décrivait avec un sourire d'illuminé cette neige féerique en la comparant à de la barbe à papa. Une sorte de barbe à papa très blanche et très froide, floconneuse et délicieusement sucrée, que les enfants pouvaient attraper en tendant la langue vers le ciel.

•

La destinée d'Alexandr Volkine fut un peu plus aventureuse. De retour à São Paulo, il reprit contact avec les immigrés qui tentaient alors de fonder l'une des premières cellules anarchistes russes du Brésil. Au contraire des anarchistes italiens, qui étaient déjà très actifs dans les usines et chez les artisans, les Russes étaient encore peu nombreux et ils commençaient à peine leur travail. Alexandr fut employé comme instituteur par leur groupe pour alphabétiser et instruire les nouveaux arrivants, ainsi que pour divulguer les premiers pamphlets qui leur arrivaient de Buenos Aires. Il eut beaucoup de succès et se fit reconnaître dans les cercles argentins au point de se faire inviter à Buenos Aires dès 1918, quand débuta la publication du journal anarchiste *Golos Truda* (La voix du travail). Il travailla aussi quelque temps à Montevideo, toujours dans la clandestinité, à la rédaction du journal *Rabotchaia Misl* (Pensées du travail). De retour à Buenos Aires, il participa à la fondation de la Federación Obrera Rusa et continua son travail d'enseignant et de rédacteur.

Le camarade Sacha Volkine mourut en 1930, non pas de la tuberculose comme sa toux chronique aurait pu présager, mais d'une balle tirée par la police de la capitale argentine dans les jours qui suivirent le coup d'état militaire. Il laissa dans le deuil sa compagne de combat, Concetta Gallotti, et son fils Miguel, âgé de quinze ans. Jusqu'à la fin, il garda une pensée affectueuse pour son ami Waldemar Salis, dont la folie mystique l'avait aidé à s'arracher à l'étroitesse de Lazispils pour partir à l'aventure.

•

Il ne reste pratiquement pas de traces du passage de ces Lettons dans l'actuel État de São Paulo. Nova Europa est aujourd'hui une petite ville brésilienne comme tant d'autres, avec encore beaucoup de rues non pavées. Les lotissements de jadis, défrichés par des immigrants, sont tous tombés entre les mains des grands propriétaires terriens et servent surtout comme champs de pâturage ou pour la monoculture du coton et de la canne à sucre. La fièvre jaune et la dengue y sont encore endémiques. Les descendants des premiers Lettons qui survécurent aux infortunes de la colonie se sont fondus dans la masse des autres Brésiliens et leurs enfants ne gardent aucun souvenir de cette époque.

Il est vrai que le groupe de colons qui fonda le village de Nova Europa était très restreint, et ce n'est pas surprenant qu'il ait disparu sans laisser de traces. Mais leur petit nombre ne fut pas la cause de leur disparition. Quelques années après leur arrivée, en 1922, il y eut une formidable vague d'immigration lettone au Brésil, conduite par le révérend Janis Inkis, un pasteur issu de l'Église baptiste, un autre illuminé fasciné lui aussi par le livre de l'Apocalypse. Dans un mouvement d'inspiration millénariste — pour attendre la fin du monde et la seconde venue du Messie —, visant le « réveil spirituel » des fidèles (*Gariga Atmoda*), un vaste segment de la population de religion baptiste de la jeune République de Lettonie prit le chemin de l'exil par vagues compactes. À la fin de 1923, le pasteur Janis Inkis avait réussi à attirer plus de deux mille fidèles dans une région de forêts vierges, à sept cents kilomètres de Santos, sur les rives de la rivière Peixe. Ils y travaillèrent durant trois ans à défricher les terres sauvages et fondèrent la ville de Varpa. Les « réveillés » — *Atmodnieki* —, comme ils appelaient les membres de leur secte, y établirent une vaste communauté mystique, aux prémisses et règlements fondamentalistes d'une rare rigueur. La discipline exigée de tous les fidèles par le cercle de dirigeants était extrême, incluant du travail obligatoire ainsi que des sacrifices corporels et spirituels compatibles uniquement avec l'attente d'événements eschatologiques. Cette colonie prospéra un peu pendant les années 30 et 40, pour ensuite s'effriter complètement quand les jeunes générations commencèrent à se révolter contre les préceptes absurdes des chefs de la secte.

Aujourd'hui, Varpa est un village misérable, où il ne reste pratiquement rien d'autre de letton que de vieilles familles de paysans pauvres ou des inscriptions effacées en langue lettone sur les façades délabrées. Les terres défrichées et mises en valeur par ces gens, dont le fanatisme n'avait d'égal que leur abnégation et leur force de travail, se retrouvèrent aussi, pour la plupart, entre les mains des grands propriétaires terriens brésiliens.

•

L'histoire de Waldemar Salis et des gens de Lazispils, ces Russes originaires de la Baltique, restera nécessairement fragmentaire. Son résultat est soit un roman, soit une fable, même si beaucoup de ces gens existèrent vraiment et périrent comme ce fut raconté ici. Elle fut écrite parce que l'auteur la gardait dans son esprit depuis l'enfance, et il ne voulait pas qu'elle se perdît lorsqu'il ne serait plus là pour continuer à s'en souvenir, à l'enjoliver, à la transformer avec ses propres fictions au point d'en être réduit à l'imaginer entièrement à partir de simples bribes glanées il y a très longtemps. Même s'il ne vécut pas cette épopée, elle marqua sa vie d'un sceau profond et elle fut à la source de certaines directions qu'il a imprimées, volontairement ou non, à sa propre existence.

Achevé d'imprimer en février deux mille douze
sur les presses de

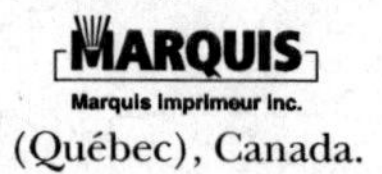

(Québec), Canada.